Авантюрный детектив

Лучшее лекарство от скуки — авантюрные детективы Татьяны Поляковой:

Деньги для киллера
Ставка на слабость
Тонкая штучка
Я – ваши неприятности
Строптивая мишень
Как бы не так
Чего хочет женщина
Сестрички не промах
Черта с два
Невинные дамские шалости
Жестокий мир мужчин
Отпетые плутовки
Ее маленькая тайна
Мой любимый киллер
Моя любимая стерва
Последнее слово за мной
Чумовая дамочка
Интим не предлагать
Овечка в волчьей шкуре
Барышня и хулиган
У прокурора век не долог
Мой друг Тарантино
Чудо в пушистых перьях
Любовь очень зла
Час пик для новобрачных
Фитнес для Красной Шапочки
Брудершафт с терминатором
Миллионерша желает познакомиться
Фуршет для одинокой дамы
Амплуа девственницы
Список донжуанов
Ангел нового поколения
Бочка но-шпы и ложка яда
Мавр сделал свое дело
Тень стрекозы
Одна, но пагубная страсть
Закон семи
Сжигая за собой мосты
Последняя любовь Самурая

Сериал «Анфиса и Женька — сыщицы поневоле»

Капкан на спонсора
На дело со своим ментом
Охотницы за привидениями
Неопознанный ходячий объект
«Коламбия пикчерз» представляет

Сериал «Ольга Рязанцева – дама для особых поручений»

Все в шоколаде
Вкус ледяного поцелуя
Эксклюзивный мачо
Большой секс в маленьком городе
Караоке для дамы с собачкой
Аста Ла Виста, беби!
Леди Феникс

Сериал «Одна против всех»

Ночь последнего дня
Та, что правит балом
Все точки над i

Авантюрный детектив

Татьяна
Полякова

Последняя любовь Самурая

Москва 2007

УДК 82-3
ББК 84(2Рос-Рус)6-4
П 49

Оформление серии *С. Груздева*

Серия основана в 2002 году

Полякова Т.В.

П 49 Последняя любовь Самурая: Повесть / Татьяна Полякова. — М.: Эксмо, 2007. — 352 с. — (Авантюрный детектив).

ISBN 978-5-699-23225-3

Она познала многое... Надежду и разочарование, бедность и богатство... Но деньги не принесли счастья, ведь счастья не бывает без любви. А без нее, в свою очередь, жизнь не имеет смысла! Лишь когда Селина познакомилась с Кириллом, она поняла: эта встреча — предчувствие чего-то значимого в ее судьбе. Кирилл оказался гениальным вором. Он сказал, что ждет в этом городе своего друга по прозвищу Самурай, которому должен помочь. Он втянул ее в криминальную авантюру и вскоре погиб — умер у нее на руках. А она осталась ждать Самурая, чтобы завершить то, что так и не успел сделать Кирилл...

УДК 82-3
ББК 84 (2Рос-Рус)6-4

ISBN 978-5-699-23225-3

На волке верхом
Ехала в сумерки
Та, что хотела
Стать его спутницей;
Знала она,
Что смерть ожидает
Сигрлинн сына
На Сигарсвеллире.

«Старшая Эдда»

Труп был тяжелым. Я попыталась ухватить его за ноги, услышав грозный окрик: «Шевелись», но они непостижимым образом выскользнули из моих рук, и я с тихим стоном опустилась на землю. Да, прятать трупы нелегкая задача. Не дожидаясь вторичного окрика, я все-таки вскочила, вновь ухватилась за ноги и, тяжело дыша, сделала первые несколько шагов, радуясь, что в темноте не могу видеть лица покойника.

Я споткнулась и едва не упала, но на сей раз ног не выпустила, удивляясь крепости собственной нервной системы. За последние два часа я как минимум трижды была обязана грохнуться в обморок, а ничего, бегаю. Трупы прячу. «Как такое могло произойти со мной?» — задала я себе риторический вопрос и вздохнула.

Моя жизнь обещала быть по всем статьям ничем не примечательной. Родилась я в маленьком районном городке, который с трудом насчитывал шестьдесят тысяч жителей. Конечно, не деревня, но близко к этому. Моя мама произвела меня на свет в семнадцать лет, едва успев окончить школу; отца своего я не знала, подозреваю, что на этот счет дела у матери обстояли не лучше, то есть и она толком его не знала. По крайней мере, я слышала три разные версии моего счастливого зачатия, где главными действующими лицами попеременно были то известный актер, то футболист, то рок-музыкант, тоже, разумеется, известный. У моей тетки была своя гипотеза тех событий, а число кандидатов на отцовство у нее сократилось до двух: первый был солдатом срочной службы, с ним мама крутила любовь целых полгода; второй — парень с соседней улицы, жуткая шпана, который сел в тюрьму раньше, чем его успели призвать в армию. В родной город он более не вернулся и, по мнению той же тетки, давно сложил буйную головушку в пьяной драке или умер от чахотки. Кстати, эта самая чахотка всецело занимала мое воображение в детстве, я мысленно видела своего отца в мрачном подземелье, прикованным к стене цепью. По стене стекает вода, образуя лужи на каменном полу, а мой отец надсадно кашляет и в конце концов испускает последний вздох.

Собственно, история моего рождения была самым интересным эпизодом моей жизни, может, поэтому отец в детстве и являлся мне в декорациях фильмов по романам Дюма.

Благополучно разрешившись от бремени, мама оставила меня на попечение своей сестры, старой девы тридцати семи лет. Та была дочерью ее отца от первого брака, и они не особенно друг друга жаловали, да и знакомы были не очень хорошо в силу двадцатилетней разницы в возрасте. Ко всему прочему, сестра жила в поселке неподалеку от нашего города, так что их встречи были не частыми. Однако после смерти моей бабки Люба, так зовут мою тетку, переехала в город, чтобы взять на себя заботу о своем отце и сводной, тогда десятилетней, сестре. Собственно, она заменила ей мать. Через пять лет умер отец, и они остались вдвоем на всем белом свете. Мать Любы умерла еще раньше, чем моя бабка. А потом родилась я, и мама, ежедневно рыдая от обрушившегося на нее счастья, вспомнила, что в первом классе у нее была пятерка по математике, и бросилась поступать в техникум (на институт она не замахивалась, пятерки у нее особо не водились). Техникум находился в областном центре, откуда мама уже не вернулась. На втором курсе она вышла замуж, забыв рассказать супругу о моем существовании. После регистрации она решила с этим тоже не спешить и в конце концов пришла к выводу, что ставить его в известность обо мне вовсе ни к чему, оттого в редкие наезды мамы я называла ее тетей Ниной, а тетю Любу, соответственно, мамой. В детские мозги это вносило некоторую сумятицу, и я лет до девяти толком не могла разобраться ни с мамами, ни с отцами.

На момент начала этой истории мать жила в Ульяновске, обремененная тремя детьми и вечно нетрезвым мужем, жаловалась на хроническое безденежье и уже лет семь как нас не посещала, забывая отвечать на письма. Телефона у нее не было, так что о ее жизни мы с тетей Любой имели довольно смутное представление.

Тете Любе уже было около шестидесяти, окружающий мир вызывал у нее стойкое отвращение, и она мечтала уйти в монастырь. Дело было за малым: оказалось, что в монастырь уйти не так просто, то есть с пустыми руками берут туда весьма неохотно, и тетка вела подвижническую жизнь в миру, гневно критикуя «прощелыг и выжиг, окопавшихся в церкви». Несмотря на суровый теткин нрав и неуемную тягу к обличению несправедливости, мое детство можно назвать вполне счастливым. Я, как водится, переболела ветрянкой, корью и ангиной, громко читала стихи про Мишку, взгромоздясь на стул, в положенное время отправилась в школу и с отличием ее закончила, не очень напрягаясь. В девять вечера по установленному порядку я молилась вместе с теткой, после чего она отходила ко сну, а я читала и предавалась мечтам.

Мои мечты ничего общего с реальной жизнью не имели, и уже лет в двенадцать я поняла, что либо мечтать надо о чем-то другом, раз пираты, мушкетеры и прочие романтические персонажи канули в небытие, либо нужно смириться с тем, что мечты мои никогда не осуществятся. Я смирилась, нимало не печалясь, и продолжала мечтать в свое удовольствие.

После окончания школы я хотела пойти работать, не желая сидеть далее на теткиной шее, но тетя Люба заявила, что спит и видит меня учительницей, так как некогда об учительстве мечтала сама, однако различные жизненные трудности помешали ее мечте осуществиться. Чтобы сделать ей приятное, я стала готовиться к поступлению в педагогический институт, но его в нашем городе не было, и я, с благословения тетки, отправилась в областной центр. Моей покладистости сильно способствовал тот факт, что в жизни тетки к тому моменту появился некий святой старец, а с моей точки зрения, просто бомж. Маленький юркий мужичок с бородой лопатой, которого Люба разместила в своей квартире. Старец последние тридцать лет нигде принципиально не работал, а теперь все свое время посвящал душеспасительным разговорам и диспутам с теткой на маловразумительные богословские темы, что наполнило ее жизнь давно ожидаемым смыслом. Она тихо радовалась своей миссии (взвалив на свои хилые плечи заботу о «святом» человеке), и мне показалось, что мое присутствие ее понемногу начало угнетать.

Послушав однажды очередную проповедь старца, который утверждал, что Христос вовсе не был богом, а природа его целиком и полностью человеческая, я сдуру брякнула, что это альбигойская ересь. Обалдение на лицах дискутирующих было ложно принято мною за неподдельный интерес, и я увлеченно рассказывала минут пятнадцать о катарах и Крестовом походе против них, о последней твердыне и прочем, пока не схлопотала от тетки полотенцем. Физическое воздействие сопровождалось словами «больно умная стала», после чего я была зачислена в стан идеологических врагов, и благословение мое на учебу в областной центр вышло не очень трогательным, но поспешным.

В институт я поступила, устроилась на работу, потому что была приучена есть трижды в день, и последующие четыре года прошли быстро, без значительных событий и волнений.

Жила я в общежитии и делила комнату с тремя девчонками из таких же районных городков, как и моя малая родина. Девчонки мечтали поскорее выйти замуж, мысль вернуться в родные пенаты их откровенно пугала. Мне же, по большому счету, было все равно, раз мои собственные мечты были неосуществимы как здесь, так и там, однако в беседах на излюбленную тему я принимала весьма деятельное участие, слушала откровения подруг, дважды пыталась влюбиться сама и дважды с печалью констатировала, что это мне не удалось, то есть те чувства, которые я в реальности испытывала, были далеки от тех, что я к тому моменту успела себе напридумывать. Девчонки критиковали меня за дурной характер, излишнюю разборчивость и предрекали гневливо любовь к какому-нибудь прохвосту, с которым я буду мучиться всю жизнь. Такая перспектива не очень меня пугала, потому что к тому времени я начала опасаться вовсе никогда не влюбиться. Если учесть, что все мои мечты были об этой самой любви, мое горе от данного открытия не знало границ.

— Ты бесчувственная, — говорила одна подруга.

— Эгоистка, — вторила ей другая.

— Ты расчетлива и коварна, — вступала третья, и все вместе дружно заявляли:

— Выйдешь замуж за олигарха, — чем ставили меня в тупик.

Олигархи меня волновали мало, являясь существами из другого мира, еще более фантастического, чем тот, в коем обитал возлюбленный моей мечты. Однако, встретив свое двадцатилетие, я начала беспокоиться: в моем возрасте положено влюбляться, а сердце при взгляде на парней не екает, физиономия не бледнеет и руки предательски не дрожат. Бог знает откуда я это взяла, но свято верила, что эти три признака свидетельствуют о внезапно нагрянувшей настоящей любви.

С точки зрения многочисленных подруг и друзей, я была красавицей, но сама соглашаться с этим не спешила, вынеся из долгих бесед с теткой убеждение в том, что человек прежде всего красив душой, а моя была за семью печатями. Эгоизм и бесчувственность, в которых я сама уверилась, отнюдь меня не красили, так же, как старые кроссовки, в которых я ходила зимой и летом, всесезонная куртка на рыбьем меху и две пары джинсов сомнительного происхождения. В общем, с моей точки зрения, я мало походила как на романтическую красавицу, так и на глянцевых див со страниц журналов, и посоветовала себе скоренько найти какой-то смысл в существовании, раз уж с любовью ничего не выходит.

Смысл в руки не давался. Сдав летнюю сессию, я отправилась к тетке в родной Усольск, потому что летом в общагу заселялись абитуриенты, а более податься мне было некуда.

Тетка встретила меня ласково, святой старец отсутствовал. Я очень удивилась, не обнаружив его возле окна, и даже испугалась, не случилось ли с ним чего худого; тетка делала вид, что его здесь вовсе не было, и это заинтересовало меня. Через пару дней соседка донесла, что старец, утомившись богословскими беседами, сбежал от Любы и теперь живет с Тамаркой Рогозиной, разбитной девахой лет тридцати, и помогает ей торговать на рынке. Тетка предала его анафеме и с прежним пылом мечтала о монастырской жизни.

— Тебе надо выйти замуж, — со вздохом сказала мне она. — Не то будешь, как я, одна весь век вековать. Хорошо хоть мне мать тебя подсунула, а то и похоронить бы меня некому было.

Я заверила тетку, что непременно ее похороню, как только она будет к этому готова.

Весь следующий месяц в нашу квартиру вереницей шли женихи. Бог знает откуда их брала тетя Люба, но они неизменно появлялись практически каждые три дня, чинно пили чай на кухне и взирали на потенциальную невесту с сомнением. Тетка меня, в отличие от других, красавицей не считала. А женихов подбирала по принципу «лишь бы человек был хороший». Хороший человек, с ее точки зрения, — непьющий или пьющий умеренно, таких в нашем городе набралось не так много, и по истечении месяца кухня начала пустовать, что тетку очень огорчало.

— Неужто никто не понравился? — вздыхала она.

Я качала головой.

— А Коля, Анны Михайловны сынок?

Сынку Анны Михайловны было лет тридцать пять, и на смотрины он пришел вместе с мамашей. Та, взглянув на меня, сказала:

— А чего худющая такая?

— Да она не ест ничего, — запричитала тетка, косясь в мою сторону, то ли оправдываясь, то ли давая понять, что в новой семье я никого не объем.

Коля хмыкнул и заявил:

— Кости есть, а мясо нарастет, — чем сразу же завоевал мою признательность.

Был он невысок, упитан, ходил с золотой цепью на шее и на всех смотрел исподлобья. У них с матерью было два продуктовых магазина, и по местным меркам они считались олигархами.

Выпив чаю, мамаша отбыла, еще раз хмуро взглянув на меня, сынок, задержавшись у дверей, сказал сурово:

— Ну, что, вечером куда-нибудь выползем?

Я выдала свою лучшую улыбку и шепнула ему в ухо:

— Иди в жопу.

После чего он поспешно удалился, бормоча под

нос что-то непристойное. Это был последний претендент на мою руку. У тетки началась затяжная депрессия, а у меня спокойная жизнь, которую ничто не нарушало. Временами тетя Люба, правда, жаловалась:

— Это все из-за твоего имени, — выдвинула она очередную версию моей неудачно складывающейся личной жизни. — Имя накладывает отпечаток на судьбу человека. Чего ты ухмыляешься? Это известный факт, я в журнале прочитала. Поэтому раньше детей называли по имени святого, в чей день они родились. А твоя мамаша чего натворила? Назвала тебя дурацким именем, которого ни в каких святцах не сыщешь. Не удивлюсь, если оно какое-нибудь языческое или нет такого вовсе, и эта вертихвостка его сама придумала.

Мама назвала меня Селиной, и это был ее единственный вклад в дело моего воспитания. Тетка предпочитала звать меня Нюсей, и я долгое время считала, что это и есть мое имя, пока в детском саду мне не открыли глаза на то, что я заблуждаюсь.

Обладание редким именем не сделало меня счастливее, зато, безусловно, закалило характер. В школе, правда, стало легче, со мной учились две Дианы и одна Снежана. К десятому классу, когда я, по общему мнению, стала красавицей, нашлись даже завистницы, испытывавшие горькое сожаление оттого, что их собственные имена звучали вполне традиционно.

Где-то классе в третьем я прочитала свое имя наоборот, то есть Анилес, и решила, что в нем есть нечто волшебное, и с той поры довольно долго именно так мысленно себя и называла, воображая себя то феей, то принцессой, которую заколдовала злая ведьма. Это невероятно скрашивало мою ничем не примечательную жизнь, так что, по большому счету, маме следовало сказать спасибо.

Тетка уже давно вышла на пенсию, отработав двадцать пять лет на кирпичном заводе, но продолжала трудиться, справедливо полагая, что на пенсию особо не разживешься. В то лето трижды в неделю она убиралась на «богатых дачах», как тетя любила выражаться. Собственно, с одной из этих дач и началась моя история, которая завела меня довольно далеко от уготованной мне судьбы — сеять разумное, доброе, вечное.

Итак, дача. Ничего особо примечательного в ней не было, если не считать бассейна, но этим кого сейчас удивишь? Но моей тетке, помышлявшей о монашестве и искренне считавшей, что на сто тысяч рублей можно прожить всю жизнь ввиду явной запредельности этой суммы, дача казалась сосредоточением порока, ярким представителем которого являлась хозяйская дочь Катерина.

Сами хозяева жили в областном центре, на даче появлялись редко, Катерина же бывала здесь почти каждый выходной и непременно с друзьями. Друзья исправно напивались, устраивали фейерверки и плюхались в бассейн, оглашая округу разноголосыми воплями. Соседи с томлением ждали, что произойдет скорее: спалят они дом по пьяному делу или утопнут. Так как дом стоял на отшибе, и тот и другой сценарий был гражданам одинаково симпатичен.

Катерине исполнилось двадцать пять лет, она окончила столичный вуз, после чего вынуждена была вернуться в отчий дом по настоянию отца, который полагал, что ничего хорошего от ее жизни в столице ждать не приходится. Катерина трудилась в фирме родителя, дела на личном фронте у нее не складывались, многочисленные приятели не задерживались, и через каждую пару недель она появлялась в новой компании. Все это я знала из рассказов бывшей одноклассницы, чей дом был неподалеку от этой дачи. За тем, что происходит за кирпичным забором, она зорко следила из своего чердачного окна с биноклем наперевес и доверительно сообщала мне, зло посмеиваясь, однако не без зависти к Катерине. Дом одноклассницы был расположен ближе всех к пресловутому особняку.

Приехав на каникулы, я решила, что, раз мне особо занять себя нечем, следует помочь тетке, и трижды в неделю уборки у богачей теперь проводила я. Дачи находились в двух километрах от городка, в поселке Дружба, который скорее являлся пригородом. Дом, где любила отдыхать Катерина, как я уже сказала, стоял на отшибе, практически в лесу, в живописном месте. Добиралась я туда на велосипеде, очень популярном в нашем городе виде транспорта.

В тот день я отправилась туда часов в десять. Погода была прекрасная, и я решила, что если мне повезет и с уборкой я справлюсь где-то к обеду, то будет шанс прокатиться на речку. Ни с хозяевами, ни с их дочерью я до тех пор ни разу не встречалась, за домом приглядывала соседка, мать той самой школьной подруги, у нее были ключи, она открывала мне Катеринин дом и принимала работу. Я, как обычно, подъехала к подружкиной калитке и, не слезая с велосипеда, надавила кнопку звонка. На крыльце появилась моя одноклассница.

— Привет, — сказала она весело. — Приехала? А тебя уже ждут.

— Кто? — удивилась я.

— Катька. Они лопали всю ночь, к утру только разъехались, в доме, поди, свинарник, вот она мамке и звонила, спрашивала, когда уборщица придет.

— А-а... — протянула я.

— Ты, когда закончишь, заходи к нам, поболтаем.

Я кивнула и поехала дальше. Оставила велосипед возле ворот дачи, вошла через калитку и присвистнула. Если в доме то же самое, на речку я попаду ближе к вечеру. Я поднялась на крыльцо и позвонила в дверь. Открыли мне минут через пять, когда я уже отчаялась и решила, что Катерина крепко спит и я в дом не попаду. Девица в полной боевой раскраске смотрела на меня с некоторым удивлением.

— Здравствуйте, — сказала я. — Я пришла убираться.

— Ты? — Удивление ее лишь увеличилось.

— Да, — улыбнулась я. — Тетя неважно себя чувствует, и весь этот месяц прихожу я.

— Ну, заходи. — Катерина посторонилась, пропуская меня в дом.

— Откуда начинать? — деловито осведомилась я.

— Все равно, — зевнула она. — Везде бардак, только в спальню в мансарде пока не лезь.

Я кивнула и пошла в подвал за инвентарем.

Когда я закончила уборку второго этажа, в доме наметилось движение. Двери хлопали, раздавались шаги, а вслед за этим послышались голоса, и стало ясно, что Катерина в доме не одна. Вскоре я увидела гостя, он пил кофе, устроившись в компании хозяйки на веранде. Я проходила мимо и заглянула в открытую дверь. Прямо напротив сидел парень в шортах и белой футболке, вытянув ноги, и насмешливо улыбался, слушая болтовню Катерины. И тут все три признака влюбленности не замедлили ко мне явиться: парень был красив. С моей точки зрения, даже слишком и уж точно не подходил Катерине, которая красотой отнюдь не блистала.

Меня тянуло к веранде как магнитом, и лишь здравый смысл не позволял мне то и дело сновать вблизи открытой двери. Я отмывала первый этаж и пребывала в состоянии, близком к блаженству, потому что успела придумать историю нашего знакомства и последующую за этим большую любовь. Я прислушивалась к голосам с веранды, но говорила в основном Катерина, и даже имени парня я не узнала, хотя очень хотелось.

Работала я не торопясь, начисто забыв о своем желании поскорее отправиться на речку, и к моменту окончания уборки у меня уже было минимум три версии истории моей большой любви. Тут появилась Катерина и сказала, хмуро глядя на меня:

— Слушай, вымой тачку, а? Она у гаража стоит.

Я кивнула и пошла мыть машину. Надо сказать, веранда располагалась как раз над гаражом, и, увлеченно надраивая чужую собственность, я сколько угодно могла любоваться объектом моих мечтаний. Очень скоро стало ясно, что он меня тоже заметил, и сердце мое забилось в предчувствии великих событий, потому что несколько раз я ловила на себе его взгляд. Минут через десять он начал откровенно пялиться, причем довольно нахально, а еще через двадцать минут вышел из дома и направился ко мне. Я помнила, что Золушка — девушка скромная, и всецело сосредоточилась на машине, правда, когда наши взгляды встречались, я застенчиво улыбалась, потому что была не только скромна, но и добра.

— Привет, — сказал красавец, и я ответила:

— Привет.

В то же мгновение из дома появилась Катерина, лицо ее пылало от гнева, взгляд, который она обратила ко мне, мог бы испепелить, и я поспешно отвернулась, надеясь, что, если буду вести себя смиренно, повода скандалить у нее не возникнет. Лишать тетку работы я не планировала и оттого забеспокоилась. Парню следовало быть осмотрительнее, впрочем, ему-то что за печаль, если меня отсюда вышвырнут.

— Ты долго еще? — спросила меня Катерина.

— Минут десять, — спокойно ответила я, отводя взгляд. Разгневанным хозяевам в глаза не смотрят, они от этого впадают в священное бешенство.

— Сережа, идем в дом, — позвала она своего приятеля.

На его физиономии отчетливо читалась душевная борьба. Конечно, он предпочел бы остаться со мной, потому что явно не испытывал сильных чувств к своей подружке, однако покорно потрусил за ней.

Я была деревенской девкой, хоть и красавицей, которая моет полы в чужих домах за две тысячи рублей в месяц, а Катерину хоть и нельзя назвать особо привлекательной, однако у нее, в отличие от меня, есть деньги, тачка и эта дача.

Образ принца мгновенно померк в моих глазах, и к неведомому Сергею я потеряла интерес, потому что истинные принцы ведь должны очень хорошо знать, что судить о человеке по тому, как он одет и чем в настоящее время занимается, весьма неосмотрительно. Лягушка может вдруг превратиться в Василису Прекрасную, но ее мужем уже будет младший брат, которого всю жизнь считали дураком.

Я закончила мыть машину, заглянула в дом и громко спросила:

— Еще что-нибудь надо?

— Нет, — ответила Катерина.

— Тогда я пойду, до свидания.

Ответом мне было молчание, и я поняла, что свободна.

Я заперла за собой калитку и уже оседлала велосипед, когда из дома появился Сергей.

— Подожди, — попросил он, подходя к калитке. — На, возьми. — Он протянул мне тысячу рублей и, увидев изумление на моей физиономии, поспешно пояснил: — Это моя машина.

— Да мне нетрудно было, — пожала я плечами и мысленно усмехнулась, заметив его неуверенность, а еще желание оглянуться, чтобы убедиться: Катерины за спиной нет. — Спасибо, — сказала я и взяла банкноту со счастливой улыбкой.

— Тебя как зовут? — тише спросил он.

— Матрена, — ответила я, решив, что это имя как нельзя лучше соответствует ситуации, улыбнулась шире, еще раз сказала спасибо и покатила по улице, накручивая педали и ничуть не расстроившись. Он просто не тот, кто мне нужен. Не первый раз мне приходилось смириться с этим, наверное, и не последний, однако эта встреча навела меня на неожиданные мысли, то есть неожиданными они были разве что для меня, а на самом деле оригинальностью не отличались. Например, такая: Золушек вокруг пруд пруди, и может случиться так, что принцев на всех не хватит. Опять же, принц из сказки свою возлюбленную увидел на балу в роскошных тряпках, и явилась она туда в золоченой карете, то есть, по-нашему, на спортивной тачке. Это вызвало у меня беспокойство, может, принц-то не умнее олуха Сережи? А может, никакой он не олух и рассуждает правильно, что Золушке не худо бы иметь хотя бы две пары обуви, ну и к ним еще что-нибудь в придачу.

Чтобы легкая паника не перешла в разряд тяжелой, я вспомнила Ассоль и удовлетворенно кивнула. Там-то было все правильно, полюбили ее за красоту и прекрасную душу. Но бессмертное творение Грина отнюдь не успокоило меня, и впервые за много лет я с ужасом подумала, что, помечтав лет до тридцати пяти, я пополню когорту сумасшедших баб вроде своей тетки. Может, стоит прислушаться к чужим увещеваниям и, плюнув на фантазии, заняться делом? Например, подумать о карьере. Разумеется, не школьной учительницы. Там-то как раз только и остается мечтать о принце, забыв про деньги, потому что в школе их не заработаешь. «А я хочу много зарабатывать?» — задала я себе вопрос и забеспокоилась, потому что ответ заранее знала. Конечно, зарабатывать надо, раз без денег в этой жизни никуда, но сделать это смыслом своей жизни?.. С велосипеда пересесть на спортивную тачку, не знать точно, сколько у тебя пар обуви, и в выходные сидеть на богатой даче в компании вот такого Сережи? Нарисованная картина всерьез обеспокоила меня, деньги никак не хотели становиться смыслом моей жизни, и тогда я вдруг ощутила странную пустоту, заподозрив, что никакого смысла нет вообще. Для меня лично нет. Если любовь, о которой я читала в книжках, просто чья-то выдумка, значит, смысла точно нет, потому что для меня только она, любовь, и имеет значение.

Я привычно начала думать о том, что для меня важнее не чья-то любовь, а моя собственная, то есть главное — влюбиться самой, а с этим-то как раз и были проблемы. Вот в Сергея я, к примеру, ни за что не влюблюсь, потому что его не уважаю, считая слабым человеком, а он пока лучший из всех, кто мне попадался. Я вздохнула и почувствовала настоятельную потребность отвлечься от своих дурацких мыслей. В кармане у меня лежала тысяча, по местным меркам приличные деньги, их стоило потратить в свое удовольствие, а заодно помечтать в компании Верки, вот уж у кого фантазия на высоте. Я хотела ей позвонить, но потом решила сэкономить и заехать к подруге домой. Верка совершала трудовой подвиг — полола грядки.

— Поедешь купаться? — спросила я.

— Угу, — ответила Верка.

Мы дружили с первого класса, и, хотя последнее время виделись редко, только когда я приезжала на каникулы, я считала ее своей лучшей подругой. Отец ее был пьяница, мать работала на фабрике и с большим трудом кормила всю семью, где, кроме Верки, было еще двое детей младше ее по возрасту. Оттого после школы подруга тоже пошла на фабрику и откровенно завидовала моей жизни в губернском городе.

— Вечером можно в кафе сходить, — предположила я. — У меня деньги есть.

— Да? Откуда?

— Парню одному тачку помыла, он мне тысячу дал.

— За то, что тачку помыла? Врешь, — нахмурилась Верка.

— Ну... — Видя, что в ее сознании зреют самые черные мысли на мой счет, я поспешила рассказать историю о том, как я стала счастливой обладательницей тысячи.

— Он, конечно, познакомиться с тобой хотел, — кивнула она. — Вот и денег дал. Думал впечатление произвести. У людей в больших городах деньги бешеные.

— У меня — нет.

— Я не про тебя. Ты ему номер своего мобильного дала?

— Нет. Зачем?

— Дура, ей-богу. Как он тебя найдет?

— Да не надо меня искать.

— Тебе он ничуточки не понравился? — вздохнула Верка.

— Сначала понравился, даже очень. Симпатичный.

— Вот. Тогда чего ты? Доразбрасываешься парнями...

— Ладно, поехали купаться, — тоже вздохнула я.

— Поехали, — буркнула Верка.

Мы договорились встретиться с ней вечером возле кинотеатра «Ударник», который по праву считался центром нашего города, оттого все свидания, как правило, назначали здесь.

Я пришла раньше и, зная склонность Верки опаздывать, направилась в сквер по соседству, где и устроилась на ближайшей скамейке. В сквере работал фонтан, создавая праздничную атмосферу, оттого, наверное, я сидела и беспричинно улыбалась, вертя головой по сторонам, чтобы не пропустить Верку. И тут мое внимание привлек «Мерседес», который плавно огибал сквер, направляясь к гостинице, что находилась напротив «Ударника». Иномарок в нашем городе хватало, но такие машины все же были редкостью. «Москвичи», — равнодушно подумала я, удивляясь, что им тут понадобилось, но номера оказались нашего региона. Вряд ли я бы так долго разглядывала «Мерседес», если бы не одно обстоятельство: занять себя до прихода Верки было нечем, оттого я продолжала наблюдать за машиной.

Машина въехала на стоянку, что была возле гостиницы, и из нее показался парень в светлых брюках и полосатой футболке, лицо его я разглядеть не могла из-за значительного расстояния, но, судя по всему, он был довольно молод, точно светловолос и носил очки. Пружинистой походкой парень поднялся по ступенькам ко входу в гостиницу и через мгновение скрылся за стеклянными дверями, а я постаралась найти другой объект для наблюдения, но, пока искала, появилась Верка, и я направилась к ней.

— У меня времени всего три часа, — пожаловалась подруга. — Пойду за батю дежурить, он опять запил.

— Жаль, — вздохнула я. — Могли бы еще в кино сходить.

— Не-а, лучше в кафе, ты пирожных обещала.

И мы пошли в кафе. Сели за столиком в глубине

зала, заказали по три пирожных и кофе, и я, наконец, смогла поделиться своими сомнениями с Веркой.

— А чего ты хочешь? — вздохнула она. — Кто ж знает, что у тебя душа прекрасная. Встречают-то по одежке, сейчас такое время. Короче, миром правит бумажный, а точнее, денежный змей. Между прочим, лично я ни о ком особенном уже не мечтаю. Откуда особенному здесь взяться? Это ты живешь в большом городе, а у нас что? По мне был бы мужик непьющий, ну и не совсем идиот и любил бы меня, но и такие, скажу я тебе, большая редкость.

Мне стало грустно, потому что по части фантазий Верка была впереди планеты всей, и вдруг такое: непьющий, не совсем идиот. Здравствуйте, дожили. Неужто и я... Далее продолжать не хотелось, и я приналегла на пирожные. Наш разговор коснулся утреннего приключения, и Верка заявила, что я по дурости упустила свое счастье. Тут уж мне вовсе стало не по себе, потому что представить Сережу тем самым счастьем, о котором так долго мечталось, было совершенно невозможно. Но тему я поддержала, в нужных местах кивала, не забывая про пирожные. И вечер, можно сказать, удался. Взглянув на часы, Верка вспомнила о дежурстве, я расплатилась, и мы покинули кафе.

— Домой пойдешь? — спросила подруга.

— Прогуляюсь, может, знакомых встречу.

— Ну, тогда пока. — Она махнула мне рукой и зашагала в сторону котельной, где работал сторожем ее родитель, а я направилась к «Ударнику», прикидывая, стоит пойти в кино или нет.

Я как раз проходила мимо кассы, когда услышала:

— Девушка... — И, повернувшись, обнаружила в

трех шагах от себя молодого человека в очках, светлых брюках и полосатой футболке. — Извините, — промямлил он, приглядываясь ко мне. — Вы мне не поможете?

— Можно попробовать, — пожала я плечами, незнакомец вроде бы на миг растерялся, но почти тут же продолжил:

— Не подскажете, где в вашем городе гостиница?

— Так вот она, — кивнула я на здание, что было через дорогу и в которое два с половиной часа назад входил этот тип.

— Для меня здесь дороговато, — смущенно ответил он. Цены в гостинице были мне неизвестны, но вряд ли они могли произвести сильное впечатление на владельца такого «Мерседеса». Хотя, может, «Мерседес» вовсе не его... — Другой гостиницы в городе нет?

— Нет, — покачала я головой. — И в этой половину площади сдают в аренду, сами видите. В нашем городе нет достопримечательностей, и туристы сюда не ездят.

— А у вас, случайно, нет знакомых, которые сдают комнаты? Мне всего на одну ночь. Я к другу в гости приехал, а тот, оказывается, укатил на рыбалку. Пытался ему дозвониться, но он в зоне недосягаемости. Автобус уже ушел, уехать я смогу только завтра.

Слова об автобусе поставили меня в тупик. Зачем он этому типу, если его тачка стоит возле гостиницы, я ее отсюда вижу. Может, правда, машина не его, а он кому-то ее пригнал... А может, я ошиблась, и это не он выходил из «Мерседеса», а кто-то очень на него похожий? Я повнимательнее присмотрелась к парню, не забывая отвечать на его вопросы.

— Нет.

— Жаль, — загрустил он. — Простите, а как вас зовут?

— Селина, — пытаясь скрыть недовольный вздох, ответила я.

Незнакомец вроде бы удивился:

— Селина? Какое красивое имя. А меня зовут Вадим.

— Очень приятно, — кивнула я и тут вспомнила: — По-моему, на Малеевке есть гостиница, что-то вроде Дома колхозника. Раньше точно была.

— А где эта Малеевка? — заинтересовался Вадим.

— За рекой, вон в той стороне, дойдете до церкви, потом свернете направо и дальше все время прямо, пока в танк не упретесь.

— А что там танк делает? — удивился парень.

— Ничего. Он памятник. Там свернете налево и увидите мост, а за мостом уже Малеевка. Кого-нибудь спросите, как гостиницу найти.

— А вы здесь с кем-то встречаетесь? — с робкой улыбкой спросил он.

— Встречалась с подругой, но ей на дежурство, а мне одной в кино идти лень.

— Давайте я с вами схожу, — предложил он. — В гостинице мне все равно делать нечего.

— Сеанс закончится поздно, и в темноте вы никакую гостиницу точно не найдете. Фонарей на Малеевке нет, а народ спать ложится рано.

— Да? — Он вздохнул. — Тогда, может, вы меня проводите? Хотя бы немного? Если честно, я уже забыл, где должен сворачивать.

К этому моменту я была абсолютно уверена в том, что не обозналась, это его я видела возле гостиницы, и заподозрила, что Вадим по какой-то причине валяет дурака. Причина была мне неизвестна и оттого интересна, я решила разобраться в ситуации, согласно кивнула, и мы направились к церкви.

— А вы здесь живете или погостить приехали? — спросил Вадим, исподтишка меня разглядывая.

— Приехала к тетке, у меня каникулы.

— Учитесь?

— Да, в педагогическом.

— На каком курсе?

Так незаметно мы дошли до церкви, и я успела поведать основные вехи своей биографии. Он тоже в долгу не остался. Рассказал, что работает программистом в одной фирме, мечтает купить квартиру, а пока снимает жилье на двоих с другом. Приехал он в наши края из Томска, где у него осталась большая дружная семья. Я за него вслух порадовалась, при этом терялась в догадках, не вранье ли это, потом не выдержала и спросила:

— А в наш город вы на автобусе приехали?

— На машине. Со знакомым. Он дальше отправился, в командировку, а я вот здесь.

Выходит, Вадим просто пудрит мне мозги, потому что за рулем точно был он сам, и никакого друга я не видела. Вот только какой смысл ему врать? Версий на сей счет у меня не было, а докопаться до сути хотелось. Когда мы остановились возле церкви, Вадим неуверенно спросил:

— Может, еще прогуляемся? А я вас потом провожу?

Я, немного подумав, согласно кивнула, и мы побрели на Малеевку. Ни он, ни я не торопились и всю дорогу болтали. Отыскать гостиницу оказалось легко, выглядела она, по крайней мере с виду, вполне прилично.

— Теперь не заплутаете, — сказала я и начала прощаться.

— Подождите, — забеспокоился Вадим. — Устроюсь и вас провожу.

— Не надо. Мне недалеко.

— Нет-нет, — волновался он. — Уже поздно, как вы одна дойдете?

— Да у нас спокойно.

— Спокойно или нет, а я все равно буду переживать. Подождите пять минут.

Я опять согласилась и устроилась на скамейке возле гостиницы. Вскоре вернулся Вадим:

— Порядок. Спасибо вам огромное, вы очень меня выручили.

— Пожалуйста, — сказала я, и мы побрели к моему дому.

— А знаете, что я подумал? — улыбнулся Вадим. — Вдруг это судьба? Ну, что мы с вами встретились? Ведь надо же было так совпасть: и друг мой уехал, и вы у кинотеатра оказались, и обратился я именно к вам.

Я улыбалась, храня по этому поводу молчание и все еще теряясь в догадках: то ли у меня видения и возле гостиницы был вовсе не он, то ли глюки у парня и он попросту заговаривается. А что? Обкурился какой-нибудь дряни и самого себя не помнит. Это было бы самым простым объяснением происходящего, но Вадим выглядел совершенно нормальным и адекватным, а в своем душевном здоровье мне до сих пор сомневаться тоже не приходилось. И я загрустила.

Впрочем, особо грустить Вадим мне не давал, болтал без умолку, как-то ненавязчиво взял меня за руку и более ее не отпускал. Так рука об руку мы и очутились возле моего дома. Неказистый вид жилища вызвал на лице Вадима гримасу недовольства, но лишь на мгновение, он поспешил спрятать ее за лучезарной улыбкой, а я сказала:

— Ну, вот... — И мы посмотрели друг на друга в некоторой растерянности: моя относилась к тому, что разгадку странного поведения парня я так и не нашла, а к чему относилась его растерянность, в тот момент меня вовсе не волновало. Можно было придумать предлог и еще немного погулять, но я уже сообразила, что затяжное бродяжничество ясности в ситуацию не внесет, и начала прощаться. Вадим задержал мою руку в своей руке и спросил:

— Можно я завтра зайду?

— Заходи, — пожала я плечами.

— Завтра выходной, — воодушевился он. — Ты не занята?

— До обеда буду убираться, — ответила я. — Освобожусь часа в два. У тебя автобус утром.

— Вечером тоже есть автобус, — сказал он. — Ты всегда по воскресеньям убираешься?

Я объяснила:

— Да я не у себя.

Пришлось рассказать о теткином приработке и своем участии в этом деле.

— Жаль, что ты не можешь отпроситься, — вздохнул он. — Значит, увидимся в два?

— Хорошо, — кивнула я, и мы наконец простились.

Тетка сидела перед телевизором.

— Где тебя носит? — спросила она сурово.

— В кино ходила, — соврала я, чтобы избавить себя от лишних вопросов, но тут выяснилось, что наше стояние с Вадимом у подъезда не осталось незамеченным.

— Что это за парень? — вновь спросила тетка, на сей раз суровости в ее голосе поубавилось, и появились робкие нотки надежды.

— Познакомились в кинотеатре. Вот проводил домой.

— Он вроде не местный, — продолжала допытываться тетка.

— К другу приехал, а тот укатил на рыбалку.

— И куда же он теперь?

— На Малеевке в гостинице устроился. Завтра хотел зайти.

— Хорошо, — кивнула тетка и развила свою мысль: — Выглядит он солидно. И на пьющего не похож. Чем занимается?

Я подробно пересказала свой разговор с Вадиком, сообразив, что тетка не оставила надежды выдать меня замуж и рассматривает его как возможного претендента.

— А он не женат? — заволновалась она. — Лет-то ему немало, поди уже за тридцать.

— Говорит, что не женат.

— Говорит... — фыркнула тетка. — Ты ухо востро держи, а главное, никаких вольностей не позволяй. Окрутит, прости господи, потом останешься с пузом, как твоя мамаша, и что тогда? На меня не рассчитывай, силы уже не те.

— С пузом придется повременить, — ответила я. — Мне еще год учиться.

— Вот и правильно, — кивнула она, и я, воспользовавшись глубокой задумчивостью, вдруг на нее напавшей, ускользнула в свою комнату.

Тетка после моего ухода выключила телевизор и легла спать. Мысли о Вадиме не давали мне покоя. Я открыла створку окна и выбралась на улицу, воспользовавшись тем, что квартира у нас на первом этаже. На Малеевку от моего дома была короткая дорога через пешеходный мост, который находился в двух кварталах от нас. Через пятнадцать минут я уже подошла к гостинице и, пристроившись на скамейке возле забора напротив, стала ждать.

Прошло примерно полчаса, а Вадим все не появлялся. Конечно, можно было предположить, что он заблудился и где-то до сих пор бродит, но у меня на этот счет возникли сомнения. Подождав минут десять, я отправилась в центр города и, еще только подходя к кинотеатру, убедилась, что «Мерседес» находится на стоянке. Оглядевшись и не обнаружив Вадима поблизости, я подошла к гостинице, но не к центральному входу, а к тому, что был во дворе и предназначался для служащих. В гостинице лет двадцать работала мать моей школьной подруги Елена Ивановна. Я не знала, ее сегодня смена или нет, но в успехе своего предприятия не сомневалась, потому что была знакома с ее коллегами. Дверь оказалась открытой, и я, воровато оглядываясь, прошла к стойке администратора. За стойкой, лениво обозревая безлюдное пространство холла, сидела моя подруга.

— Юлька, — позвала я, укрывшись за колонной.

Юлька начала вертеть головой, я выглянула из-за колонны и махнула ей рукой. Она улыбнулась и быстро приблизилась.

— Привет, ты чего здесь?

— Мимо шла. А ты мать подменяешь?

— Ага. Она к бабке в Самару уехала, отпросилась на неделю, а я вот вместо нее. Пойдем потреплемся, делать все равно нечего, и начальства нет.

— Потрепаться — это хорошо, — кивнула я. — Только лучше здесь.

— Почему? — удивилась Юлька.

— «Мерседес» на стоянке видишь? — перешла я на заговорщицкий шепот.

— Ну... сама его и оформляла.

— Хозяина как зовут? Вадим?

— А ты откуда знаешь?

— Я не знаю, я спрашиваю.

— По-моему, Вадим. Сейчас проверю. — Она метнулась к стойке и через минуту радостно мне закивала. — Вадим. Иди сюда, что ты там торчишь?

— Не могу. Боюсь, вдруг он войдет и меня увидит.

— Кто? Вадим этот? Откуда ты его знаешь? — Она вернулась к моему укрытию и теперь нетерпеливо переминалась с ноги на ногу в ожидании объяснений.

— Он у вас остановился? — продолжила я допрос, игнорируя ее любопытство.

— Конечно. Где ему еще останавливаться? Не на Малеевке же. Номер люкс, и то нос воротил, это ему не так да то не эдак. Ты мне объяснишь, в чем дело? Я же не железная.

— Он не говорил, зачем приехал?

— Нет. Но ясно, что по делам. Если б отдыхать, то

поехал бы на турбазу «Велес», туда из области отрываться ездят. Там все супер и девки по вызову в любое время дня и ночи. Помнишь Ольгу Носову, она еще с Костей Дьячковым в одном классе училась? Так вот и она там, ага. Хвалилась: бабок получает немерено. Хочет квартиру покупать, прикинь? А ведь дура дурой и уродина, чего в ней мужики находят? Даже обидно.

— Чего тебе обидно? Они ж ее не замуж зовут.

— Может, еще и устроится. Деньги-то большие зарабатывает.

— Сифилис она там заработает или еще чего похуже.

— Ну, это да, — пригорюнилась Юлька. — Работа, конечно, паршивая. Быстрей бы институт окончить, — вздохнула она. — Так надоела эта жизнь на три копейки.

— Точно. Окончим институт, будем получать четыре копейки.

— Ты чего сегодня вредная такая? — удивилась Юлька.

— Я не вредная, — покаянно вздохнула я. — Просто ты постоянно уходишь от темы разговора.

— Да? А о чем мы говорили?

— О постояльце, что приехал на «Мерседесе».

— Ну... приехал. Знакомый твой, что ли? Он сейчас у себя. Хочешь, позвони ему в номер.

— Не хочу. А он точно у себя?

— Где же еще? Вернулся час назад, поужинал в ресторане и ушел в номер.

Я почесала за ухом в глубоком раздумье, хотя ответу Юльки не удивилась. А вот загадка осталась и теперь вовсе не давала мне покоя: на кой черт он поплелся на Малеевку, утверждая, что эта гостиница для него слишком дорога?

— Сколько у вас номер стоит? — спросила я, хотя сама не знала, что мне могут дать эти сведения.

— Стандартный — две с половиной, полулюкс — четыре, а люкс — пять. Он, конечно, в люксе. Да ты мне объяснишь, в чем дело?

Разумеется, я объяснила. Подробно рассказала о знакомстве, нашем затяжном путешествии по городу и обещании новой встречи.

— А это точно он? — нахмурилась Юлька. Теперь и я начала сомневаться.

— Среднего роста, в очках, волосы светлые.

— Он, Линочка, он... — Подруги, как будто сговорившись, звали меня Линой, впрочем, я не возражала. — Противный такой, все рожу кривил. Даже не знаю, что и думать. Чего-то ему от тебя надо, не стал бы он все это затевать. Слушай, он до завтра номер снял, хотел уехать до обеда, прикинь? — Я прикидывала, то есть смотрела на Юльку и напряженно хмурилась, не зная, что думать, а она продолжала: — Он сегодня приехал, пообедал и ушел. По времени получается, что дойти он успел только до кинотеатра, а потом с тобой бродил.

— Ну... — кивнула я в очередной раз.

— Так какие у него могут быть дела? То есть за каким чертом он сюда приехал, да еще в субботу, когда никакие фирмы не работают? А завтра уезжает. Выходит, его дело ты и есть, — закончила она и уставилась на меня.

— По-моему, он просто идиот.

— Линочка, я поняла, — зашептала Юлька, хватая

меня за руки. — Я все поняла. Тебя ищут. Точно. И он сюда специально приехал. Чтоб с тобой познакомиться. Ну, конечно, все же ясней ясного.

— Зачем со мной знакомиться? — не успевая за мыслью подруги, растерялась я.

— Как — зачем? Он хотел узнать, как твои дела и все такое, не привлекая к себе внимания.

— Допустим, но врать-то зачем?

— Он не хочет тебе открыться до поры до времени. Боится.

— Чего?

— Да что ж ты какая несообразительная?

Соображала я в тот момент и вправду не очень, не понимая, к чему клонит подруга, пока она с сияющей физиономией не выдала, все еще держа мои руки в своих:

— Линочка, это твой папа, он же пропал, верно? И никто о нем ничего не знает. Он разбогател, а теперь приехал...

— Юля, соберись, — ласково попросила я. — Папа не пропадал, мама просто была не уверена, кого конкретно стоило бы назвать моим папой.

— Ничего подобного. Мне моя мама рассказывала, что твой отец... в общем, там вышла неприятная история накануне твоего рождения, и папу твоего посадили в тюрьму.

— Был еще солдат, мне тоже тетка рассказывала.

— Вот. Кто-то из них разбогател и теперь ищет тебя. Господи, как я за тебя рада!

— Радуйся на здоровье, только это бред.

— Ничего подобного, как раз это все и объясняет...

— Ничего это не объясняет. Завязывай с сериалами, добром это не кончится.

— При чем здесь сериалы? А ты совсем бесчувственная, вместо того чтобы радоваться: отец нашелся...

— Какой отец, дура? — не выдержала я. — Ему тридцать четыре года, он мне сам сказал. Что он меня, в двенадцать лет родил?

Это подействовало, Юлькины глаза потухли, но через мгновение вспыхнули вновь.

— Отец не мог приехать сам и его послал, чтобы узнать, как ты живешь и все такое. Можешь говорить что угодно, но я чувствую...

— Как его фамилия? — вздохнув, спросила я, потому что тоже ощутила что-то вроде тревоги.

— Папы твоего?

— Парня этого.

— Сейчас, — заволновалась она и бросилась к стойке, я направилась за ней, забыв про осторожность. — Вот, — суетилась Юлька. — Козельский Вадим Эдуардович, точно, тридцать четыре года, и адрес есть.

Я прочитала адрес:

— Сосновая, дом пять, квартира один, — и задумалась. Улица Сосновая была мне известна, это не улица даже, а загородный поселок на берегу реки в нашем областном центре, огороженный по периметру высоким забором. В поселке было примерно с десяток таунхаусов, цена за квадратный метр в которых зашкаливала, прибавьте бассейн, собственную пристань и прочие радости... Три года назад я работала в строительной фирме, которая как раз данный поселок и строила. Схема этого чуда висела в холле, и я могла сколько угодно ею любоваться.

— Ну, что? — спросила Юлька, видя мою печаль.

— Вовка здесь? — кивнула я в сторону лестницы.

— Ушел давно. Зачем тебе Вовка?

— Мне компьютер нужен.

— Так ключи-то от его кабинета здесь, — удивилась Юлька и протянула мне связку. — Иди, а я посторожу. Потом мне все расскажешь.

Я отправилась в кабинет, который располагался под лестницей, и через пару минут уже сидела за компьютером. Поразмышляв немного, написала довольно пространное письмо своему знакомому, он подрабатывал в солидной фирме и оттого на каникулы остался в городе. С чувством выполненного долга я покинула кабинет. Юлька изнывала от нетерпения, сидя за стойкой.

— Ну, что? — спросила она с таким волнением, точно ожидала услышать весть о конце света.

— Я попросила Севку узнать все, что сможет, об этом типе.

— Правильно, — кивнула Юлька. — А кто такой Севка?

Я закатила глаза.

— Я же тебе рассказывала.

Юлька снова кивнула, но уже не так неуверенно.

— Я на третий этаж сбегала, — шепотом сообщила она. — Вадим твой в номере, никуда не выходил. Просил ему чай принести. Тетя Катя сказала: он сидит перед компьютером, перед ноутбуком то есть. Жутко деловой, лишнего слова не вытянешь. Я хотела к нему заглянуть, но подумала: вдруг он заподозрит чего.

— Ты поаккуратней, — нахмурилась я. — Особенно с тетей Катей. Язык у нее, как помело.

— Не беспокойся, я ей про тебя ничего не сказала.

Зашла вроде как поболтать от скуки, ну и про Вадима вспомнила, то есть про тачку его. Все само собой получилось. Тетя Катя решила, что я им заинтересовалась, потому что он мне понравился, точнее, тачка его. Вот. Она даже сказала: жених, конечно, завидный, но ненадежный. И невзрачный какой-то. Но тебя это совершенно не должно волновать, раз он посланец твоего папы и никакой не жених.

— Посланец папы? — обалдела я, забыв о том, что она успела напридумывать.

— Конечно, — моргнув, ответила Юлька.

Тут выяснилось, что тема себя исчерпала, то есть ничего нового по поводу Вадима ни я, ни Юлька сказать не можем, а прочие темы на ум не приходили, в общем, я поспешила проститься, заверив Юльку, что, как только появятся новости, я ей их сообщу. Со своей стороны, Юлька обещала приглядывать за Вадимом. На том и порешили.

Я отправилась домой, размышляя по дороге о превратностях судьбы. Еще вчера у меня не было никакого папы, то есть, конечно, он был, но его все равно что не было. Я унаследовала от него только отчество, да и в том была не уверена, маме ничего не стоило его выдумать, и с таким же успехом я могла быть Николаевной, к примеру, а не Олеговной. Хотя отчество Олеговна не слишком благозвучное, так что мама, скорее всего, что-то имела в виду. Так вот, еще вчера меня это совсем не занимало, а сейчас я уже готова поверить, что у меня есть отец, что он обо мне знает и даже послал этого самого Вадима.

Подумав еще немного на эту тему, я со вздохом решила, что все же поспешила согласиться с Юлькиными доводами, это форменная чепуха, мексиканский сериал, но своей версии происходящего придумать не смогла и оттого слегка загрустила.

Родной дом тонул в темноте. Я легко взобралась на подоконник, воровски проникла в комнату и закрыла окно. Повздыхала немного, таращась на луну, которая ярким фонарем висела над соседним деревом, и легла спать.

Утро началось со звонка в дверь, вернее, началось оно несколько раньше. И к тому моменту я уже успела встать, умыться и даже выпить чашку кофе. Тетка пила чай и размышляла вслух: стоит ей к клиентам отправиться вместе со мной или я справлюсь сама с поставленной задачей. Я заверила, что справлюсь, но она сомневалась. Эти клиенты были особенно дороги тетке, платили больше, чем прочие, и никогда ни к чему не придирались. К единому мнению мы прийти так и не успели, тут в дверь позвонили, и я пошла открывать, удивляясь, кого принесло в такую пору. На пороге стоял Вадим с растерянным и даже несчастным выражением на физиономии.

— Привет, — сказал он и испуганно добавил: — Ничего, что я так рано?

— Нормально, — ответила я, пропуская его в квартиру.

Тетка выглянула из кухни и замерла с приоткрытым ртом.

— Здравствуйте, — сказал Вадим и поклонился чуть ли не в пояс.

— Здравствуйте, — пробормотала тетка.

Тут и я подала голос, решив, что их следует познакомить. Они чинно пожали друг другу руки, и тетка пригласила его к столу.

— Погостить в наш город приехали? — начала она светскую беседу, с трудом дождавшись, когда гость выпьет первую чашку чая.

— Да, к другу. Сейчас заходил к нему, но он еще не вернулся.

— Ага, — тетка кивнула. — А сами в областном центре проживаете?

— Да.

— Один или с родителями?

— Один, то есть мы с другом квартиру снимаем, одному пока дороговато, но у меня неплохие перспективы на службе и осенью обещали зарплату повысить.

— Хорошо, — кивнула тетка, после чего кашлянула и виновато посмотрела на меня. Ходко поднялась и стала кормить Вадима блинами. Сначала он отказывался, но потом съел пять штук, после чего они с тетей Любой практически подружились.

Я же была занята решением вчерашней загадки: если он врет, то какой в этом смысл, а если не врет, то при чем тут «Мерседес» и номер люкс? «Машина не его, — в конце концов решила я. — И номер он снимает за чужой счет, вот и шикует. Командированный, наверное. Но какая может быть командировка, если он вчера весь вечер провел со мной, с утра опять здесь, а к вечеру собирается уезжать?» Призрак папы отчетливо замаячил где-то на горизонте, и я вздохнула. Перевела взгляд на часы и поднялась:

— Мне пора.

Тетка всплеснула руками:

— Сиди, я сама схожу.

Последовала трехминутная пантомима, тетя Люба настаивала, чтобы я осталась, я протестовала, и тут вмешался Вадим:

— Если это из-за меня...

В общем, было решено, что до дома, где жили теткины клиенты, он меня проводит, и мы отправились вдвоем. Я катила велосипед, а Вадим шел рядом, поглядывая на меня, и наконец произнес:

— Извини, что я пришел так рано, дело в том, что... в общем, у меня вчера бумажник вытащили... или я сам его потерял. Хватился сегодня утром, когда завтракать пошел, а бумажника нет. Там все деньги были. Не очень-то много, если честно, но дело даже не в этом. У меня не осталось ни копейки, точнее, три рубля мелочи в кармане. Друг вполне может явиться только завтра, а мне утром в восемь надо быть на работе. Билет на автобус стоит сто двадцать рублей, — со вздохом сказал он. — И я понятия не имею...

— Без проблем, — наконец-то сообразив, куда он клонит, сказала я. — Сто двадцать рублей у меня есть, и у тетки занимать не надо.

— Спасибо, — вздохнул Вадим. — Я тебе в следующий выходной верну.

— Ты мне их на телефон положи, так будет проще, номер своего мобильного я тебе дам.

— У тебя есть мобильный? — обрадовался он.

— Есть, просто здесь он ни к чему.

— Я сейчас же запишу номер. — Он достал свой телефон, по виду вполне скромный, но эта скромность стоила недешево, что вновь повергло меня в раздумья. Впрочем, парни — выпендрежники и любят покупать дорогие игрушки.

С телефоном мы разобрались и отправились дальше. Сто двадцать рублей перекочевали из моего кармана в его, и Вадим принялся зудеть, какая я добрая и чуткая девушка, ведь сто двадцать рублей немалая сумма. Деньги для меня имели цену, потому что каждый рубль приходилось зарабатывать, но в тот момент я бы согласилась расстаться и с большей суммой, лишь бы отделаться от Вадима. Разгадывать загадки мне уже надоело, а сам по себе Вадим был мне мало интересен. Я искренне надеялась, что через двадцать минут мы простимся и более уже не увидимся. Но, оказавшись возле дома, где мне предстояло заняться уборкой, Вадим сказал:

— Можно, я тебе помогу?

— Нет, — покачала я головой. — Хозяевам не понравится чужой человек в доме, тем более мужчина. Ты вообще держись подальше, а то они вообразят бог знает что, дом-то богатый.

— Что вообразят? — не понял он.

— Ну... вдруг ты приглядываешься...

— Ах, в этом смысле. Хорошо, я тогда вон в том сквере подожду.

— Я часа на три, не меньше, — очень надеясь, что это произведет на него впечатление, предупредила я.

Но Вадим не впечатлился.

— Хорошо, — кивнул с улыбкой и отбыл в сквер.

Поглядывая время от времени в окно, я могла видеть, как он сидит на скамейке, откровенно томясь. Деньги я ему уже дала, так что страдал он по собственной инициативе. Закончив уборку, я направилась в сквер, где была встречена радостной улыбкой и заботливым вопросом:

— Очень устала?

— Нет, я привыкла, — ответила я, косясь на Вадима и ожидая, что за этим последует.

Он шел рядом, улыбался и через пять минут уже рассказывал очередную байку из своей жизни, которая отнюдь не объясняла его загадочного поведения. Конечно, я бы могла напрямую спросить, чего он дурака валяет, но чувствовала, что делать этого не следует. Предположим, у него действительно свистнули бумажник, но деньги на билет ему без надобности, раз на стоянке «Мерседес» красуется. Может, они на бензин нужны? Я мысленно махнула рукой. Оставив велосипед, мы отправились гулять (до автобуса оставалось еще много времени). Потом вернулись к нам, чтобы пообедать. Тетка была на высоте, и их взаимная симпатия на глазах крепла.

Наконец, я пошла провожать Вадима на вокзал. Путь наш пролегал мимо гостиницы, и «Мерседес» был прекрасно виден, но Вадим в его сторону даже не посмотрел. Купил билет и уже возле автобуса взял меня за руку.

— Я в субботу приеду, — сказал он с таким видом, точно объяснялся мне в любви.

— Если ты из-за денег, то это глупо, на билеты больше потратишь. Положи их на мой телефон, как договаривались.

— Просто я хочу тебя увидеть, — вздохнул он.

— Тогда приезжай, — кивнула я, точно зная, что увидеть его еще раз большого желания не испытываю, но была загадка, которая не давала мне покоя.

Он робко прикоснулся губами к моей щеке и наконец вошел в автобус. Я помахала ему рукой и дождалась, когда автобус тронется с места. После чего отправилась к гостинице.

Только я устроилась в телефонной будке возле кинотеатра, как появился Вадим, подъехал он на машине, расплатился с водителем, ненадолго заглянул в гостиницу, а через полчаса уже отбыл на своей роскошной тачке, оставив меня в тоске и сомнениях: как я все это должна понимать?

Во вторник, вспомнив про свой мобильный, я увидела сообщение о двенадцати не принятых звонках, все двенадцать были от Вадима. В субботу утром он уже звонил в нашу дверь. Первым делом вернул мне сто двадцать рублей, затем протянул тетке коробку конфет и увесистый пакет всякой снеди, мне была вручена роза в целлофане, пахнувшая одеколоном. Тетка, уверившись, что перед ней кандидат на мою руку, кормила Вадима практически беспрерывно и уже любила его как родного. На ее сетования «к чему было так тратиться» он ответил, что получил деньги за халтуру, как он выразился, так что не грех и погулять. Гулять мы пошли в кафе, где неделю назад шиковали с подругой, и по дороге я могла наблюдать «Мерседес» на стоянке возле гостиницы.

Ночевать Вадим остался у нас, хотя собирался идти к другу, но тетка настояла и постелила ему в гостиной, так что мне пришлось делить свою постель с ней, восторга у меня это не вызвало. В воскресенье вечером Вадим отбыл на автобусе. На этот раз я даже проверять не стала, уверенная, что на ближайшей остановке он сойдет, на попутной машине вернется в гостиницу и уедет на своем «Мерседесе».

К тому моменту Вадим мне изрядно надоел, но загадку разгадать очень хотелось, и я терпела, рассчитывая, что, в конце концов, он объяснит, почему так упорно валяет дурака. В понедельник пришло сообщение от Севы, и я убедилась: неделю он молчал не зря и кое-что полезное смог-таки для меня сделать. То, что он накопал на Вадима, не поражало количеством, но впечатление произвело. Итак, Козельский Вадим Эдуардович является одним из совладельцев строительной компании «Светлый дом», а также генеральным директором и совладельцем торгового дома «Северный», кстати, самого крупного торгового центра в городе. Когда-то это был рынок стройматериалов, а еще раньше фабрика, у меня ни разу не хватало терпения обойти все тамошние павильоны. Вслед за «Северным» следовал целый список фирм и принадлежащей Вадиму недвижимости. Вряд ли у такого перца могли возникнуть проблемы с ночлегом в районном городе, впрочем, к тому моменту я уже ничуть не сомневалась, что никаких проблем не было, а это все мошенничество чистой воды. И опять принялась гадать, с какой стати человеку жульничать, но быстро вернула себя к действительности, то есть к компьютеру. Проживал Вадим на улице Сосновой, о чем я уже знала, дважды был женат, первый брак продлился четыре года, второй лишь год, детей Вадим не имел, до недавнего времени сожительствовал с Жанной Богульской, солисткой областной оперетты. Но и с ней гнезда не свил и в настоящее время ходил в женихах.

Призрак родителя вновь замаячил на горизонте. Вдруг отец вышел из тюрьмы и стал бизнесменом, а с солдатиком и того проще: в тюрьму садиться не надо. Вспомнил о дочурке и... послал сюда Вадима. При всей своей буйной фантазии я все же не могла допустить такое и терпеливо ждала развития событий.

Пришла суббота, и Вадим вновь появился в нашей квартире. Мы отправились на озеро, потом сходили в кино, вечером зашли в кафе, Вадим сосредоточенно изучал меню, и я, как девушка с пониманием, заказала салат из помидоров, а он добавил к этому бокал вина, вполне приличного. Посидели душевно. По дороге домой (тетка вновь настояла, чтобы он ночевал у нас) состоялся довольно интересный разговор. Прелюдией к нему послужил поцелуй в парке. Мы шли по аллее, Вадим, по обыкновению, что-то рассказывал, потом вдруг замер, посмотрел на меня как-то по-особенному, после чего обнял и поцеловал. Целоваться с ним мне не понравилось, и я поспешила высвободиться из его объятий.

— Я тебе не нравлюсь? — спросил он.

— Нравишься, — без особой уверенности ответила я.

— Тогда почему... — начал он.

Я пожала плечами.

— Мы слишком мало знаем друг друга, — выдала я фразу, которая показалась мне вполне подходящей.

— Что плохого в поцелуе? — спросил он.

— Плохого ничего. Просто я серьезно отношусь к таким вещам.

Он кивнул, присмирел и минут десять шел молча. Потом опять спросил:

— У тебя кто-то был?

Я едва успела убрать непрошеную ухмылку с физиономии. Пожалуй, мою серьезность он все-таки переоценил. Или считал, что на такую, как я, никто не позарится? Если считал, то зря. От парней у меня отбоя не было. Если кто-то из них и был уверен, что в жены следует брать девчонку с квартирой, богатыми предками и прочими благами, мое сиротство отнюдь не являлось препятствием для приятного времяпрепровождения. Препятствовала этому я сама, памятуя лекцию тетки и незавидную судьбу моей матери. Но далеко не всегда здравомыслие побеждало. Вместо того чтобы ответить ему правду, то есть дать понять, что в моем возрасте ходить девицей не принято, я решила, что следует придумать историю, подходящую для сериала, раз уж наша странная дружба подозрительно им отдает, и с грустью на челе ответила:

— У меня был парень, мы хотели пожениться. Он в техникуме учился на последнем курсе, мы думали, поженимся, как только он найдет работу... — Тут я сделала паузу, собираясь с силами, потому что хотела разрыдаться, но моих актерских способностей на это не хватило, а тут еще Вадим поторопил:

— И что?

— Он разбился. Поехал с другом на мотоцикле на рыбалку, было темно... в общем... — не дождавшись слез, я тяжко вздохнула.

— Когда это было?

— Год назад, тринадцатого мая прошлого года.

— Сочувствую, — вздохнул Вадим, явно не зная, что сказать. Я кивнула. — Ты все еще любишь его?

Я пожала плечами:

— Сначала мне казалось, что я без него жить не смогу, даже хотела таблеток наглотаться, но тетку стало жалко. Потом... потом понемногу привыкла.

Но все равно, когда ты поцеловал меня, чувство было такое, что я ему изменяю.

— Его же больше нет, — вновь вздохнул Вадим, а я опять кивнула.

Во вторник на военном совете Юлька выдвинула свежую идею: отец оставил мне деньги и они у Вадима, но тому денег жалко, и он нацелился в женихи. Я бы могла с этим согласиться, если бы не одно обстоятельство: в богатого отца я упорно не верила, а если его нет, то все остальные логические построения Юльки чепуха. Решено было ждать, что Вадим сделает дальше, подруги советовали его поощрить, чтоб он расслабился и разговорился. Предложение показалось мне дельным.

Надо сказать: уже вторую неделю Вадим звонил мне ежедневно, причем заботливо оплачивая мой телефон, чтобы его, не дай бог, не отключили. Разговоры были малосодержательными, но он все чаще употреблял выражения «моя девочка», «солнышко», «милая», что весьма волновало Юльку и меня тоже. Подруга была уверена: меня пытаются облапошить, и я не ждала от судьбы ничего хорошего.

В пятницу вновь явился Вадим и предложил отправиться на турбазу «Велес». Я отмела эту идею как негодную: во-первых, там очень дорого, во-вторых, в субботу у меня уборка и в воскресенье, кстати, тоже. Вместо турбазы мы загорали на озере в компании Юльки, а в воскресенье ели теткины пироги, потому что весь день лил дождь.

— А ты не могла бы ко мне приехать? — спросил Вадим, прощаясь со мной возле автобуса.

— Я же тетке помогаю, — напомнила я.

— Но ведь бывают у тебя свободные дни, необязательно в выходные. Я бы с работы отпросился. Посмотрела бы, как я живу.

— Так я тридцатого августа приеду, учебный год начнется, тогда и посмотрю.

— Пора ему как-то определяться, — со вздохом заметила тетка, когда я вернулась домой. — К себе звал?

— Звал.

— Не вздумай ехать. Дураку ясно, зачем он тебя зовет. А ты соображай: если ему неймется, пусть женится, чтоб все честь по чести, а если нет, пусть ищет кого поглупее.

Надо сказать, Вадим к тому моменту и в самом деле начал проявлять нетерпение: стоило нам остаться одним, как он раскрывал объятия и весьма настойчиво меня целовал. Далее поцелуев продвинуться было нельзя, ведь в квартире присутствовала тетка, а на улице особо не разбежишься. Я на поцелуи охотно отвечала, но к разгадке тайны меня это не приблизило.

Вадим с упорством изображал небогатого паренька, недоедающего всю неделю, чтобы сводить девушку в воскресенье в кафе, а «Мерседес» по-прежнему радовал глаз на стоянке.

В начале августа он признался мне в любви, и я ответила, что тоже люблю его, предвкушая тот миг, когда наконец-то все узнаю. Не тут-то было. Мы принялись строить планы, как будем вместе жить после моего возвращения в областной центр. То есть планы строил Вадим.

— Я буду жить в общаге, — порадовала его я. —

Никаких гражданских браков, тетка меня убьет, потому что, с ее точки зрения, это блуд. Кстати, я думаю так же. Если люди любят друг друга, отчего бы им не жениться, а если сомневаются, зачем врать друг другу, что у них семья.

Вадим поморгал немного и спросил:

— А ты за меня пойдешь?

— Конечно, — кивнула я.

— Так у меня за душой ни копейки.

— Ну и что. Руки-ноги целы, значит, заработаем.

Он невероятно воодушевился, и мы начали готовиться к свадьбе. Тетка сняла с книжки все накопленное непосильным трудом и купила мне платье, самое красивое, какое только мы смогли отыскать.

— Чтоб не хуже других, — приговаривала она.

Юлька пребывала в полном обалдении.

— Ты за него замуж пойдешь? Неужто ты его любишь?

Я и сама не знала толком, зачем иду замуж. Вряд ли я любила его, точнее, не любила, конечно, но успела привыкнуть за это время и даже обнаружить в нем что-то положительное.

Он серьезный, неглупый, ласковый... Перечень его достоинств можно продолжить, но любовью все-таки не пахло. Замуж меня гнало желание его понять: я свято уверилась, что за всем этим есть некая тайна. Мне предлагали участие в игре, и я готова была сыграть предложенную роль. Я действительно воспринимала происходящее как спектакль, разумеется, это ничуть меня не оправдывало.

Свадьба была более чем скромной, мама приехать не смогла и прислала мне родительское благословение телеграммой. С моей стороны присутствовали тетка и четыре подруги. Вадим приехал в компании невзрачного мужичка, который и стал свидетелем со стороны жениха. Расписались мы в нашем загсе и отправились в кафе, где чинно выпили, закусили и пару раз прокричали «горько!». Подруги в складчину подарили нам микроволновку, а тетка пылесос. Друг ничего не подарил, должно быть, по бедности. Тетка собиралась отправиться ночевать к соседке, но Вадим предупредил, что после торжественного ужина мы уедем, квартиру он уже подыскал, дешевую, но вполне приличную. На этот раз «Мерседес» он не прятал, объяснив, что друг работает водителем у какого-то крутого дяди и тот разрешил взять машину по случаю бракосочетания. Друг, который за столом пил только сок, устроился за рулем, я расцеловалась с теткой и подружками и со скоростью сто сорок километров в час устремилась в новую жизнь.

Всю дорогу, которая заняла немного времени, Вадим трепетно обнимал меня, а я счастливо улыбалась. Мы въехали в город и прямиком направились на улицу Сосновую. Охранник на воротах отдал нам честь. Мы оказались в жилом комплексе с одинаковыми домами и притормозили у того, что был под номером пять. Признаться, я немного растерялась, хотя домашний адрес Вадима был мне хорошо известен, но почему-то я ожидала, что он продолжит игру, и почувствовала смутное беспокойство оттого, что сейчас, по-видимому, все и решится.

Заметив недоумение на моей физиономии, Вадим широко улыбнулся, вышел из машины и подал мне руку, а я шепотом спросила:

— Зачем мы сюда приехали?

Вадим улыбнулся еще лучезарнее, подхватил меня на руки и стал подниматься по ступенькам к массивной двери. Она, как по волшебству, открылась, и мы оказались в просторном холле. Полная дама лет пятидесяти, держась за ручку двери, приветливо нам улыбалась, а потом куда-то испарилась, не забыв закрыть дверь.

Вадим поставил меня на пол и сказал:

— Это наш дом.

Я попыталась сообразить, как должна реагировать на это, а Вадим громко рассмеялся.

— Наш дом? — промямлила я и решила: вот сейчас наконец-то я все узнаю, но уже подозревала, что разгадка придется мне не по душе. Так и вышло.

— Идем, — сказал Вадим, взял меня за руку и провел по своей двухэтажной квартире (был еще подвал и гараж, разумеется, но в тот раз мы туда заглядывать не стали). — Теперь это все твое, — закончив экскурсию, заявил он.

Я продолжала хлопать глазами.

— Ты ведь не мог снять эту квартиру? — наконец произнесла я.

— Это моя квартира, моя, — сделав ударение на местоимение, сказал он, а я кивнула с придурковатым видом.

— Но ведь ты говорил...

— Да-да, конечно, я не хотел, чтобы ты до поры до времени знала, что я богатый человек, — серьезно заявил он. — Я хотел быть уверен, что ты любишь меня, а вовсе не мои деньги.

Все поплыло у меня перед глазами, и я едва удержалась на ногах. Не было никакой загадки, все было просто до неприличия. Богатый парень, которому надоели охотницы за состоянием, решил найти себе жену-простушку и явился в районный городишко переодетым принцем. То есть, по большому счету, мне бы надо радоваться, раз моя любимая сказка про Ассоль с ее алыми парусами сбылась. Вот он, принц, а вот она — я. Но радостью и не пахло. В сказке принц сначала влюбился, а уж потом побежал менять паруса на своем транспортном средстве. Да и Ассоль, должно быть, здорово повезло, раз она влюбилась в парня, лишь только он сошел на берег. Ей достаточно было того, что мечта ее осуществилась и вот она — любовь. В этом-то и крылась самая большая проблема: я Вадима не любила. И теперь с ужасом поняла, что привело меня сюда банальное любопытство, желание разгадать загадку, которой не было. «Интересно, сколько Ассоль прожила со своим принцем? — совсем некстати подумала я. — Или она была так глупа, что продолжала любить свои алые паруса, мало обращая внимание на человека рядом, или ей и впрямь повезло и он оказался тем, о ком она мечтала?» Мне не повезло. Я не мечтала о Вадиме, ни о бедном, ни о богатом, и в этом смысле его роскошный дом ничего изменить не мог. Больше всего мне хотелось в тот момент сбежать, и я попятилась от Вадима, оступилась в своем длинном платье и чуть не упала, но он успел подхватить меня на руки.

— Зачем ты врал? — нахмурилась я.

Он еще раз повторил свое объяснение, с его точки зрения, оно в уточнении не нуждалось, а мне надлежало хлопнуться в обморок от счастья. Кстати, я была недалека от обморока, но совсем по другой причине. Я ведь всерьез надеялась, что меня ждет что-то необыкновенное, непонятное, загадочное, то есть впереди история на пятьсот страниц с продолжением. Как ни прискорбно это признать, я оказалась идиоткой, помешанной на мексиканских сериалах, хотя терпеть их не могла.

Я подумала о тетке, о ее радости, что теперь у меня все как у людей, о ее сберкнижке с одними нулями в последней строчке и слабо застонала. Я саму себя загнала в угол.

А еще было чувство, что меня облапошили. Да-да. И не спасало даже то, что, по большому счету, облапошенным оказался сам Вадим. Интересно, как бы он отнесся к тому факту, что я практически с самого начала знала, кто он на самом деле. Ассоль, которая с любопытством наблюдала, как кто-то спешно кроит парусину, перекрашивая ее в алый цвет. Дела...

Мысль о том, что мы с Вадимом шулеры, оказавшиеся случайно за одним карточным столом, как ни странно, примирила меня с действительностью. И я начала слабо улыбаться, оглядываясь. Вадим провел меня в комнату, где был накрыт стол, горели свечи и полыхал огонь в камине, а также работал кондиционер, потому что до осени было далеко и жара стояла страшная.

Мы выпили шампанского, и я решила, что, если влезла в дерьмо, стоит, по крайней мере, сохранять лицо.

Я не могла обвинить Вадима в обмане, раз сама его обманывала. Он, кстати, не считал то, что сделал, обманом, искренне веря, что сказка про Золушку — самое любимое произведение всех глупых девок на свете. Только моя сказка была какой-то неправильной, хотя на то она и сказка, чтобы разительно отличаться от действительности.

— Ты такая грустная, такая молчаливая, — взяв меня за руку, прошептал он, а я ответила:

— Я просто была не готова к этому, и теперь... теперь я даже не представляю, как мы будем здесь жить.

— Счастливо, — заверил он и потянул меня в спальню, которая была по соседству.

Несмотря на его старания, счастья не получилось, хотя, по большому счету, к Вадиму у меня претензий нет. Он не был мне противен, и заниматься с ним сексом оказалось приятно, что отнюдь не примирило меня с действительностью. Пару дней я бродила по дому как сомнамбула. Он относился к моему состоянию с пониманием: надо дать мне время привыкнуть к новому положению. Потом навалилась тоска. Делать здесь мне было нечего. В доме была приходящая уборщица, и развлекать себя мытьем полов не требовалось. Я вооружилась поваренной книгой и начала готовить изысканные блюда, а также возиться с цветочками в саду. Вадим одобрил мои начинания, радуясь, что я нашла себе занятие по душе. Сам он уезжал в девять утра и возвращался не ранее восьми, и это было хорошо. А я встречалась со своими однокурсницами и врала, будто живу у тетки, помалкивая о замужестве, подозревая, что, расскажи я о нем, сразу стану в их глазах предметом тихой зависти и мечтаний, а я-то уже хорошо знала: все эти сказки о Золушке... бред, одним словом, но об этом лучше не распространяться, чтобы не прослыть сумасшедшей.

Каждый день я получала от мужа по пятьсот рублей на карманные расходы и уже через две недели смогла отправить тетке перевод, радуясь, что хоть ей будет какая-то польза от моего замужества. На мое предложение навестить тетку Вадим охотно согласился.

— Только, знаешь, не рассказывай ей ничего. И приглашать ее к нам не надо. Если честно, мне эти родственники... я к своей матери езжу раз в год, и то будто на каторгу. Там сестрица с пьяницей-мужем, я только и слышу: Вадим, помоги Валеньке, надо племянницу пристроить, то, се... У нас своя семья, а родственники... лучше бы их и не было вовсе.

В общем, тете Любе я рассказывала о нашей жизни на съемной квартире, работе Вадима и грядущих перспективах. Тетка радовалась, подруги пребывали в обалдении, в основном потому, что не могли понять, чего мне еще надо для полного счастья! В конце концов, и я задалась этим вопросом, вспомнила, что никогда не могла влюбиться по-настоящему ни в одного мужика, и решила — я просто на это не способна. Следовательно, мне очень даже повезло: у меня есть муж, неплохой человек, который прекрасно ко мне относится.

В этом месте моих размышлений у меня, как правило, сводило челюсть, но я брала себя в руки.

Пришел сентябрь, и жить стало веселее, с утра я убегала в институт и возвращалась чуть раньше Вадима, чтобы как раз успеть приготовить ужин. Однажды он позвонил мне на мобильный и очень удивился, не застав меня дома.

— Где ты?

— В институте, — ответила я.

— А чего так поздно?

— Вовсе нет. Я работаю до половины шестого.

— Работаешь? — Он вроде растерялся и скороговоркой закончил: — Вечером поговорим.

— Малыш, тебе вовсе не обязательно работать, — задушевно начал он после ужина.

— Должны же у меня быть свои деньги, — пожала я плечами.

— А сколько тебе платят?

— Полторы тысячи.

— В неделю?

— В месяц.

Он закатил глаза.

— Слушай, мой годовой доход исчисляется числом с шестью нулями, в долларах, разумеется. На кой черт тебе эти полторы тысячи?

— Не могу же я просить у тебя деньги на всякие мелочи?

— Я же даю тебе по пятьсот рублей в день. Если мало, скажи: я буду давать тебе больше. Кстати, а на что ты их тратишь?

— Тетке отправляю. Она же все свои деньги на свадьбу потратила.

— Да, — нахмурился Вадим. — Как-то неправильно мы живем, я вот даже не знал, что ты работаешь, и тетка... Слушай, а одежда у тебя есть? — неожиданно спросил он.

— Конечно, — удивилась я.

— Да? — Он вроде бы усомнился.

— И куртка есть, и кроссовки.

— Ангелина Сергеевна мне что-то такое говорила... — Ангелина Сергеевна — это наша домработница. — Завтра в три я заеду за тобой в институт, пройдемся по магазинам.

— Да у меня все есть, — испугалась я.

Мне не хотелось ехать с ним в магазины и уж совсем не хотелось, чтобы он появился возле института на своей роскошной тачке, я-то всегда добиралась до места учебы троллейбусом. Но он остался глух к моим словам, правда, мне удалось договориться о встрече на остановке, и после занятий, с трудом отделавшись от девчонок, я ждала его там.

Поход в магазин удовольствия мне не доставил. То, что нравилось Вадиму, совершенно не нравилось мне, и наоборот. Когда он вознамерился купить мне норковую шубу, я долго отнекивалась, а в заключение разревелась от отчаяния — манто нужно мне было так же, как собаке галстук, в студенческой среде шубы не приветствовались, и я испугалась, что попросту растеряю друзей, если начну одеваться так, как хотел мой муж. Сошлись на меховой куртке, и я вздохнула с облегчением.

В дорогущем салоне Вадим сидел в кресле, в окружении лебезящих продавщиц пил кофе и явно воображал себя Ричардом Гиром в фильме «Красотка». Я этот фильм терпеть не могу и, быстро уловив некую схожесть, разозлилась, потому что муж, сам того не желая, заставил меня почувствовать себя продажной девкой. Самое неприятное, что, по большему счету, так оно и было.

В институте очень скоро заметили перемены во мне: в общаге я не жила и компаний сторонилась. Со сменой паспорта я затягивала, как могла, но пришлось-таки его менять. После этого разговоры о тетке не имели смысла, и я созналась, что вышла замуж. Мужская половина нашей тусовки восприняла это с неудовольствием, женщины — с любопытством. Мое нежелание демонстрировать мужа подогревало интерес, а вслед за этим по институту поползли слухи, будто муж у меня страшила и алкоголик, в общем, замуж я вышла крайне неудачно. Недругами это было воспринято с удовлетворением. По ходу выяснилось: многие из них считали, что я слишком задираю нос и алкоголик послан мне за выпендреж. Меня данная версия вполне удовлетворила, это все-таки лучше, чем муж-олигарх, а человек с годовым доходом с шестью нулями иначе моими подругами восприниматься не мог.

В остальном моя жизнь мало чем отличалась от прежней: учеба, работа (я настояла, что до конца учебного года буду работать, так как замену мне найти нелегко), в субботу мы отправлялись к тетке, где нас встречали пирогами и борщом. Вадим мог целыми днями валяться на диване, а я болтала с девчонками на кухне, отпускать меня одну куда-то он не любил. Ни с кем из его родни, друзьями или просто знакомыми я за четыре месяца ни разу не встретилась, если не считать водителя, который был свидетелем на нашей свадьбе. Хотя какие-то люди иногда звонили, и Вадим подолгу с ними разговаривал.

Отсутствие общих друзей меня тоже вполне устраивало, я подозревала, что тем для бесед у нас попросту не будет. Надо признать, в то время я редко задумывалась о своей дальнейшей жизни. Я ждала защиты диплома, а уж потом... что будет потом, виделось неясно. Иногда я принималась мечтать по привычке и ловила себя на мысли, что Вадиму в этих мечтах просто нет места. Порой это беспокоило меня, но чаще я не задумывалась над этим, мечты — это ведь просто мечты. Я начисто забыла, что они иногда имеют свойство сбываться, но результат зачастую далек от ожидаемого.

В конце декабря в нашем доме впервые появились приятели Вадима. Было это так. Вадим позвонил с работы и предупредил, что приедет не один. Я бросилась на кухню, ведь я с детства усвоила, что гостей надо встречать хлебосольно, и к тому моменту, когда в дверь позвонили, стол у меня был накрыт. Я распахнула дверь (по причине позднего времени Ангелина Сергеевна давно отбыла домой) и обнаружила на пороге четверых нетрезвых мужчин, одним из которых был мой муж. Вадим пробормотал что-то вроде: «Малыш, извини, мы немного выпили» — и прошел в холл, его друзья так и остались стоять на пороге с вытянутыми лицами.

— Заходите, — замахал им рукой Вадим, и они вошли, переглядываясь. Сняли пальто, и я повесила их в шкаф, а затем проводила гостей на кухню. Мужчины охнули, ахнули и, устроившись за столом, стали выпивать. Я, убедившись, что все в порядке, тихо снялась с места и направилась в соседнюю комнату, оставив дверь открытой на тот случай, если им что-то понадобится. К их разговору я не прислушивалась, но не могла не обратить внимание на реплику одного из гостей.

— И где такие девки водятся? — спросил он.

— Места надо знать, — ответил мой муж.

— Нет, серьезно, — не унимался гость, звали его Сергей Петрович. — Я-то думал, ты завел себе какую-нибудь страшилу, чтоб дома сидела и не вякала, а тут такая красавица.

Мужа понесло, он стал перечислять мои достоинства, назвав меня тихой, как мышка, кроткой, как ангел, на редкость покладистой, особенно упирая на то, что ничего ему это счастье не стоит, я довольна малыми деньгами, не попрошайничаю и даже к тряпкам совершенно равнодушна.

— Прикинь, она мне обходится в сущие копейки, так она еще из этих денег тетке умудряется помогать. Родни, кроме этой самой тетки, у нее никакой, есть, правда, мать, но она дочь еще в детстве своей сестре сбагрила, так что полный ажур. Закончит свой дурацкий институт, сделаю ей двоих детей, и жизнь, считай, удалась.

— Повезло тебе, — согласно закивали все трое.

— Повезло... — фыркнул Вадим. — Надо знать, чего ты хочешь от жизни. Все эти стервы с метровыми ногтями у меня уже в печенках, а эта на меня только что не молится, и вовсе не из-за моих бабок, воспитание такое, что муж сказал — то закон.

Последовал дружный вздох.

— Нет, серьезно, где ты ее откопал? — не унимался Сергей Петрович.

— В Мухосранске, где же еще, — загоготал Вадим. — То есть в Усольске. Только в глубинке такие и остались. Я, между прочим, экспедицию организовал по районным городишкам, и уже во втором мне повезло. — Далее Вадим поведал историю нашего знакомства. — Вы бы видели лицо девчонки, когда я ее сюда привез.

— Представляем, — дружно загоготали все трое.

— Я никуда ее с собой не беру, чтоб ваши крашеные стервы мне девку не испортили.

— Это точно: бабы такой народ, мигом научат, как превратить жизнь мужа в сущий ад.

— Нет, моя не такая. Ей бы все книжки читать.

— А как она в постели? — спросил неугомонный Сергей Петрович, и мой муж с воодушевлением начал повествовать.

«Идиот», — мысленно покачала я головой, пытаясь решить, все мужики придурки или мне такой достался. Эти четверо точно были придурками, перебивая друг друга, рассказывали о своих женах такое, о чем разумный человек предпочел бы молчать, причем двое из них жен иначе, как стервами, не называли. А я вспомнила историю, почерпнутую у Геродота. Один царь тоже расхваливал достоинства своей жены и нашел кому — собственному советнику. Тот был поумнее царя и от таких разговоров впадал в столбняк, а царь решил, что он в его словах сомневается, и настоял на том, чтобы советник пришел в спальню, укрылся за портьерой и сам в его словах убедился, при этом уверил его, что жена ничего не заметит. Но жена, конечно, заметила. Поступок придурковатого мужа ее разозлил, и она вскоре пригласила советника к себе и поставила перед фактом: либо она сейчас заорет в голос и обвинит его в попытке изнасилования, либо он зарежет ее мужа-идиота и сам станет царем, женившись на ней. Размышлял он недолго, и одну династию сменила другая. Новый царь достоинствами жены хвастать остерегался.

Я с прискорбием подумала, что люди редко учатся на чужих ошибках. Какого хрена, спрашивается, столько народу книжки пишет, а еще больше их читает? Вопрос оказался из разряда риторических.

Отбыли гости часа в два ночи. С трудом стоявшего на ногах Вадима я сопроводила в спальню, где он проспал до утра, сотрясая дом громким храпом.

С Геродотом я напророчила, потому что друзья Вадима после этого случая к нам зачастили и поглядывали на меня весьма красноречиво. Может, я тихая мышка из Мухосранска, но взгляды мужчин понимала без перевода. Вадим всей этой крысиной возни вроде бы не замечал, а мне и вовсе это было ни к чему.

На Новый год мы уехали в Австрию, потом как-то вдруг пришла весна, и я забеспокоилась. Скоро я получу диплом, и что дальше? Никаких идей на этот счет не было, но мысль о том, что я проведу с Вадимом всю свою жизнь, теперь вызывала легкую панику. Тут он заговорил о детях, и паника моя начала перерастать в тихий ужас. Странно, что о разводе я ни разу не подумала, наверное, потому, что считала себя виноватой: замуж я шла по собственному желанию, никто меня не принуждал. А еще была мысль, что все вокруг живут точно так же и любви, о которой я мечтала, вовсе нет. Еще один великолепный миф: все о ней трендят, но никто ничего похожего не испытывал.

После поездки в Австрию Вадим стал брать меня с собой на различные тусовки. Подозреваю, он мною гордился. При этом зорко следил за тем, чтобы я ни с кем из женщин его круга не подружилась. Зря напрягался, никто из них меня не интересовал. На приемах я старалась быть незаметной, чем очень радовала мужа. Его друзья между тем перешли от взглядов к туманным намекам. Я глупо улыбалась всем и каждому, выжидая, когда им это надоест. Однако их это вовсе не останавливало и даже наоборот, что повергло меня в изумление. Еще большее изумление вскоре начал вызывать у меня муж. Хоть он и жаловался на предыдущих жен, вовсю костеря их за жадность и нелюбовь к нему, но, по сути, считал, что все женщины как раз таковыми и должны быть. Теперь он нервничал, когда я отказывалась от подарков, злился, что я не желаю оставить работу, и поражался тому, как это женщина может не любить беготню по магазинам. То есть упорно хотел превратить меня в ту самую крашеную стерву с метровыми ногтями. Когда я попробовала намекнуть ему на это, он удивился и даже обиделся, но на некоторое время оставил меня в покое. На день рождения он подарил мне машину, и я не смогла ему сказать, что она мне совершенно не нужна. Машина стояла в гараже, а я продолжала ездить на троллейбусе, пока Вадим не начал громко возмущаться и самолично не записал меня на курсы вождения, что было весьма некстати — ведь я готовилась к защите диплома.

Диплом я защитила и экзамены по вождению сдала, и теперь время от времени машина покидала гараж: я каталась по городу, чтобы сделать мужу приятное.

В один из таких дней я заглянула в супермаркет купить оливок, которые так любил мой муж, и уже собиралась сесть в машину, как вдруг услышала:

— Привет. — И рядом с соседним «Лексусом» обнаружила мужчину, который радостно мне улыбался. Машина была другая, но парня я узнала сразу. И даже имя вспомнила — Сергей. Около года назад мы с ним познакомились, когда я намывала полы на богатой даче.

— Как дела, Матрена? — засмеялся он.

— По-разному, в основном неплохо.

Я села в машину, собираясь уехать, но он подошел и придержал дверь.

— Как тебя на самом деле зовут, красавица?

— Матреной и зовут, — ответила я.

— Да ладно, — покачал он головой и вздохнул: — Что, так и не скажешь? — Я промолчала. — Понятно. Тачка твоя?

— Мужа.

— А муж у нас кто?

— Муж у нас муж.

— Я ж все равно узнаю, номера пробить дело двух минут.

— Валяй, если делать нечего. — Дверь я все-таки захлопнула и поехала со стоянки, наблюдая в зеркало, как Сергей с усмешкой смотрит мне вслед.

Эта встреча вызвала у меня странное беспокойство, и вовсе не достоинства Сергея, что когда-то произвели на меня впечатление, были тому причиной. Раз записав человека в придурки, я редко изменяла свое мнение. Я поспешила выбросить Сергея из головы, но где-то там, в неком мировом механизме причинно-следственных связей, какая-то крохотная шестеренка уже сдвинулась с места, и жизнь моя легонько уклонилась в сторону, пока еще совсем незаметно и едва-едва ощутимо.

Получив долгожданный диплом, я начала искать работу, и тут выяснилось, что наши с Вадимом взгляды на дальнейшую жизнь существенно расходятся.

— Зачем тебе работа? — с удивлением спросил он.

— В каком смысле? — растерялась я.

Он нахмурился.

— Я согласен, что высшее образование необходимо, ты его получила, но теперь... Ты ведь не собираешься идти работать в школу?

Как раз туда я и собиралась, о чем и сообщила ему, уже зная, что мои намерения вызовут резкий протест.

— Я даже слышать об этом не хочу, — ответил он. — Ты будешь целыми днями торчать в школе за жалкие гроши.

Я выразила сожаление, что в нашей стране труд педагога оплачивается столь скудно, чем вызвала настоящий гнев мужа. Часа два мы увлеченно скандалили, после чего, желая прекратить все это, я сказала:

— Хорошо, я подыщу себе другую работу. Уверена, что-нибудь найдется.

— Тебе надо думать об ином. Скоро год, как мы вместе, и я хочу ребенка.

В груди у меня неприятно екнуло. Где-то когда-то прочитав, что рожать от нелюбимых мужчин грешно, я свято в это поверила и теперь ощутила легкую панику.

— Как этому может помешать работа? — буркнула я. Вадим посуровел еще больше.

— У тебя и так много дел.

Этот аргумент меня удивил, потому что ничем полезным, по собственному убеждению, я не занималась.

— Что ты имеешь в виду?

Объяснить внятно он не сумел и закончил разговор банально:

— Твое дело мужа ждать с работы. И детей рожать.

«Кухня, дети, церковь», — мысленно повторила я известную формулу и попыталась решить, нравится ли мне это. Мне это совсем не нравилось. И дело даже не в формуле, дело в самом Вадиме. «Пришло время с ним развестись, — напомнила я себе. — Вот и предлог: он не позволяет мне делать то, что я считаю совершенно необходимым». И с того дня мягко, но настойчиво я давала понять, что менять свои намерения не собираюсь. В запасе у меня был веский аргумент: я выходила замуж за простого парня, а не за денежный мешок, у которого свои взгляды на жизнь, весьма далекие от моих. Не стоило ему мне врать... в этом месте я начинала чувствовать неловкость, потому что честностью похвастать и сама не могла.

Как ни странно, этот довод подействовал, Вадим сдался и сам помог мне с работой. Я устроилась менеджером в небольшую, но довольно серьезную фирму. Через месяц стало ясно: Вадим опять смухлевал, фирма принадлежала ему, а в моей должности не было никакой необходимости. Мало того, сослуживцы, которые это все знали гораздо лучше меня, восприняли мое появление весьма своеобразно: решили, что я здесь для того, чтобы шпионить за ними. Генеральный директор при виде меня натужно улыбался, остальные замолкали на середине фразы. В общем, ни на работе, ни дома счастьем и не пахло. Я пыталась понять, что мешает мне уйти от Вадима, ничего ему не объясняя и не подыскивая предлога, и не могла. Скорее всего, это был стыд, стыд за собственную глупость, за то, что я восприняла жизнь как игру, а когда игра завела меня слишком далеко, не прекратила все это и продолжала искать себе оправдания, прекрасно сознавая, что меня затягивает в эту муть, точно в трясину. И чем дальше, тем страшнее.

Мне не с кем было обсудить все это. Девчонки категорически отказывались меня понимать, хмуро отвечая «ты просто с жиру бесишься», о том, чтобы рассказать все тетке, не могло быть и речи, она была уверена, что раз я вышла замуж за хорошего парня, непьющего, работящего, то просто обязана быть счастлива. Заикнись я о своей нелюбви, сразу нарвусь на обвинение, что я вылитая мамаша, той тоже нужна была любовь, а теперь на руках у нее куча детей, которых, между прочим, кормить надо, и муж-алкоголик. К тетке в последнее время мы ездили нечасто. Ее это вполне устраивало: благополучно выдав меня замуж, она вновь нашла себе старца и трепетно за ним ухаживала, тратя на него и пенсию, и свои скудные сбережения.

Дошло до того, что я однажды разговорилась с совершенно незнакомой женщиной. Мы дожидались своей очереди к стоматологу, она что-то сказала, я ответила и сама не заметила, как выложила ей все, что меня мучило, всерьез надеясь, что она вдруг укажет мне правильный путь.

— Любовь — это хорошо, когда деньги есть, — вздохнула она, внимательно меня выслушав. — Ты еще совсем ребенок, многого не понимаешь. С мужем разводиться не спеши. Одной-то не сладко. Да и где она, эта любовь? Вот встретишь ее, тогда и мужа бросишь.

Я разозлилась, но смолчала. Поделом мне, нечего к людям в очереди приставать. Я знала — все, что она говорит, неправильно, но в душу вновь закралось сомнение: что, если любви действительно не существует? Я продолжала жить в каком-то оцепенении, а по ночам мне снилось: я блуждаю в тумане, ноги вязнут в болоте, я бреду, не зная, куда хочу попасть, и возвращаюсь к исходной точке. Дни были продолжением моих снов.

В начале октября муж позвонил мне на работу:

— Я заеду часа в два, нужно заскочить в одно место.

Надо так надо. Я вообще редко задавала ему вопросы в таких случаях, обошлась и сейчас. В офис он заходить не стал, ждал меня в машине.

Через полчаса мы остановились возле неприметного здания в центре, весь фасад которого был увешан табличками с названием фирм.

— Тебе надо будет подписать кое-какие бумаги, — на ходу объяснил муж.

— Бумаги? — удивилась я.

— Да. Я кое-что продаю из нашей недвижимости, необходимо твое согласие. Это пустая формальность.

В кабинете нас ждали трое: тучная женщина с очень серьезным лицом и двое мужчин. С женщиной мы обменялись короткими репликами. Вадим представил первого мужчину, второй поднялся навстречу и представился сам:

— Истомин Валерий Павлович. — Я назвалась, он поклонился и сказал: — Очень приятно.

Имя было мне знакомо. Кажется, он адвокат. В компании моего мужа, вспоминая о нем, неизменно добавляли: «Ловок, сукин сын». Оттого я разглядывала его с любопытством. Лет тридцати пяти, о таких принято говорить «интересный мужчина». Невысокий, но хорошо сложен, элегантный костюм, лицо, внушающее доверие. Каждое его слово, даже самое обычное, звучит значительно. Светлые глаза смотрят серьезно, приятная улыбка. Рядом с таким человеком женщина должна чувствовать себя как за каменной стеной. Мне он понравился.

— У нас мало времени, — сказал мой муж.

Женщина согласно кивнула.

Передо мной оказалась стопка бумаг, мне не дали времени прочитать, что там написано, да мне и не интересно было. Муж тыкал пальцем в нужных местах, а я быстро расписывалась. Адвокат собрал бумаги, сунул их в папку, они быстро переглянулись с моим мужем, и тот едва заметно кивнул.

— Встретимся через час, — сказал Вадим. — Я только отвезу Лину на работу.

Как и мои подруги, он называет меня Линой, хотя твердит, что Селина ему тоже очень нравится.

— Ты сегодня задержишься? — спросила я, когда мы уже подъехали к офису.

— Нет, встречу тебя с работы. Поужинаем где-нибудь и поедем домой.

— Почему мы ужинаем не дома, у нас какой-то праздник?

— Просто я приглашаю тебя в ресторан, — улыбнулся он и поцеловал меня на прощание.

Поужинав, мы минут тридцать прогуливались в центре города, оставив машину на стоянке ресторана. Вадим обнял меня и вдруг сказал тихо:

— Знаешь, что пришло мне в голову? Я совершенно счастлив. Я даже никогда и представить не мог, что у меня будет такая жизнь. И все благодаря тебе. — Я улыбнулась, пытаясь отгадать, что такого счастливого он нашел в нашей жизни? — Единственное, о чем я теперь мечтаю, — продолжал он, — так это о наследнике. Я хочу, чтобы у нас было много детей, трое или даже четверо. Как ты на это смотришь?

Я засмеялась, прижимаясь к нему, а он поцеловал меня, что избавило меня от необходимости отвечать. «Счастье — это очень просто, — думала я, возвращаясь домой. — Хороший муж и много детей. Хороший муж, который не пьет и зарабатывает деньги, приглашает тебя поужинать в ресторан и иногда говорит, что он счастлив. Рожу ему детей и тоже буду счастлива». На какое-то время мне удалось убедить себя, что все так и есть.

Разговоры мужа о наследнике больше не вызывали у меня уныния, я охотно поддерживала эту тему и дала себе слово сходить к гинекологу, иначе забеременеть я вряд ли смогу, по крайней мере, меня в этом клятвенно заверяли, но мужу я ничего не говорила. Дни проходили за днями, а я свое намерение так и не исполнила.

Новый год мы вновь встречали за границей. Однажды утром я встала и неожиданно подумала: «Как стремительно проходит жизнь, мне кажется, что моя уже прошла, и я не живу, а доживаю». Странные мысли для двадцатитрехлетней девушки.

Тут надо сказать, что после нашего возвращения из-за границы у нас часто стал появляться Истомин. Иногда я ловила на себе его взгляд, весьма настойчивый, но это был не тот раздевающий взгляд, к которым я успела привыкнуть. Скорее в нем было любопытство, а еще сомнение. И слушал меня он всегда внимательно, хотя, по большой части, в компании я молчала, успешно заменяя слова улыбкой, и охотно смеялась мужниным шуткам.

— Вадик, тебе здорово повезло с женой, — пьяно кивали его друзья.

Но почему-то мне казалось, что Истомин с этим не согласен. Иногда он звонил мне, болтал о всяких пустяках, что как-то не вязалось с образом чрезвычайно серьезного человека, а я гадала, чего ему от меня надо. В том, что надо, я не сомневалась. Он ни разу не произнес ничего такого, что позволило бы мне решить: Истомин, как и прочие, вознамерился уложить меня в постель. Кстати, к тому моменту многие от этой идеи вынуждены были отказаться, и я приобрела репутацию неприступной особы. «Дура деревенская, — прокомментировала как-то мое поведение жена одного из Вадимовых друзей, стоя ко мне спиной и думая, что я ничего не слышу. — Втюрилась в этого прохвоста и искренне считает, что никого лучше и на свете нет». Это позволило мне лишний раз убедиться в том, как обманчивы бывают впечатления. Иногда мне казалось, что Истомин меня экзаменует, а его редкие вопросы — некий тест, и тогда мне становилось любопытно. В общем, дружбу с ним я охотно поддерживала и, памятуя о том, что я деревенская дурочка, любила ввернуть в разговор свой вопрос, обычно на редкость глупый. В таких случаях он начинал хохотать и потом терпеливо объяснял, что и как, а взгляд его больших серых глаз становился серьезным и опасливым. Одно время я даже решила, что могу в него влюбиться, но длилось это не более двух недель. За это время я не успела наделать глупостей по причине его занятости, и мы так и остались приятелями.

Как-то, придя на работу, я получила задание от своего шефа: встретиться с клиентом.

— Я дам ему номер вашего мобильного, — предупредил шеф.

Клиент позвонил через час. Встретились мы в обеденный перерыв в кафе. Молодой мужчина со светлыми волосами ежиком показался мне очень симпатичным. Мы обсудили наши дела, а напоследок обменялись визитками. Я мельком взглянула на его карточку, прежде чем убрать ее в сумку, ниже фамилии стояла приписка: «Адвокат». Парень повертел мою в руках и вдруг спросил:

— Простите, а Козельский Вадим Эдуардович...

— Мой муж, — улыбнулась я.

— Вот как, — сказал он, мгновенно меняясь в лице, брови его сурово сдвинулись, но еще через мгновение он вновь улыбался. — Приятно было познакомиться.

— Мне тоже, — не осталась я в долгу.

Однако, несмотря на заверения, наше расставание трогательным не было, хоть Алексей Иванович и старался быть приветливым, но его отношение ко мне по неизвестной причине изменилось.

Разумеется, это вызвало у меня любопытство. Поэтому вечером я, рассказывая мужу о событиях прошедшего дня, поведала об этой встрече и как бы между прочим упомянула фамилию.

— Нилин? — нахмурился муж. — И о чем вы с ним говорили?

— Как — о чем? — удивилась я. — О делах, конечно.

— Ты назвала свою фамилию?

— Мы обменялись визитками, так что моя фамилия ему известна. А в чем дело?

— Да ерунда, — отмахнулся Вадим. — Но все равно держись от этого типа подальше. Очень неприятный человек, у нас с ним были проблемы.

— Проблемы? — не отставала я.

— Я же сказал, ерунда. Позвоню твоему начальству, пусть кто-нибудь другой имеет с ним дело, тебе с этим Нилиным встречаться ни к чему.

Я попыталась углубиться в тему, чтобы узнать побольше, но Вадим проявил завидное упрямство, чем, конечно, только увеличил мое любопытство.

Через несколько дней мы встретились с Истоминым, и я полезла к нему с вопросами.

— Неудивительно, что твой муж не пришел в восторг от этого знакомства, — усмехнулся Валера. — Они, можно сказать, враги.

— Вот как?

— Если коротко, а подробностей я и сам не знаю, потому что в то время с твоим мужем не был знаком, Вадим когда-то начинал бизнес с отцом этого Нилина. Есть мнение, что твой муж воспользовался его доверчивостью и попросту кинул Нилина, увеличив свое состояние тем самым практически вдвое. Мужик остался без гроша. Хотя, думаю, это сильно преувеличено. Его сын считает, что Вадим виновен в смерти родителя: старик умер от инфаркта в результате всех этих переживаний. Парень даже пытался восстановить справедливость, так сказать...

— И что?

— На страже интересов твоего мужа уже стоял я, — засмеялся Валера. — Так что шансов у него практически не было. Хотя мужик он способный, и, я думаю, пройдет пара-тройка лет и...

— Он отберет у моего мужа деньги?

— Что за странная фантазия? Никто ничего у него не отберет, — и добавил с улыбкой: — Пока я этого не захочу. Просто я имел в виду, что он хороший юрист, вот и все.

То, что Вадим поступил нечестно, меня, казалось, не удивило, и это было довольно необычно. Мне сообщили, что он непорядочный человек, довел бывшего компаньона до инфаркта, а я согласно киваю в ответ. Пожалуй, меня больше бы удивило, скажи о нем Валера что-нибудь хорошее. Выходит, я сама все это время считала его непорядочным человеком или подозревала, что так оно и есть, и продолжала жить с ним?

— Не стоило мне этого рассказывать, — понаблюдав за мной, заметил Валера.

— Не беспокойся, Вадиму я ничего не скажу.

Он кивнул, и разговор на этом был закончен.

И вновь побежали дни бесконечной чередой, я с ужасом думала, что они абсолютно похожи друг на друга. По вечерам я смотрела фильмы или читала и завидовала чужой, кем-то выдуманной жизни. В моей не было ничего, заслуживающего упоминания, и я опять начинала мечтать. И опять себе напророчила.

Все началось с того, что Вадим вдруг занервничал. Ходил хмурый, говорил мало, а когда я приставала к нему, отвечал невпопад. Без конца с кем-то совещался по телефону, иногда повышал голос, что было ему совершенно несвойственно. Истомин к нам зачастил, они подолгу обсуждали что-то, закрывшись в кабинете. Я пробовала подслушивать, совершенно этого не стыдясь, но говорили они тихо, и ничего мало-мальски стоящего мне разобрать не удалось. Отчаявшись хоть что-то выведать у мужа, я в очередной раз обратилась к Истомину. Позвонила ему на мобильный и попросила о встрече.

— Нам надо поговорить. Это касается Вадима.

Он, казалось, не удивился, не задавал лишних вопросов и сообщил, что будет ждать меня после работы в баре «Три пескаря».

В шесть часов я вошла в бар и увидела его у стойки. Он помахал мне рукой и пошел навстречу. Прижался щекой к моей щеке и улыбнулся:

— Потрясающе выглядишь.

— Спасибо.

— Нет, серьезно. Ты необыкновенно похорошела, хотя отлично выглядела и в тот день, когда мы познакомились. Кстати, я прекрасно помню тот день, а ты?

— Еще бы. На тебе был костюм в тонкую полоску и розовая рубашка. Терпеть не могу розовый цвет, — засмеялась я. Он тоже засмеялся.

— Иногда я сомневаюсь в правдивости истории женитьбы Вадима, — сказал он.

— В каком смысле? — не поняла я.

— В буквальном. Кто там кому пудрил мозги, еще вопрос.

Признаться, я опешила и очень внимательно посмотрела на Валеру.

— Ты меня удивляешь.

— Серьезно? Хорошо. Пока оставим это. Так о чем ты хотела поговорить?

Мы к этому времени устроились за столиком, подошел официант, и мы сделали заказ.

— Я вижу, что-то происходит, — начала я. — Вадим сам на себя не похож. Пробовала говорить с ним — молчит. Я беспокоюсь за него, скажи, у Вадима неприятности?

— Нет, — помедлив, ответил Истомин. — Я не стал бы это так называть. Но неприятности вполне могут быть, если...

— Если что?

— Если он допустит ошибку в очередной своей афере.

— Вот как, — нахмурилась я.

— Ответь мне вот на какой вопрос, — продолжил он, внимательно глядя на меня. — Ты любишь своего мужа?

— Он мой муж.

Валера усмехнулся:

— Странный ответ.

— Чем он так странен?

— Почему бы просто не ответить «да»? Впрочем, если бы ты это сказала, я бы все равно не поверил.

Я попыталась придать своему лицу оскорбленное выражение, Валера наблюдал за моими попытками и вновь усмехнулся:

— Я думаю, нам пора поговорить начистоту.

— Валяй, раз пора. Только вот о чем?

— Ну, хотя бы о том, как доверчивы порой бывают жулики. Твой муж, к примеру. Извини, что я назвал его жуликом, но это чистая правда. На нем клейма негде ставить. И этот жулик искренне верит, что его жена — наивная дурочка, которая любит его нежно и преданно.

— А у тебя есть повод в этом сомневаться? — серьезно спросила я.

— Нет, что ты. Какой там повод, ты безукоризненна. Этот прохвост так и не понял, что получил. — Только я собралась ответить, как Валера взял меня за руку и тихо добавил: — В тебе бушует пламя, — и опять засмеялся. — Я не хотел тебя обидеть, — поспешно добавил он. — С того самого дня, как мы познакомились, я внимательно наблюдал за тобой: как и что ты говоришь, как смотришь, как двигаешься. Ты не уважаешь ни своего мужа, ни его окружение, более того... представляю, как ты мысленно хохочешь...

— Ты что, спятил? — не выдержала я.

— Я же предложил поговорить откровенно, почему бы и нет?

— Я задала тебе вопрос, а ты на него до сих пор не ответил.

Он все еще держал в руках мою ладонь, легонько поглаживал мои пальцы и улыбался.

— Уверен, детали тебя не интересуют, поэтому буду краток. Вадиму поступило очень выгодное предложение, и он с ним согласился, хотя знал, что на осуществление проекта ему понадобятся большие деньги. Свободных денег в нужном количестве у него нет, но дело исключительно перспективное, и он не собирается от него отказываться.

— И что дальше? — поторопила я.

— Выход, конечно, есть — забрать свою долю в строительной фирме, но тем самым он поставит компанию под удар, попросту ее разорит.

— Ах, вот оно что, — перевела я дух. — Значит, он мучается сомнениями...

— Ничего подобного, угрызения совести к этому никакого отношения не имеют. Он просто гадает, как обтяпать дельце половчее. Ведь его компаньоны тоже не дураки. Время идет, и кое-какие слухи, несмотря на его осторожность, просочатся. Ему надо действовать быстро, а главное — наверняка.

— В конце концов, это его деньги, — заметила я.

— Конечно. Но его новые компаньоны люди солидные и пекутся о репутации.

— Выходит, положение безвыходное?

— Отнюдь. Я посоветовал ему самый простой способ: развестись с тобой. Ты потребуешь свою законную долю, и он сможет получить деньги, не теряя лица. Знаешь, он ухватился за эту идею. Наш прощелыга полностью уверен в твоей наивности и доверчивости.

— Он уверен, а ты нет? Тогда почему ты посоветовал ему развестись со мной?

— А вот это очень хороший вопрос. Кстати, ты знаешь, что значительную часть своей собственности он уже перевел на тебя? — Истомин сверлил меня взглядом, а я, досадливо вздохнув, покачала головой.

— Теперь понятно, что я тогда подписывала.

— Тебя в самом деле не интересовало, под какими бумагами ты ставишь свою подпись? — усмехнулся он. Кажется, Истомин был не в состоянии поверить в такое, а я решила его не разочаровывать и проигнорировала вопрос. — Ты уже сейчас очень богатая женщина. А главное — сможешь самостоятельно распоряжаться очень крупной суммой денег.

Валере было невдомек, что деньги интересуют меня меньше всего.

— Отличная новость, — кивнула я, а он насторожился.

— Я же предложил разговор начистоту, — усмехнулся Истомин. — Передо мной не стоит разыгрывать наивную простушку. Ты не любишь своего мужа, и если бы он не был таким кретином, точнее, если бы дал себе труд хоть немного понаблюдать за тобой, он давно бы это понял. Тебя интересуют его деньги, других вариантов я не вижу.

— Начистоту так начистоту, — согласилась я. — Твои предложения?

— Собственно, я уже все сказал. Он разводится с тобой, и ты получаешь свою долю, а также полную свободу, милая. Послушай, как это звучит: полная свобода и большие деньги. И никакой необходимости притворяться и видеть рядом этого идиота.

— Заманчиво, — хихикнула я. — А тебе от всего этого какая польза?

— Я хочу тебя. Думаю, это не новость, верно? И кое-что позволяет мне надеяться, что мои чувства к тебе могут быть взаимны. Я ошибся?

— Нет, — покачала я головой. — Не скрою, я не раз сожалела, что мой муж Вадим, а не ты, к примеру.

— Вот видишь, как все просто, — засмеялся он, взглянул исподлобья и вновь погладил мою руку, но теперь вполне по-хозяйски.

Я широко улыбнулась и спросила:

— Скажи, ты хочешь меня или меня и его деньги?

— Детка, что плохого хотеть все сразу, тем более что деньги сами идут нам в руки? Имей в виду, без меня ты не справишься. Битва будет долгой, и мне придется потрудиться, но будь уверена, я буду биться за каждый доллар для моей красавицы. В конце концов, этот мерзавец должен получить по заслугам, он столько раз кидал людей, которые имели глупость ему довериться. Полное дерьмо твой муж.

«А ты чем лучше?» — хотелось спросить мне, но делать этого я не стала и возблагодарила своего ангела-хранителя за то, что он был настороже и не позволил мне оказаться в объятиях этого мерзавца. А я ведь всерьез помышляла об этом.

— Ну, так что ты мне скажешь? Мы договорились?

— Я обещаю, что ничего не скажу о нашем разговоре своему мужу, — ответила я.

— И это все? — хмыкнул он.

— Между прочим, я оказываю тебе услугу, чтобы ты не лишился богатого клиента.

— А ты не проста, ох как не проста... Я рад, что не ошибся в тебе.

— Мне приходится быть осторожной, и то, что сейчас я рискую...

— Рискуешь? — нахмурился он.

— Разумеется. Что, если в твоем кармане лежит диктофон и уже через пару часов мой муж прослушает запись этого разговора?

— О боже, детка... — Он покачал головой, взял мою ладонь, поцеловал ее и сказал серьезно: — Мне ты можешь доверять. Кстати, здесь есть премиленькая комната на втором этаже, ты смогла бы лично убедиться, что ни в моем кармане, ни в прочих местах у меня никакого диктофона нет.

— А когда я буду этим заниматься, появится мой муж и обвинит меня в измене?

— У тебя просто мания, — покачал он головой. — Я же сказал: мне ты можешь доверять. Я хочу видеть тебя свободной женщиной и, разумеется, богатой. Ты мало что понимаешь в делах и сама захочешь, чтобы рядом был мужчина, пекущийся о твоих интересах, это позволит тебе вести счастливую и абсолютно беззаботную жизнь. И я надеюсь, что этим мужчиной буду я.

— Но до той поры я не сделаю ничего такого, что дает возможность моему мужу оставить меня без денег, так что мысли о комнате на втором этаже оставь.

— О'кей, — развел он руками. — Я все понял. Можно только еще одну фразу? — Он наклонился ко мне и прошептал: — Из нас выйдет отличная пара.

Я подмигнула ему и улыбнулась, а он захохотал.

Из бара мы выходили вместе, в темном узком пространстве между двумя дверями Истомин вдруг навалился на меня и стал целовать, шепнув:

— Здесь-то видеокамер точно нет.

Признаться, меня передернуло от отвращения, и мой нелюбимый муж показался мне гораздо привлекательнее этого типа. На счастье, кто-то потянул уличную дверь, и Истомину пришлось угомониться, он разом приобрел черты серьезного человека и преуспевающего адвоката, а я сладко улыбнулась ему на прощание.

Разумеется, у меня и в мыслях не было менять одного малоприятного субъекта на другого, еще менее приятного. Но ситуация вдруг показалась мне занимательной, а жизнь интересной, и я стала ждать развития событий.

Уже на следующий вечер Вадим, вернувшись с работы, усадил меня в кресло и начал с постной миной:

— Котенок, нам надо поговорить.

— У тебя неприятности? — испуганно спросила я. — Ты молчишь, но я же вижу, что тебя что-то беспокоит.

— Ах, милая, я просто не хотел тебя расстраивать, но теперь... теперь вынужден поговорить с тобой. — Он устроился в моих ногах, сграбастал обе мои руки и тяжко вздохнул. — Бизнес — грязное дело, — произнес он. — И я сейчас в весьма затруднительном положении. Люди, которым я имел неосторожность довериться... в общем, так, котенок, я много думал и пришел к выводу: единственная возможность спасти наши деньги — это развестись.

— С кем? — испугалась я.

— Милая, развод — это чистая фикция. То есть мы, конечно, разведемся, но для нас с тобой это не будет иметь никакого значения. Мы же любим друг друга, верно?

— Вадим, я не понимаю, почему мы должны разводиться? — заволновалась я.

— Все очень просто. При разводе ты потребуешь свою долю, ведь ты моя жена, и по закону половина всего, что принадлежит мне, — твое.

— Мне ничего не надо...

— Котенок, послушай меня внимательно. Если ты заберешь деньги, эти типы не смогут на них претендовать. Разумеется, на самом деле забирать их тебе не нужно, но об этом будем знать только ты и я. А когда ситуация нормализуется, мы опять распишемся. Теперь ты поняла, моя радость?

Радость поняла. Выходит, Истомин прав и муженек заглотил крючок. Если честно, в тот момент у меня возникла непрошеная жалость к Вадиму, я его не любила, и все-таки он был мне мужем, пусть жуликом, но мне-то он не сделал ничего плохого, напротив, всегда заботился обо мне. И я попыталась спасти положение.

— Вадим, — сказала я. — Мы не можем развестись. Я беременна.

— Как некстати, — буркнул он, но тут же опомнился. — Я очень рад, котенок. Очень. Какой срок?

— Семь недель, — глазом не моргнув, соврала я.

— Отлично. К моменту рождения ребенка мы уже снова будем мужем и женой. Все это займет полгода, не больше. И то, что мы разведемся, вовсе не значит, что мы должны жить врозь. Ничего подобного. Ну, если только месяц-два. Мы будем видеться каждый день. — Он заключил меня в объятия, а я вздохнула. Что ж, как сказано у Ницше, «падающего подтолкни», пожалуй, это тот самый случай.

— Вадим, это ужасно, — честно сказала я.

— Доверься мне, родная. Все будет хорошо. Просто поверь и поступай так, как я прошу. И я сделаю тебя самой счастливой женщиной на свете.

Я заревела и кивнула. Он утешал меня минут пятнадцать, умоляя подумать о ребенке и не расстраиваться, а когда я успокоилась, стал деловито объяснять:

— Значит, так. Для развода необходим повод. Укажешь в заявлении, что я тебе изменяю:

— Ты мне изменяешь? — ахнула я, начиная получать удовольствие от происходящего.

— Конечно, нет. Кандидатуру на роль моей мнимой любовницы мы подыщем, я думаю, вполне сойдет моя секретарша. Она не замужем и не откажется подтвердить сплетни, которые возникнут. Стоить это будет недорого, я с ней договорюсь. Чтобы не запутаться во вранье, обо всем этом лучше особо не распространяться. Все знают твою обычную сдержанность, так что бегать по знакомым и что-то там объяснять не придется. Если возникнет необходимость, переедешь в нашу квартиру на проспекте Ленина. Нет, лучше я туда перееду. Тебе здесь привычней и легче будет перенести одиночество. Опять же, Ангелина Сергеевна рядом, я на нее очень рассчитываю. Милая, уверяю тебя, это все на крайний случай. Сейчас ты должна мне довериться и думать только о нашем ребенке. Ты поняла?

Я закивала, как китайский болванчик, и вновь заревела, а он начал утешать меня.

Через три дня я подала на развод и на раздел имущества. Мы перестали появляться на людях вдвоем, но по-прежнему жили вместе. Муж повеселел и даже что-то насвистывал под нос, а по вечерам, обложившись словарями, выбирал имя нашему первенцу, мужское, но на всякий случай интересовался и женскими. С Истоминым мы наедине не встречались, но виделись довольно часто и, когда муж отворачивался, обменивались весьма красноречивыми взглядами. В общем, жулики уже готовились праздновать победу, и тут случилось нечто, едва не разрушившее их планы.

В понедельник, как обычно, мы после ужина посмотрели новости, а потом отправились спать. Вадим утром собирался ехать в Москву и намеревался встать пораньше. Пожелав мне спокойной ночи, он обнял меня и уснул, а вслед за ним уснула и я. Пробуждение оказалось весьма своеобразным.

— Просыпайтесь, голуби, — услышала я, открыла глаза и приподняла голову с подушки. За окном было темно, часы показывали два ночи. С другой стороны кровати горел ночник, муж сидел в постели с вытаращенными глазами и, так же, как и я, силился понять, что происходит. Я повернула голову и возле двери обнаружила парня в спортивном костюме, в дурацкой шапке с прорезями для глаз и с пистолетом с глушителем в руке. Фраза о голубях, вне всякого сомнения, принадлежала ему.

— Ты кто? — обалдело спросил Вадим.

— Твой страшный сон, — ответил парень, решив быть оригинальным.

— Что происходит, черт возьми? — продолжал Вадим, отчетливо клацая зубами. Я замерла, спросонья не в силах соображать, но очень к этому стремилась. Надо сказать, Вадим относился к той категории мужчин, у которых всю жизнь были любимые игрушки. Его хобби стало оружие, и его в доме находилось предостаточно. Два или три охотничьих ружья (на охоту на моей памяти он никогда не ходил) и пара пистолетов. Выезжая за город, он любил пострелять по мишеням и приохотил к этому меня. Стреляла я, кстати, много лучше, чем муж. Так что вид пистолета не вызывал у меня панического ужаса. С другой стороны, я очень хорошо знала, на что способна подобная игрушка, и почувствовала неприятную пустоту внутри. Руки вдруг похолодели и бессильно повисли, я таращилась на парня и пыталась найти выход, то есть пыталась придумать, как отвлечь внимание этого типа и достать пистолет Вадима из прикроватной тумбочки. Только я начала строить планы, как тут же с ними и распрощалась: наш пистолет, конечно, не заряжен.

Хотя бандиту знать об этом необязательно. Выходит, кое-какой шанс у нас все же есть.

Между тем тип в спортивном костюме вознамерился ответить на вопрос Вадима.

— Что происходит? — издевательски переспросил он. — Происходят неприятные вещи, приятель. Ты решил кое-кого кинуть, и этот кое-кто в восторг не пришел, так что, если ты сейчас окажешься с дыркой в башке, это будет только справедливо.

Я повернулась к мужу. Пот градом стекал по его лбу, рот был приоткрыт, дышал Вадим тяжело, больше всего в тот момент напоминая выброшенную на берег рыбу.

— Да вы что? — залепетал он. — При чем здесь я? Это все она, она. — Чтоб было понятно, кого он имеет в виду, Вадим ткнул в меня пальцем. — Эта стерва вздумала со мной разводиться.

— Серьезно? — не поверил парень. — Поэтому вы, трогательно обнявшись, спите в одной постели.

— Конечно, — кивнул муж. — Я пытаюсь с ней помириться. Из кожи вон лезу, чтобы она забрала назад свой дурацкий иск. — Слова сыпались из него, как горох, он вытирал ладонью вспотевший лоб и говорил, говорил.

Я смотрела на него с брезгливой жалостью, не зная, чего во мне больше: этой самой жалости или презрения. Взрослому человеку не худо бы знать, что за все свои поступки придется отвечать, в том числе за скверные поступки. Мой муж отвечать за них не хотел и теперь отчаянно трусил. Но это был мой муж. Мне было унизительно обливаться холодным потом и слушать издевки типа с пушкой в руках, и то, как вел себя Вадим, делало ситуацию унизительной вдвойне. Мои чувства достигли критической точки, и я вдруг с удивлением поняла, что не боюсь. Мне хотелось одного, чтобы эта омерзительная сцена закончилась как можно скорее.

— Прекрати, — сказала я Вадиму. — Он не будет стрелять.

— Вот как? — удивился парень, а я продолжала:

— Тебя послали попугать его, верно? Если бы твои намерения были серьезными, чего б тебе не пристрелить нас, когда мы спали?

— Тебе деньги нужны? — быстро сориентировался муж, несмотря на испуг уловивший в моих словах рациональное зерно. — Сколько ты хочешь? Тридцать тысяч, пятьдесят? Здесь в доме есть пятьдесят тысяч. Забирай и уходи.

— Даже не надейся, — покачал тип головой. — И пусть твоя баба заткнется.

— Замолчи, — шикнул на меня Вадим.

— Вы тут поболтайте, а я пойду в душ, — сказала я и начала подниматься. Раздался хлопок, и пуля ушла в стену где-то над моей головой. Муж вскрикнул и вжал голову в плечи. Это меня окончательно разозлило. — И все же, — крикнула я, — вам придется закончить разговор без меня. Кстати, передай тем, кто тебя послал, я написала завещание. Предупреждаю на тот случай, если они и вправду решат убить меня. Все свое имущество я завещала государству. Меня раздражают российские дороги, на машине подвеску пришлось менять, так вот на их благоустройство и пойдут мои деньги. А твои друзья пусть попробуют из наших чинуш выбить хоть доллар.

— Сядь и не двигайся, — сурово предупредил бандит. Открыл дверь и выскользнул в коридор, продолжая целиться из пистолета. Дверь за собой захлопнул. Вадим сидел в полном обалдении, таращась на закрытую дверь. Я подошла и толкнула ее, с той стороны она была чем-то подперта.

— Придется выбираться через окно, — вздохнула я.

Через полчаса мы сидели на нашей кухне. Лезть в окно не пришлось. Немного придя в себя, Вадим вышиб дверь спальни — вполне мужской поступок. Я налила водки в рюмку и поставила перед ним. Он залпом выпил и мутно посмотрел на меня.

— Ты что, с ума сошла? Ты хоть понимаешь, что он мог нас застрелить? — спросил он зловещим шепотом.

— Они тебя пугают, не поддавайся, — сказала я, Вадим слабо икнул.

— Не поддавайся? Тебе легко говорить, а если... черт, — покачал он головой. — Лина, я думал только о тебе и нашем ребенке. Я хотел разговорить этого типа, я был готов на что угодно, лишь бы он не выстрелил.

Это я и так знала и молча кивнула.

— Ты меня очень... удивила, — с трудом нашел он нужное слово и посмотрел на меня. В его взгляде и впрямь было удивление, а потом появилось беспокойство. Должно быть, он вспомнил, что как раз в среду подписал согласие со всеми моими претензиями, адвокаты уже вовсю шуршали бумажками, а деньги перетекали с его счетов на мои. — Милая, — промямлил он.

Я обхватила его голову руками, прижала к себе и сказала:

— Я никому не позволю угрожать моему мужу, —

решив дать Вадиму последний шанс. Он еще мог все переиграть, отказаться от выгодной сделки и остаться приличным человеком, то есть попытаться им стать.

Черед два дня мне стало ясно: он далек от этого. В пятницу, вернувшись домой, он сказал:

— Линочка, наш развод должен выглядеть правдоподобно. Нам придется разъехаться на время.

Надо сказать, что за эти два дня он успел заметно успокоиться. Если во вторник он еще тревожно шарил взглядом по моему лицу, спотыкаясь на привычном слове «котенок», то в среду вновь уверился в моей большой любви и абсолютной бестолковости. Разумеется, разубеждать его ни в том, ни в другом я не собиралась.

— Бедняжка моя, — пел он. — Истомин говорит, у тебя был шок, и ты просто не понимала, что делаешь. Я вот что подумал: может, тебе лучше уехать на некоторое время за границу? Мне было бы гораздо спокойнее, знай я, что ты в безопасности.

— Без тебя я никуда не поеду, — покачала я головой.

— Детка, но нам все равно придется жить врозь, и часто встречаться тоже не получится. Так что твой отъезд — это идеальное решение.

После полуторачасовых уговоров я согласилась. Мой муж старательно копал себе яму и горел желанием свалиться в нее. В субботу с чемоданом в руке он покинул дом, Ангелина Сергеевна утешала меня, поила чаем и, тревожно поглядывая в мою сторону, твердила:

— Линочка, он вернется. Вадим допустил ошибку, но он одумается и непременно вернется. Надо верить в это.

После обеда я решила отправиться на прогулку, утомившись от ее причитаний. Начался дождь, и я укрылась в ближайшем кафе. Только успела заказать себе кофе, как рядом с моим столом появился Сергей, тот самый с «богатой дачи».

— Привет, — весело сказал он, усаживаясь напротив. — Теперь я знаю, как тебя зовут на самом деле.

— Это принесло тебе счастье? — спросила я, а он засмеялся.

— Я знаю, кто твой муж, а еще знаю, что ты с ним разводишься.

— Еще бы.

— В такое время женщины чувствуют себя беспомощными и одинокими. Ты случайно не нуждаешься в крепком мужском плече?

— Ты свое плечо имеешь в виду? — спросила я, а он кивнул:

— Конечно.

— Насчет беспомощности и одиночества — ты прав. Но я, пожалуй, поищу кого-нибудь другого.

— Что так? — усмехнулся он.

А я решила проверить свою догадку, оттого и сказала:

— У тебя дерьмовая профессия. Болтаться ночью по чужим спальням и тыкать в людей оружием — не самое достойное занятие в мире.

Челюсть у него отвисла, а взгляд помутнел.

— Что? — нашел он в себе силы спросить.

— У тебя дерьмовая профессия, — повторила я. — А у меня стопроцентный слух. И твой голос я сразу узнала. Так что не расходуй напрасно энергию, изображая непонимание.

— Вот как, — хмыкнул он. — Ты узнала голос, но предпочла об этом помалкивать. Я правильно понял?

— Правильно, — не стала я возражать.

— А почему? Можно узнать?

— Можно попытаться. Но на мою помощь не рассчитывай.

Он засмеялся.

— Слушай, ты мне дико нравишься. Честно. Можешь не верить, но еще в тот первый раз, когда мы встретились... я был убежден, что мы... как бы это выразиться... короче, мы непременно встретимся еще раз.

— Наши мысли на этот счет были схожи. Правда, очередную встречу я представляла несколько иначе.

Он опять засмеялся.

— Ты меня узнала, потому и вела себя так? Была уверена, что я не выстрелю?

— Скорее, надеялась. И очень обрадовалась, что ты не подвел. Кто тебя нанял?

— Профессиональная тайна, — ответил он с усмешкой. — Хотя догадаться нетрудно, так ведь? Хочешь, я завалю твоего мужа? — спросил он и широко улыбнулся. — Получишь все его бабки.

— Дурак, — покачала я головой. — Я и так получу немало, и без всякой мокрухи.

— Не сомневаюсь. Только имей в виду, все это довольно опасно. Так что крепкое мужское плечо и впрямь тебе не помешает.

— Я подумаю о твоем предложении, — ответила я, не выдержала и засмеялась. Он тоже засмеялся и почти дословно процитировал Истомина.

— Мы будем потрясающей парой. А профессию...

профессию всегда можно сменить, но вот кое-какие навыки так со мной и останутся.

— А вот это мне нравится, — кивнула я, решив, что быть свободной женщиной с большими деньгами далеко не так приятно, как кажется. Воронье слетается со всех сторон, пожалуй, пора сделать ответный шаг. — Пока длится вся эта волокита, будь добр, держись от меня подальше. Не хватает только обвинений мужа в моей собственной неверности.

— Телефон записать не хочешь? — вздохнул он.

— Уверена, как только все закончится, ты не заставишь себя ждать.

— Детка, я тебя обожаю, — сказал он, поднялся, поцеловал меня и не спеша удалился, сделав ручкой. Я приветливо помахала ему вслед.

Дождавшись, когда он скроется за дверью, я достала визитку Нилина и набрала номер его мобильного, а когда он ответил, представилась и сказала:

— Как вы смотрите на то, чтобы подложить свинью моему мужу?

Секунд тридцать он молчал, потом ответил:

— Я считаю вашего мужа редкой сволочью, но подкладывать людям свинью не в моих правилах.

Я мысленно улыбнулась, радуясь тому, что приличные люди еще не перевелись на свете.

— Алексей Иванович, извините, я неправильно сформулировала вопрос. Попробую еще раз. Как вы смотрите на то, чтобы поставить на место зарвавшихся мерзавцев?

Через час Нилин приехал в кафе и я, ничего не скрывая, рассказала ему о планах моего мужа, а еще через час он получил доверенность на ведение всех моих дел.

— Не сомневайтесь, Лина, — сказал он мне на прощание. — Я сделаю все возможное и... невозможное, — помедлив, добавил он. — Чтобы вы стали богатой женщиной, а я — счастливым человеком, видя, как ваш муж кусает локти. Уезжайте. Когда он поймет, что происходит, вам будет небезопасно находиться здесь.

И слово свое сдержал. Я стала богатой, а он счастливым, потому что мой муж, когда наконец все понял, не просто кусал локти, а, закатив самую настоящую истерику, бился головой о стену с такой силой, что на лоб пришлось накладывать швы.

— Будь осторожна, — инструктировал меня Нилин уже по телефону. — В одном месте подолгу не живи, твой муж непременно захочет с тобой встретиться, и только черт знает, что он сейчас способен выкинуть.

Три месяца я прожила за границей по совету своего адвоката. Чтобы совместить полезное с приятным, взяла машину напрокат и посетила три европейские столицы, побывать в которых когда-то мечтала. Номер своего мобильного я сменила, и его знал только Нилин. Но как-то вечером телефон зазвонил, и я, ответив, услышала голос мужа.

— Что, дрянь, весело живешь на мои деньги? — гневно произнес он, я дипломатично промолчала, а он спросил: — Как там, кстати, наш ребенок?

— Уже пошел в школу, — ответила я.

— Сучка из Мухосранска, как же я тебя не разглядел-то? Ну, ладно. Мы еще посмотрим... — Дослушивать я не стала и на время отключила телефон.

А на следующий день позвонил Истомин.

— Поздравляю, дорогая, — сказал он насмешливо. — Все разыграно как по нотам.

— Своей победой я обязана твоему светлому уму, ведь идея облапошить мужа принадлежала тебе.

— Можно вопрос? — спросил он деловито. — Почему этот Нилин? Почему не я?

— Хочется видеть рядом приличного человека.

Он немного помолчал, как видно, собираясь с мыслями, и сказал:

— А о себе ты что думаешь, дорогая? — И я почувствовала себя очень неуютно, потому что знала: он прав. — У тебя будет повод пожалеть об этом, — добавил он.

Та легкость, с которой муж и его адвокат сумели найти меня, точнее, смогли раздобыть мой новый номер, неприятно поразила меня. И я задумалась: а нужно ли возвращаться? Срок визы подходил к концу, так что возвращаться все-таки придется, но стоит ли местом моего пребывания избирать наш город? Посоветовавшись с Нилиным, я решила: не стоит, по крайней мере пока. И, оказавшись в Москве, я, немного подумав, отправилась в областной центр в ста двадцати километрах от места обитания моего мужа. С одной стороны, это достаточно близко, и Нилин в любой момент может приехать, окажись в том необходимость, с другой, достаточно далеко. Мобильный я опять сменила, как только приехала в Москву, и чувствовала себя в относительной безопасности.

Добиралась я электричкой и к вечеру уже устроилась в гостинице, решив, что с квартирой пока торопиться не стоит, очень может быть, что опять придется переезжать, и еще не раз. Если честно, я не очень-то боялась угроз мужа, хорошо зная его. Пройдет полгода или год, и он успокоится. Истомин тоже меня не тревожил. Он адвокат, а адвокатам положено уважать закон, по крайней мере мне казалось, что здравый смысл победит кровожадность.

После возвращения на родину у меня появилась еще одна проблема: я была богата и свободна, но понятия не имела, что делать с состоянием. Чтобы не скатиться в депрессию от таких мыслей, я решила осуществить давнюю мечту и купила мольберт и акварельные краски. В среду утром я отправилась на набережную, совершенно пустынную по случаю мелкого надоедливого дождя, и принялась писать величественный древний собор, что возвышался на холме.

Занятие это меня так увлекло, что я не заметила, как прошло время. Следовало подумать об обеде, но покидать набережную не хотелось. Я еще раз взглянула на рисунок, отметила многочисленные огрехи и вдруг услышала:

— Вот в этом месте размой водой побольше, и будет отлично.

Я стояла в дождевике с надвинутым на голову капюшоном, должно быть, по этой причине не услышав, как подошел нежданный критик. Недовольно повернулась и увидела молодого мужчину, он стоял за моей спиной и, судя по всему, уже давно наблюдал за мной.

— Ты самоучка? — спросил он с улыбкой. — Не обижайся, у тебя хорошо получается.

И я совершенно неожиданно для себя улыбнулась в ответ. Ему было лет двадцать семь. Среднего роста, узколицый, в куртке из легкой непромокаемой ткани. Его темные волосы вились тонкими спиральками и падали на плечи, на них поблескивали капельки воды, еще были усы и аккуратная бородка клинышком. Я решила, что он похож на художника.

— Где надо размыть? — серьезно спросила я.

Он протянул руку, указывая нужное место, а я завороженно наблюдала за его ладонью. В жизни не видела таких красивых рук. Узкая ладонь с тонкими длинными пальцами, белокожая, несмотря на середину лета.

— Ты художник? — спросила я.

— Нет, как и ты, любитель.

— У тебя красивые руки, — не удержалась я.

— Это мой инструмент.

— Так ты музыкант? — догадалась я.

— Маэстро, — засмеялся парень. — А ты красавица. Я думал, ты одна из тех теток, что вечно здесь ошиваются и продают свои картинки туристам. Ты, кстати, ничего не продаешь? — серьезно спросил он.

— Нет.

— Жаль. Я бы купил. — И опять улыбнулся. И я улыбнулась в ответ.

Глядя на него, вообще хотелось улыбаться. Несмотря на серый день, парень выглядел так, точно солнце для него всегда светило. Рядом с ним было уютно, и это показалось мне странным, ведь я совсем не знала его.

— Как тебя зовут? — спросила я.

— Кирилл, — помедлив, ответил он.

— А меня Селина. Звучит по-дурацки, правда?

— Мне нравится.

— Можешь называть меня Лина, так проще.

— Селина гораздо красивее.

Я начала складывать мольберт, а он стал мне помогать. Потом взял его из моих рук, повесил себе на плечо, и мы медленно пошли по набережной. Он молчал, разглядывая реку внизу сквозь тонкую сетку дождя, и я молчала, удивляясь тому, как спокойно на душе. Впервые за долгие месяцы. Набережная закончилась, мы стояли возле широких ступеней, что вели к собору.

— Я собиралась пообедать, — сказала я. Он кивнул:

— Хорошая идея. Здесь неподалеку есть кафе. Можем пойти туда.

В кафе было многолюдно и шумно, пристроив мольберт у стены, мы расположились за столиком на двоих и оказались друг против друга. Я подумала, что у него печальные глаза, как будто он знал некую грустную тайну, недоступную мне. Лицо его было очень нежным, с тонкими красивыми чертами, и, если бы не борода и усы, оно вполне могло бы принадлежать женщине.

— Где ты живешь? — спросил он.

— В гостинице. Называется «Старый дворик». Это в центре, на Малой Никольской.

— Здорово, — засмеялся он. — Ты богачка?

— Да, — ответила я серьезно.

Он вроде бы удивился, а потом сказал:

— Я вообще-то тоже.

Богачом его представить было невозможно, мне всегда казалось, что такие, как он, должны путешествовать по жизни без гроша в кармане, и я решила — он имел в виду вовсе не деньги.

— Значит, ты богата. А откуда приехала?

— Издалека.

— Конечно, — кивнул он. — Такие девушки всегда являются издалека. А потом вдруг так же исчезают. Легкой дымкой, как призрак, оставляя за собой разбитые сердца.

— Ты смеешься надо мной? — вздохнула я, хотя знала: нет, он не смеется.

— Я сожалею, — вновь очень серьезно ответил он.

— Сожалеешь? О чем?

— В двух словах не объяснишь. Может быть, потом когда-нибудь я расскажу. А может, мне повезет. Правда, мне никогда не везет, по крайней мере с девушками, но тем не менее...

Утверждение, что ему не везет с девушками, показалось мне еще более сомнительным. По-моему, он был из тех, в кого девушки должны влюбляться с первого взгляда. Мне самой очень захотелось в него влюбиться. Хотя три обязательных признака влюбленности начисто отсутствовали, я вновь подумала: что мне с ним невероятно легко и уютно, а затем меня посетила мысль — все, что он говорил, отдавало некой странностью, и я даже решила, что он с сумасшедшинкой. Он музыкант, Маэстро, а талант всегда сродни сумасшествию, вот в том, что он талантлив, я ни секунды не сомневалась.

— А это «потом» будет? — спросила я, и он вроде бы растерялся.

— Что?

— Ты сказал «когда-нибудь потом».

— Конечно, будет, если ты захочешь. Вот только захочешь ли... — Он грустно усмехнулся и покачал головой.

— Я никогда не встречала никого похожего на тебя, — произнесла я, чувствуя, что получилось довольно бестолково, но он понял.

— Это точно. Я особенный. А ты очень красивая. Впрочем, это я уже говорил.

Обед нам давно принесли, а мы сидели и разговаривали, забыв про еду.

— Расскажи мне о себе, — попросила я, взяла ложку и начала есть.

— Я — гений, — серьезно ответил он, а я так же серьезно кивнула.

— Это я уже поняла. А что еще? Ты живешь в этом городе?

— Нет.

— Значит, тоже приехал? Откуда? Надолго?

Его развеселило количество вопросов.

— Я перекати-поле, живу там, где мне нравится. А здесь... здесь я, чтобы помочь другу.

— У него неприятности?

Кирилл засмеялся.

— Ему плевать на неприятности.

— Так не бывает, — не поверила я.

— Бывает. Редко, но бывает. Он всегда один, ему плевать на неприятности, и ничья помощь ему не нужна.

— Но ты все же хочешь ему помочь?

— Попытаюсь. То есть я очень хочу.

— Значит, твой друг живет в этом городе? — продолжила я расспросы.

— Нет. Но он здесь появится. Возможно. А может, и нет.

— Звучит немного странно.

— Он тоже перекати-поле. Иногда наши пути пересекаются, чаще нет. Но сейчас я надеюсь на встречу.

— А позвонить ему нельзя? Или написать?

— Наверное, можно. Но я не знаю номера его телефона, а письма... письма — это пережиток, так ведь? Да и куда их писать? Он всегда в пути, и никакое письмо его не догонит.

— А ты его, случайно, не выдумал? — спросила я. Разговор наш казался мне все более странным и вместе с тем увлекал, а его глаза становились все печальнее. Глаза завораживали меня.

— Своего друга? Нет. Когда-нибудь мы встретимся, и я вас познакомлю.

— Буду с нетерпением ждать, — усмехнулась я и вдруг почувствовала неловкость оттого, что позволила себе усмешку и это недоверие.

— Ты сказала, что богата, — сменил он тему. — Откуда у тебя деньги? Ты их украла? — Слово «украла» он произнес так просто, без намека на насмешку или язвительность, словно украсть было само собой разумеющимся. А я покраснела и почувствовала себя воровкой. Ведь, собственно, так оно и было. Неужто он увидел это? Только он или это видят все? Смотрят на меня и думают: «Вот идет воровка». Он ждал, спокойно глядя мне в глаза, и я ответила:

— Да. Я их украла.

— У кого?

— У мужа.

— Вот так раз. Он тебя не любил?

— Не знаю. Но я его не любила. Вышла за него замуж и украла его деньги.

— Ты пошла замуж за богатого, чтобы получить его деньги? — удивился он, и я подумала: вот, сейчас он поднимется и уйдет, брезгливо отвернувшись, и испуганно сказала:

— Нет, не так. Я не знаю, почему я вышла за него. Мне не нужны были деньги. Они мне и сейчас не нужны. — И стала торопливо рассказывать, как познакомилась с Вадимом и что из этого вышло.

— Мне нравится твоя история, — сказал Кирилл, когда я замолчала. Он не перебивал и не задавал вопросов, все это время серьезно смотрел на меня, без осуждения или сочувствия. — И мне нравится, что ты воровка. Кем бы ты ни была, ты мне все равно нравишься.

— Меня учили другому.

— Наплюй. Хочешь, дам тебе совет: трать эти деньги и радуйся. Просто радуйся.

— Попробую, — буркнула я, почувствовав усталость. Кафе давно опустело, потому что обеденный перерыв в офисах закончился, и только мы да еще несколько пар остались в зале. — Нам пора идти, — с грустью сказала я, хотя понятия не имела: куда идти, зачем? Он согласно кивнул, подозвал официанта и расплатился. Деньги он доставал из бумажника, пухлого, плотно набитого купюрами. Рубли вперемешку с долларами и евро. Я вглядывалась в его лицо, пытаясь понять, с кем столкнула меня судьба, и не находила ни одного мало-мальски сносного определения, кроме одного: он странный парень.

— Идем, — позвал он, поднимаясь, взял мой

мольберт, а я надела дождевик, потому что дождь все еще моросил за окном.

— Проводишь меня? — Я задала вопрос уже на улице и вздохнула с облегчением, услышав:

— Конечно.

— Где ты остановился? — минут через пять вновь спросила я.

— Пока не знаю. Я только утром приехал, сошел с поезда, решил прогуляться и увидел тебя. Где-то там что-то сработало.

— Что сработало?

— Какая-то шестеренка на небесах. Ты давно здесь?

— Со вчерашнего дня.

— А почему ты выбрала этот город?

— Не знаю.

— Вот видишь, — обрадовался он. — Что-то сработало. Может быть, ты меня ждала?

— Может быть. Я сама не знаю, зачем я здесь. Но может быть...

— Тебе не кажется это удивительным?

— Нет. А тебе?

— Тоже нет. Я верю в судьбу. Если мы оказались здесь и встретились, значит, это для кого-то важно. Или для чего-то.

— Да, — согласилась я.

От набережной до гостиницы было совсем недалеко, и я пожалела об этом. Миг, и мы уже стояли у дверей. Я посмотрела на Кирилла и сказала:

— У меня тринадцатый номер.

— Чертова дюжина, роковое число. Не боишься?

— Не боюсь.

— Я так и подумал.

Он отдал мне мольберт, церемонно поклонился, поцеловал мою руку и сказал:

— Ты самая прекрасная воровка на свете.

Я должна была разозлиться или обидеться за эту выходку, но не разозлилась и не обиделась. Кивнула и открыла дверь. Он стоял и ждал, когда я войду в гостиницу, улыбался и помахал мне рукой на прощание.

Оказавшись в номере, я сняла дождевик и села в кресло, пытаясь понять, что со мной происходит. Я не была влюблена, нет, но, очутившись одна, почувствовала страшную пустоту. Попыталась представить, что могло бы произойти, если б он поднялся ко мне, и не смогла. Почему-то я не решалась представить его своим любовником, не могла вообразить, что он целует меня и мы вдвоем ложимся в постель. Еще одно: я попыталась вспомнить наш разговор и тоже не смогла. То есть я, конечно, помнила, что рассказала ему свою историю, но все остальное... слова рассыпались, в них не было никакого смысла. Странный разговор — это единственное, что я знала наверняка. Что, если Кирилл меня загипнотизировал? Я провела рукой по лицу, словно желая избавиться от наваждения. Вскочила и проверила свою сумку. Все было на месте: паспорт, деньги, кредитки. И устыдилась своих подозрений. Я нервно вышагивала по комнате и вновь пыталась вспомнить подробности встречи, но ничего не получалось. «Я не смогу его найти в большом городе», — подумала я, но это не испугало меня. Он-то знал, где меня найти, и я решила: Кирилл непременно появится. Ведь для чего-то мы встретились на набережной. Он сам так сказал.

Я прошла в спальню, легла на кровать поверх одеяла и стала разглядывать потолок. Я ничего о нем не знаю, кроме имени. Возможно, он музыкант, а еще он ищет друга, нет, хочет ему помочь. А что, если этот Кирилл попросту сумасшедший? Что ж, такое случается. Бродит по городу, знакомится с девушками и говорит им всякую ерунду?

— Он не сумасшедший, — сказала я громко, сама отвечая на свой вопрос. — Но очень странный и уж точно не такой, как все.

Я не заметила, как уснула, а когда открыла глаза, часы показывали восемь вечера. Подниматься не хотелось, но я подумала, что, если останусь в постели, бессонная ночь мне будет обеспечена, и, не придумав ничего лучше, решила поужинать. Отправилась в ванную, умылась и немного постояла возле зеркала, разглядывая себя.

— Самая прекрасная воровка на свете. Ничего себе комплимент.

Взяв сумку, я покинула номер. Спустилась в холл и за стойкой бара увидела Кирилла, то есть сначала я не поняла, что это он. За стойкой сидел мужчина в дорогом костюме, белоснежной рубашке, галстуке в тонкую полоску и выглядел так, как и положено выглядеть постояльцу гостиницы, где номер стоит триста баксов в сутки, — респектабельным и каким-то безликим. Наверное, поэтому я не сразу его узнала. И лишь проходя мимо, натолкнулась на его улыбку и удивленно замерла.

— Это ты?

— Конечно, — пожал он плечами. Признаться, в тот момент я решила: судьба подсовывает мне еще одного переодетого принца, который болтается под дождем в поисках приключений и морочит людям голову, но тут он улыбнулся, и я прогнала эти мысли прочь.

— Ты ждешь меня?

— Вообще-то я здесь живу. Уже час или два, — ответила он. — А ты хотела поужинать?

— Да. Составишь мне компанию?

— У меня предложение получше. Скажи, у тебя есть вечернее платье? Что-нибудь сногсшибательное?

— Я приобрела его в Париже, оно стоит кучу денег. Я решила померить платье и спятила от красоты, оттого и купила. Пойдет?

— Уверен. Иди переодевайся, а я подожду тебя здесь.

Я весьма поспешно направилась в номер, но, опомнившись, притормозила.

— Сколько у меня времени? К платью полагается другая прическа.

— Там, куда мы поедем, веселятся всю ночь. Так что времени у тебя сколько угодно.

Я вновь оказалась в своем номере, достала из чемодана платье, туфли и, переодевшись, устроилась перед зеркалом. Несмотря на слова Кирилла, я очень торопилась, но все равно осталась довольна результатом. Когда я спускалась по лестнице, он все еще сидел в баре. Повернулся, взглянул на меня и прикрыл глаза рукой.

— Ты ослепительна.

— Надеюсь.

— Идем, нас ждет такси, — взяв меня за руку, сказал он и повел к дверям. — Мы едем в загородный клуб, — сообщил он уже в машине. — Называется он «Альбатрос». Там прекрасная гостиница, два ресторана... нет, кажется, три... надо же, успел забыть... в общем, там много чего есть. На самом деле это притон, — сказал Кирилл и улыбнулся.

— И нам непременно нужно туда?

— Непременно.

— Можно спросить зачем?

— Там появится мой друг.

— Сегодня?

— Возможно. Я ведь сказал, он непременно появится, а когда, я не знаю. Вдруг нам повезет, и это случится сегодня.

— Твой друг любитель притонов?

— Сложный вопрос. Дело в том, что я не очень хорошо знаю, что он любит, а чего нет. Но познакомились мы с ним в «Альбатросе», и у меня есть надежда, что он туда заглянет. Если, конечно, окажется здесь.

— Хорошо, будем надеяться.

Водитель, прислушиваясь к нашему разговору, то и дело поглядывал в зеркало. Миновав мост, мы спустились к реке, и минут через пятнадцать я увидела впереди разноцветные огни рекламы. «Альбатрос», — прочитала я и удовлетворенно кивнула. Отсюда открывалась прекрасная панорама города на той стороне реки. Мы подъехали к ступеням, которые вели к стеклянным дверям, Кирилл расплатился с водителем, вышел из машины и протянул мне руку.

— В притон пускают всех? — шепнула я, начиная по непонятной причине волноваться.

— Нас пустят, — заверил Кирилл. Швейцар с готовностью распахнул перед нами дверь, и мы вошли в просторный холл. — Сначала туда, — кивнул Кирилл направо.

Дверь из черного стекла бесшумно открылась. За ней возникла фигура охранника. Я вновь заволновалась, он посмотрел на Кирилла, потом очень внимательно на меня, кивнул и отошел в сторону. От волнения я не сразу сообразила, куда попала, и только когда охранник отошел, поняла, что это всего лишь казино. Обыкновенное казино... впрочем, нет. Все здесь было сделано с большим шиком. Мы прошлись по залу.

— Хочешь сыграть? — спросил Кирилл.

— А ты?

— Я предпочитаю карты. Но тебе компанию составлю.

Я выбрала рулетку, трижды поставила и трижды выиграла. Раньше мне никогда не доводилось играть, и поначалу это меня увлекло, но быстро надоело.

— Твоего друга здесь нет? — спросила я.

— Нет, — покачал головой Кирилл.

— Он игрок?

— Да, игрок. Только он игрок особого рода. Он играет с жизнью, но еще чаще со смертью. Он гений.

— Как ты?

— Что ты, мне до него далеко. Мне бы очень хотелось быть таким, как он, но это невозможно в силу разных причин. Он герой, человек-легенда. Таких больше нет.

— Ты так о нем говоришь... — я нахмурилась, не зная, как закончить свою мысль.

— Поверь, он этого заслуживает. Идем в ресторан, — позвал Кирилл.

В ресторане были заняты почти все столы. Публика присутствовала занятная, все дамы в вечерних туалетах, мужчины в дорогих костюмах. Заметив, что я оглядываюсь, Кирилл шепнул:

— Как тебе здесь?

— Что это за люди?

— Разные. Женщины в основном шлюхи, любовницы денежных мешков. Это закрытый клуб, кого попало сюда не пускают.

— Но нас пустили.

Он кивнул.

— У парня на входе хорошая память, а я был здесь со своим другом.

Официант появился точно из-под земли. Цены в меню отсутствовали, я посмотрела на Кирилла, а он весело мне подмигнул. Нам принесли шампанское, и мы выпили. И закуска и шампанское оказались на высоте.

— Ты часто здесь бываешь? — спросила я. Кирилл приглядывался к соседям, стараясь делать это незаметно, про меня вроде бы забыл. Я задала вопрос, чтобы привлечь его внимание.

— Нет. В таких местах я появляюсь только тогда, когда нуждаюсь в деньгах.

— Ты живешь тем, что играешь в казино? — озарило меня. Он хихикнул.

— Нет. Я придумал кое-что получше.

— Расскажешь мне?

— Я тебе покажу.

Я кивнула, пребывая в недоумении, но решила подождать. Он был не похож на игрока, по крайней мере, игра его не занимала, и желания задержаться за одним из столов в казино у него не возникло. Но как еще он надеется заработать?

Между тем в ресторане становилось шумно, публика успела изрядно выпить. На эстраде появились музыканты. Один, подключив микрофон, поздоровался, сообщил, что они рады приветствовать дорогих гостей, а потом торжественно объявил:

— Для вас поет неподражаемая Кристина.

На эстраде появилась пышнотелая девица в декольте и с прической «Мерилин Монро», над губой у нее была нарисована родинка. Раздались аплодисменты, девушка улыбнулась, музыканты заиграли, а она запела. Надо признать, голос у нее был потрясающий, она пела о любви, закрыв глаза и держа руку на груди, и я почувствовала странное волнение, и чужая боль на минуту стала моей. Я завороженно смотрела на сцену, открыв рот и тяжело дыша. Она замолчала, и наваждение исчезло.

Несколько секунд в ресторане было тихо, а потом все дружно захлопали. Женщина поклонилась и с улыбкой послала воздушный поцелуй мужчине, что сидел за столом рядом с эстрадой. Мужчина дернул губой, что должно было означать улыбку, и самодовольно кивнул. Он был в компании двух типов, и все трое мне не понравились, особенно тот, кому она послала свой поцелуй. Лысый упитанный увалень со злыми глазами. Он смотрел на певицу на сцене по-хозяйски и с легким презрением. Она вновь закрыла глаза, музыка заиграла, и она стала петь, и в песне ее была тоска по чему-то прекрасному и несбыточному.

— Ты знаешь о ней что-нибудь? — спросила я, когда женщина кончила петь.

— Только то, что она любовница вон того типа, — кивнул Кирилл на лысого. — Это видно сразу, верно?

Она его не любит, но вынуждена терпеть, оттого ее песни такие грустные.

— Почему вынуждена?

— Потому что любит деньги, потому что по-другому жить не может, вот и продала свою мечту. Он ее тоже не любит, зачем? Она и так принадлежит ему. Она вроде печатки на пальце или роскошной тачки, демонстрирует возможности хозяина. «Смотрите все, кого я трахаю». Грустно, да?

— Невесело, — согласилась я.

— Но ведь она могла не соглашаться, — продолжал Кирилл. — Так что они вполне подходящая пара. И мне ее совсем не жаль. Хотя голос у нее красивый.

Женщина спела еще одну песню, поклонилась и удалилась за ширму. Музыканты, сделав паузу, заиграли что-то лирическое, народ потянулся к свободному пространству возле эстрады, заключали друг друга в объятия и лениво топтались на одном месте.

— Хочешь, потанцуем? — спросил Кирилл.

Я кивнула.

Мы поднялись и узким проходом между столов направились к танцующим, Кирилл шел за мной, то и дело натыкаясь на столы, и бормотал:

— Простите, извините... простите... — а потом привлек меня к себе, и мы стали танцевать.

На мне были туфли на высоком каблуке, и теперь мы оказались одного роста, и его глаза были совсем рядом, и я вновь подумала, как они печальны, хотя он улыбается, а потом он сжал мою руку и сказал:

— Так приятно мечтать, — и в голосе его была тоска, сродни той, что звучала в песне женщины.

— О чем ты? — осторожно спросила я.

— О тебе, обо мне, о невозможности того, чего я хотел бы всем сердцем.

— Я не понимаю тебя, — покачала я головой, я и в самом деле не понимала. Была уверена, что он говорит о любви, но почему она невозможна? В ту минуту он был мне очень близок, казалось, я знаю его много лет, более того, меня удивляло, как все это время мы могли жить вдали друг от друга, словно мы были близнецы, разлученные в детстве, и вот наконец встретились, и вместе с тем наша близость совсем меня не волновала.

Музыка закончилась, и мы вернулись за стол, он находился в небольшой нише, с двух сторон скрытый от посторонних глаз.

— Ну вот, — сказал Кирилл и начал выкладывать на скатерть вещи из кармана. Часы, два бумажника и золотой брелок с ключами от машины. Я наблюдала за этим с недоумением.

— Зачем тебе два бумажника? — бестолково спросила я.

— Это не мои, — улыбнулся Кирилл. — Один был в кармане вон того типа с крашеной блондинкой, а другой — у нашего лысого красавца.

— Ты их украл? — опешила я, Кирилл продолжал улыбаться, а я потерянно бормотала: — Так ты вор.

— Вор, — серьезно ответил он. — Только не простой. Я — гений.

Я с трудом перевела дух, тревожно оглядываясь. Он взял мою руку.

— Не бойся. Нас не поймают. Меня никогда не поймают, ведь я — гений.

— Дело вовсе не в этом, — сглотнув ком в горле, возразила я. — Ты украл...

— Что тебя смущает? Ведь ты тоже воровка?

— Вовсе нет... то есть... Кирилл, я просто не знаю, что сказать. Но это неправильно и... это совсем другое.

— Я огорчил тебя, — вздохнул он, и глаза его стали совсем несчастными. — Я думал, ты поймешь... хочешь, я все это верну?

— Как?

— Очень просто.

— Лучше уйдем отсюда, а эти вещи оставим где-нибудь в холле.

Но он уже поднялся, успев убрать свои трофеи в карман, и направился к музыкантам. Подошел к парню, что был у них за главного, о чем-то пошептался с ним, и тот, повернувшись к микрофону, произнес:

— Эта песня для самой красивой девушки на свете.

Музыка заиграла, а Кирилл стоял, глядя на меня и протягивая ко мне руку, и я поднялась и пошла к нему, чувствуя на себе взгляды присутствующих. Лысый красавец, как его назвал Кирилл, смотрел на меня так пристально, словно пытался на глаз определить мой рост, вес, размер обуви и бюста. А я вдруг поняла, что всеобщее внимание и даже оценивающий взгляд лысого совсем меня не волнуют. Я видела только Кирилла, его протянутую ко мне руку и его сияющие глаза, когда он смотрел, как я иду по проходу. Он заключил меня в объятия, а я засмеялась. Тут он шепнул мне на ухо:

— Я все вернул.

Признаться, я не могла в такое поверить, я ведь видела, как он шел по проходу, видела... и ничего не заметила.

— Я все вернул, — повторил он, наблюдая недоумение на моем лице. — И ничего не перепутал. У меня отличная память.

— Как тебе это удалось? Я ничего не заметила.

— Я же сказал тебе, я — гений. У меня золотые руки.

Я хотела засмеяться, но что-то остановило меня, уж очень серьезно он это произнес.

— Я думала, ты музыкант.

— Я лучше. Хороших музыкантов много, а таких, как я... — он улыбнулся и сказал: — Рад, что ты больше не сердишься.

— Как я могу сердиться, раз я сама воровка.

— Самая прекрасная в мире, — шепнул он. А я с улыбкой закрыла глаза.

Мы вернулись к столу, и я предложила:

— Если твоего друга здесь нет, а мы уже поужинали, может быть, уйдем отсюда?

— Хорошо, — согласился он.

Мы не стали вызывать такси и побрели по дороге, держась за руки. Он снял пиджак и набросил мне на плечи, потому что от реки дул ветер и было прохладно. А я с удивлением поняла, что меня совсем не волнует то, что он вор, это не имело никакого значения, он мог быть кем угодно, это ничего не меняло, мне было хорошо с ним. Он замедлил шаг, потом совсем остановился, привлек меня к себе и поцеловал. Это был страстный долгий поцелуй, который вызвал в моей душе чувство какой-то неправильности, даже греха, точно целовал меня близкий родственник, брат. Я инстинктивно отстранилась, он отступил назад, выпустил меня из объятий и сказал:

— Извини.

А я схватила его за руку.

— Все дело в том, что я... мы совсем не знаем друг друга.

— Да, — согласился он. — Совсем не знаем.

Мы так и шли до гостиницы пешком, неспешно разговаривая, и опять меня поразила странность этого разговора. Кирилл вроде бы говорил о себе, и вместе с тем я по-прежнему ничего не знала о нем. То есть кое-что все-таки узнала. Например, что он учился в цирковом училище, но потом его бросил, что он был единственным ребенком в семье и рано осиротел, но рассказывал он все это так, словно повторял давно заученный урок, а я подумала, что свою историю он просто придумал, для меня или для себя, кто знает. Я только спросила:

— Кирилл — твое настоящее имя?

— Нет, — помедлив, покачал он головой. — Но оно мне нравится.

В гостиницу мы вернулись, когда уже занимался рассвет, и простились в холле. Я поднялась в номер и долго сидела у окна, теперь я была уверена, что встреча с Кириллом изменит мою судьбу, возможно, она будет трудной, даже несчастливой, но я готова была ее принять.

Утром мы встретились за завтраком, а потом отправились на набережную. Он нес мой мольберт и весело болтал о пустяках. Было солнечно, но после вчерашнего дождя на асфальте еще блестели лужи. Я шлепала по ним, чувствуя себя маленькой девчонкой, которой хочется озорничать. День прошел незаметно, а вечером мы вновь отправились в «Альбатрос». И опять, как накануне, сначала зашли в игорный зал, побродили между столов, я сделала ставки и вновь выиграла.

— Твой друг и сегодня не пришел? — вздохнув, спросила я.

— Нет. Надо иметь терпение. — Кирилл улыбнулся и погрозил мне пальцем.

— Надеюсь, он все-таки появится, мне так хочется его увидеть.

— Увидишь.

— Как выглядит твой человек-легенда? — полюбопытствовала я.

— Ты его узнаешь сразу. Не заметить его невозможно, он ведь герой, а герои изменяют мир. И люди чувствуют, как что-то вокруг начинает меняться, все приходит в движение. Мир без героя — кривое зеркало, и только когда он появляется, действительность обретает свои истинные формы.

— А вдруг я не почувствую, вдруг мне это не дано?

— Ты-то точно почувствуешь, — засмеялся он. — Ты не любишь кривых зеркал.

— Иногда ты говоришь загадками. Я бы предпочла более привычные приметы: рост, цвет волос и глаз.

— Разве это имеет значение? — удивился Кирилл.

Я подумала и пожала плечами:

— Наверное, нет. А имя у него есть?

— У него много имен, и никто не знает настоящего. Может, он и сам его не знает. Когда мы встретились, его звали... неважно, как его звали.

— Почему ты не хочешь сказать, не доверяешь мне?

— Просто это имя не имеет значения, как его рост

или цвет глаз. Он мог его придумать, хотя так могла назвать его мать, какая разница?

— Расскажи, как вы познакомились, или это тоже тайна?

— Вовсе нет. Мы встретились здесь, в «Альбатросе», это было довольно давно. Вон за той дверью есть комната, там иногда собираются те, для кого карты не просто развлечение. Карточная игра тоже искусство.

— Я поняла, что там встречаются серьезные игроки. Так?

— Настоящие мастера. И я хотел обыграть всех. Мне нужны были деньги. Огромные. Я должен был выиграть во что бы то ни стало. От этого зависела жизнь близкого мне человека. Я готов был на все и очень надеялся на свои руки. Они ведь у меня золотые, — усмехнулся он.

— Ты жульничал?

— Еще как. Мы играли всю ночь и в конце концов остались вдвоем, он и я. Я безбожно плутовал и чувствовал: он это понял, давно понял, но даже вида не показал, даже не усмехнулся ни разу, а я боялся поднять на него глаза, мне было стыдно, понимаешь? Я не должен был мухлевать, с ним не должен, с другими — сколько угодно, но не с ним. Но у меня не было выбора, и я ненавидел себя за то, что я паршивый шулер в его глазах. Я был уверен, что выиграю. Но выиграл он, несмотря на всю мою гениальность. В конце концов побеждает тот, кто играет честно, этот главный урок я и усвоил тогда. Он выиграл, а я понял, что ни черта не стою. Я был шулером и проиграл все. И уважение к себе, и жизнь человека, которого любил. И когда я сидел и тупо пялился в стол, он сказал мне: «Я знаю, почему ты это сделал, парень. Мне не нужны эти деньги, возьми их». Я не мог ответить, не мог поверить. Я догнал его, когда он садился в машину, и обещал умереть за него. А он ответил, что моя жизнь ему тоже не нужна. А еще сказал: шулерам бьют морду, и это правильно. Он-то никогда шулером не был, никогда, ни в чем.

— И что было дальше? — спросила я.

— Дальше? — удивился Кирилл, точно очнувшись. — Дальше я пытался вернуть ему долг. Много раз пытался.

— А он?

— Ему это было не нужно.

— Но ведь вы стали друзьями?

— Это он для меня друг. А я для него... — Кирилл пожал плечами.

— Теперь твой друг в беде и ты снова хочешь отдать ему долг?

— Я попытаюсь, только не уверен, что он примет мою помощь. Но я надеюсь.

Мы пробыли в казино еще полчаса. Делая ставку, я заметила вчерашнего лысого красавца, он сидел за соседним столом, сосредоточенно хмурясь. Короткие толстые пальцы нервно подрагивали. Он выиграл и сгреб фишки, меня поразил этот жест, точнее, выражение его глаз — самодовольство, с каким он смотрел на других, и я подумала, что более скверного типа мне встречать еще не доводилось. Лысый поднялся и пошел прочь, а я спросила Кирилла:

— Мы будем ужинать здесь?

— В гостинице ресторан уже закрыт, — ответил он.

На этот раз в ресторане народу было не так много.

Лысый вновь устроился за столом возле эстрады, рядом с ним сидел пожилой мужчина, худой и какой-то невзрачный, с утомленным лицом и потухшим взглядом. Он лениво жевал, ни на кого не обращая внимания. Появились музыканты, а я с нетерпением стала ждать выхода певицы. В этот вечер на ней было серебристое платье с большим вырезом, а на шее висел камень на длинной цепочке. Может быть, я бы не обратила на него внимания, но она положила руку на грудь, и, проследив этот жест, я увидела кулон.

— Изумруд, — сказал Кирилл, словно читая мои мысли. — Редкая цацка и очень дорогая.

— Думаешь, это подарок лысого?

— Или кого-то другого. Тебе нравятся изумруды?

— Не знаю. Никогда об этом не думала.

— Тебе бы очень пошел такой камень, под цвет твоих глаз.

Только я хотела испуганно возразить, заподозрив его в желании сделать мне подарок, как заметила, что лысый ведет себя странно. Когда женщина появилась на эстраде, он повернулся к ней с хозяйским выражением на лице, которое так меня раздражало, а потом вдруг вскинул голову и впился в нее взглядом, как будто увидел привидение. Он смотрел на нее, и теперь было заметно, что он едва сдерживает бешенство. Она на это тоже обратила внимание и улыбнулась ему, а взгляд ее будто говорил: «Что в этом такого?» И ее взгляд, и ее улыбка привели лысого в ярость. Он резко встал и направился за ширму, из-за которой появилась певица, там была дверь, выходящая в коридор. Она проводила своего любовника хмурым взглядом. Я думала, что, закончив песню, певица пойдет за ним, но музыка вновь заиграла, и она запела. Дождавшись конца песни, я отправилась в туалет, обратив внимание на то, что певица раскланивается, но покидать эстраду не собирается.

Возвращаясь из туалета, я чуть не столкнулась с ней в коридоре, она шла торопливо, взволнованно покусывая губы, как будто готовилась к неприятному разговору. Я не знаю, почему пошла за ней. Иногда люди совершают поступки, поддаваясь минутной прихоти, не раздумывая над причиной своих желаний. Так было и со мной. Я дождалась, когда она свернет в конце коридора, и отправилась следом. За поворотом тоже был коридор, в который выходило несколько дверей, одна из них была приоткрыта, в нее она и вошла. Дверь осталась распахнутой, и я хорошо видела лысого, он нервно расхаживал по комнате. Это была гримерка. Услышав, как вошла певица, он резко повернулся, шагнул к ней и сорвал камень с ее шеи.

— Ты сказал, что он принадлежит мне, — зло заметила женщина.

— Я запретил тебе его надевать, — зашипел он и сунул кулон в карман пиджака.

— Зачем он мне, если я не могу его носить? — еще повысила голос она, хотя и до этого говорила довольно громко.

— Дура, — ответил лысый, наотмашь ударил ее по лицу и стремительно вышел из комнаты.

Певица вскрикнула и осела на стул, а я поспешила скрыться в туалете. Я как раз закрывала дверь, когда лысый прошел мимо, бормоча под нос:

— Дура, идиотка несчастная.

Вымыв руки, я вернулась в зал. Нам только что

принесли горячее, и Кирилл с аппетитом ел. Меня он встретил улыбкой.

— Семга просто сказка.

Я поискала глазами лысого. Он сидел за своим столом, мужчина рядом с ним говорил что-то, он недовольно слушал его, потом резко ответил.

— Чем он тебя так заинтересовал? — спросил Кирилл, проследив мой взгляд.

— Лысый отобрал у певицы камень, сказал, что она не должна его носить. Сейчас изумруд в кармане его пиджака.

— В левом или правом?

— Правом.

— Пойдем потанцуем? — подмигнул мне Кирилл.

— Пойдем, — с готовностью ответила я.

Я пыталась проследить, как он это сделает, меня разбирало любопытство, и вместе с тем я боялась и отводила взгляд, чтобы не привлекать чужого внимания. Мне показалось, что Кирилл даже не задержался возле стола лысого, и я с облегчением перевела дух.

— На обратном пути? — шепнула тихо. Кирилл улыбнулся:

— Он у меня в кармане.

Я растерянно моргнула. Он сунул мою руку в карман пиджака, и я нащупала камень на цепочке.

— Не может быть, — пораженно пробормотала я.

— Может. Я же гений.

— Ты и вправду гений, — покачала я головой.

— Зря ты во мне сомневалась.

— Надо сматываться, — испугалась я.

— Не торопись. Ты же воровка, а у воров должны

быть крепкие нервы. Мы поужинаем, допьем вино и спокойно уедем.

— А если он...

— Не думай об этом. Ничего не случилось. Мы танцуем, и тебе хорошо в моих объятиях.

Я с трудом справилась с нервной дрожью, а когда мы возвращались к столу, держала Кирилла за руку. Он непринужденно болтал о пустяках, а я могла думать только об одном: вот сейчас лысый сунет руку в карман и... Тот жевал, время от времени отвечая своему соседу, который продолжал что-то говорить ему. Женщина вновь появилась на эстраде, но лысый даже не взглянул в ее сторону, мало того, демонстративно отвернулся. Потом подозвал официанта, и я опять замерла. Бумажник он достал из внутреннего кармана пиджака, расплатился, и они со спутником не спеша покинули зал, а я с облегчением вздохнула.

— Вот видишь, — улыбнулся Кирилл. — Ничего не случилось.

Примерно через час и мы покинули «Альбатрос», на этот раз вызвав такси. Кирилл сидел рядом со мной и, поймав на себе мой взгляд, лукаво улыбнулся. А я пыталась решить, какие чувства испытываю к нему. Он самый настоящий вор, пусть гениальный, фокусник с золотыми руками, но вор. Однако это не вызывало у меня презрения, скорее наоборот, я готова была согласиться с тем, что он гений. И не видела ничего скверного в том, что он украл этот камень. Я считала, лысый это заслужил, хотя и не могла бы объяснить, почему так думаю. Лысый был мне несимпатичен, и этого оказалось достаточно, чтобы желать наказать его и оправдать Кирилла. Впрочем, последний не нуждался в моих оправданиях, он уверен в своей правоте, в том, что идет дорогой, предназначенной ему судьбой. Хочу ли я идти рядом? Этот вопрос мучил меня. С одной стороны, я, как ни странно это звучит, была благодарна судьбе за встречу с ним, с другой, по-прежнему не могла представить его своим мужчиной. И вовсе не его своеобразный талант тому виной: я хорошо помнила страх быть схваченной за руку с поличным и одновременно чувство веселого озорства, которое я ощутила, когда нащупала камень в его кармане. Риск пришелся мне по душе, он будоражил, волновал и придавал моей жизни некий смысл. Но как девушка благоразумная, я не могла не понимать, чем это должно кончиться. И отодвигала решение на потом, а сейчас было важно только то, что Кирилл сидит рядом и улыбается мне. И все-таки, я не чувствовала любви к нему, скорее он был мне братом, и это тоже смущало меня и не давало покоя, вновь возвращая грустные мысли о том, что влюбиться я попросту не способна.

Такси остановилось возле гостиницы, мы вошли в холл, обнявшись. Когда мы поднимались по лестнице, Кирилл достал из кармана камень и протянул его мне:

— Это твой первый трофей. Будешь носить его на память обо мне.

— Я не могу, — покачала я головой и тут же пожалела о том, что сказала. Взгляд Кирилла изменился, теперь в его глазах была печаль, и еще боль, которую он пытался скрыть.

— Хочешь, чтобы я его выкинул? — спросил он и даже поднял руку, как будто собирался выбросить камень, а я торопливо сказала:

— Нет. К моей новой профессии мне надо привыкнуть, как ты считаешь?

Он кивнул и убрал камень в карман брюк.

— Ты права. Боюсь, ты не сможешь его носить. Да, он, скорее всего, не принес бы тебе счастья.

— Почему? — спросила я, решив продлить разговор, чтобы ушла недавняя неловкость.

— Потому что он уже принес кому-то горе.

— Ты так думаешь?

— Лысый не позволял певице носить его, и этому должна быть причина.

Я задумалась. Мы стояли в небольшом холле на втором этаже, Кирилл не торопил меня, терпеливо ждал.

— И он здорово разозлился, увидев камень на ее шее.

— Вот-вот, если это подарок, почему она не должна носить его? Скорее всего, на нем чья-то кровь. За каждым прекрасным камнем тянется шлейф кровавых историй, а этот изумруд прекрасен, значит, и он не исключение.

— Может, тогда мы зря взяли его? Вдруг он принесет нам несчастье?

— Не принесет. Но ты поступила правильно, отказавшись его носить, а я дурак, что предложил тебе такое. Я продам его, и он не успеет притянуть к нам беду.

Кирилл взял меня за руку, и мы направились по коридору к моему номеру. А я подумала: если он решит у меня остаться, я не смогу ему отказать. Не смогу из-за боязни его обидеть, хоть и чувствую, что, если мы станем любовниками, это будет неправильно. Не знаю почему, но чувствую. Я вошла в номер, он последовал за мной, закрыл дверь и повернулся. Я стояла в двух шагах от него, прислушиваясь к стуку своего сердца, оно то замирало, то начинало стучать с бешеной скоростью. Кирилл привлек меня к себе и стал целовать, сначала нежно, потом все настойчивее, я сняла с него пиджак и начала расстегивать рубашку, но он вдруг перехватил мою руку. Улыбнулся как-то виновато, легко коснулся губами моих губ и сказал:

— Спокойной ночи, моя прекрасная воровка.

— Я сделала что-нибудь не так? — испуганно спросила я. — Чем-то обидела тебя?

— Нет-нет, что ты, просто я подумал, ты права, тебе нужно время, чтобы привыкнуть ко мне. Не будем спешить.

— Хорошо. — Как ни старалась, я не смогла скрыть вздоха облегчения. Он открыл дверь, махнул мне рукой на прощание и ушел.

Утром за завтраком его не было. Я ждала у себя в номере часов до двенадцати, а потом пошла на набережную, уверенная, что Кирилл найдет меня там. Он появился около шести, когда я уже начала беспокоиться. Я увидела, как он идет, размахивая руками, в белой рубашке навыпуск и в линялых джинсах, щурится на солнце и забавно морщит нос.

— Жаль, что я никудышный художник, — сказала я, когда он приблизился. — Написала бы твой портрет.

— У тебя наметились успехи, — обняв меня за плечи и разглядывая рисунок, сказал он.

— Где ты был?

— Пытался пристроить наш трофей. У меня есть знакомый ювелир, он живет неподалеку отсюда в старом городе. На самом деле он барыга. Знаешь, кто это?

— Скупщик краденого.

— Я же говорил, что ты делаешь успехи, — засмеялся Кирилл. — Так и есть. Он скупщик краденого, и я к нему не раз обращался. Он жмот и сукин сын, но человек надежный.

— Он взял камень?

— Нет, — покачал головой Кирилл. — И это очень странно. Изумруд прекрасен, а я согласился бы на весьма скромное вознаграждение. Но он был непреклонен, сказал, что подумает, и не захотел оставить камень у себя, а еще посоветовал никому его больше не предлагать, особенно в этом городе.

— И что ты об этом думаешь? — убирая кисти, спросила я.

— Старик знает, что на этом камне кровь, вот и боится. Хотя обычно такие вещи его волнуют мало. Значит, мы ненароком влезли в чью-то тайну, опасную тайну. Старик, между прочим, пытался выяснить, откуда у меня изумруд, что уж вовсе на него непохоже.

— Ты сказал ему про нашего лысого красавца?

— Нет. Я сказал, что украл его в ресторане у жирного каплуна, а ювелир посоветовал уносить отсюда ноги.

— Может быть, нам вправду уехать? — нахмурилась я.

Кирилл уже собрал мольберт и закинул его на плечо.

— Нет. Ты забыла. Я жду своего друга.

— Вдруг он не скоро появится?

— Это не имеет значения.

— Хорошо, — согласилась я. — Будем ждать твоего друга. Можно спросить, как ты намерен ему помочь?

Я подумала, что он не станет отвечать на этот вопрос и отделается ничего не значащими фразами. Кирилл меня удивил: достал из заднего кармана джинсов компьютерный диск в пластиковой упаковке и показал его мне.

— Вот. Я надеюсь, это ему поможет.

— Что на этом диске?

— Не знаю, — пожал он плечами. — Мой друг не любит, когда к его делам проявляют любопытство, и я не стал этого делать.

— Откуда ты знаешь тогда, что это ему поможет?

— Его враги очень дорожили этим диском. Очень. Точнее, не хотели, чтобы то, что записано на нем, стало известно ему.

— Откуда он у тебя?

— Я его украл, — удивился Кирилл моему вопросу.

— Ничего не понимаю, — покачала я головой. — Ты даже не знаешь, что на диске, вдруг это совсем не то...

— Если его враги так дорожили этими сведениями, значит, они важны для моего друга. Мне пришлось нелегко, но я смог получить диск. Мой друг сумеет им воспользоваться, а его враги вновь останутся в дураках.

— У него много врагов?

— Конечно. Он ведь герой, а подонки терпеть не могут героев. Они ненавидят его, желая только одного: его гибели. А мой друг все еще живой, хотя они не раз праздновали победу. Говорят, где-то есть его могила, говорят даже, что иногда он там появляется, садится на скамейку и подолгу беседует сам с собой и всегда оставляет водку в стакане и кусок хлеба на помин своей души. А какая-то женщина ухаживает за его могилой, и там всегда живые цветы.

— У твоего друга странные привычки, — хмуро заметила я.

— Ты не понимаешь, — мягко возразил Кирилл. — Он один такой, один во всем мире, ему не с кем говорить, только с собой, вот он туда и приходит. Хотя, может быть, это только легенда. О нем ходит много легенд. Страшных и даже смешных. Так всегда бывает с такими, как он.

— Но ведь, кроме легенд, есть что-то еще? Его настоящая жизнь. Ведь твой друг из плоти и крови, он где-то живет, ест, пьет, а ты говоришь о нем так, точно...

— Я знаю только легенды, — вновь очень мягко перебил меня Кирилл. — Он не любитель рассказывать о себе. Я ведь тебе говорил: много раз я пытался найти его и отдать долг, но он каждый раз отказывался. Это очень грустно признавать, но он не нуждается ни во мне, ни в ком-то другом. Он одиночка.

— А ты?

— Я мечтал быть таким, как он, но увидел тебя и сразу понял: на самом деле я очень хочу, чтобы ты была рядом. День или месяц, а может быть, год. Сколько получится.

— Не говори так, — попросила я. — Мы знакомы всего три дня, а я уже больше всего на свете боюсь тебя потерять.

— Я буду рядом, пока ты этого хочешь, — улыбнулся он и обнял меня.

Мы стояли и смотрели на реку внизу, на ее плавное неторопливое течение, и я пыталась угадать, что ждет меня через день, через месяц, через год.

— Вечером мне надо будет позвонить старику, — сказал Кирилл. — Надеюсь, он все-таки возьмет камень.

— А если нет?

— Что ж, тогда придется искать другого покупателя.

— Это опасно. Ведь старик предупредил тебя. Может быть, лучше избавиться от изумруда?

— Как?

— Выбросить его.

Кирилл засмеялся.

— Выбросить? Ты хоть представляешь, сколько он стоит?

— У меня есть деньги, ты что, забыл? И если тебе...

— Брать деньги у женщин недостойно мужчины.

— Хорошо. Тогда мы ограбим еще кого-нибудь.

— Ты прелесть, — опять засмеялся Кирилл. — Уверен, подумав немного, старик возьмет камень. Слишком выгодная сделка.

Вечером из гостиницы Кирилл позвонил скупщику краденого. Я была рядом и слышала весь разговор.

— Да, — тихо ответил мужской голос.

— Мирон, это я, — сказал Кирилл. — Как наши дела?

— Приезжай, — ответил мужчина.

Кирилл быстро повесил трубку. Лицо его было непривычно хмурым, а в глазах читалась тревога.

— Что-то не так, — пробормотал он.

— Что? — испугалась я.

— Это не Мирон.

— Возможно, трубку снял кто-то из его родственников.

— У него нет родственников.

— Куда ты звонил? К нему домой?

— Нет. В магазин.

— Тогда это кто-то из сотрудников.

— Сотруднику следовало поинтересоваться, кто я. А он сказал: «Приезжай».

— Может, я ему позвоню? — предложила я.

— Ну что ж. Выждем время, минут пятнадцать, потом ты позвонишь.

Мы сидели в номере и разглядывали телефон, поражаясь тому, как медленно идет время. Наконец Кирилл кивнул:

— Звони.

— Что я должна сказать?

— Попроси Николая Аристарховича, скажи, что у тебя срочное дело. Срочное и важное, а разговаривать ты будешь только с ним.

Он набрал номер и передал трубку мне. После третьего гудка я услышала мужской голос:

— Да.

— Я хотела бы поговорить с Николаем Аристарховичем, — вздохнув, спокойно произнесла я. Последовала пауза, как будто человек не знал, что ответить. Я мысленно видела картину: мужчина прикрыл трубку рукой и с кем-то совещается.

— А в чем дело? — наконец спросил он.

— Я хотела бы оценить серьги, собираюсь их продать. Могу я с ним поговорить?

— Простите, как ваше имя? — поинтересовались на том конце провода.

— Да в чем дело? — разозлилась я. — Я могу с ним поговорить или нет?

— Он неважно себя чувствует, ушел домой, оставьте свой телефон.

Кирилл взял из моих рук трубку и положил ее, прервав разговор. Теперь он не скрывал своей тревоги.

— Что-то не так, — повторил он убежденно.

— Ты думаешь, это ловушка? — догадалась я.

— Ведь ты тоже об этом подумала. Скверно то, что мы звоним из гостиничного номера.

— Но как они узнают об этом?

— Узнают. Это не так сложно, как тебе кажется.

— Кто эти люди, по-твоему?

— Логично предположить, что это лысый.

— Но как он мог... Выходит, он что-то заметил там, в «Альбатросе», и заподозрил тебя?

— Нет. Вряд ли наш лысый красавец решил, что сам потерял камень. Значит, он понимает: его у него украли. «Альбатрос» кишмя кишит всяким сбродом, вот он и подумал... Куда вор понесет камень? В этом городе не так уж много мест, где его можно сбыть. И старик в списке, безусловно, первый.

— И он рассказал им про тебя?

— Нет. Он человек старой закалки и будет молчать.

— А если все-таки...

— Исключено. Он знает правила.

— Из каждого правила есть исключения, — возразила я. — Иногда людям поступают предложения, от которых нельзя отказаться. — Кирилл вдруг рассмеялся, глядя на меня. — Что смешного я сказала?

— Не сердись. Просто я подумал, что ты... как бы это выразиться... в общем, ты очень здравомыслящая особа. Он будет молчать. Если я ошибся, тем хуже для него.

— Что будем делать? — задала я вопрос, выждав пару минут. Все это время Кирилл продолжал хмуро разглядывать телефон.

— Я бы хотел навестить старика. Не сейчас, позднее.

— Ты с ума сошел? Зачем?

— Он возьмет камень. Сделка слишком выгодная.

— А этот тип?

— Они не могут сидеть там вечно. К тому же они уже поняли: я заподозрил ловушку и не приду.

— Допустим. Но им ничего не стоит оставить кого-то наблюдать за его магазином. И ты сразу угодишь в капкан.

— Я начинаю думать, что ты и впрямь воровка, — улыбнулся Кирилл. — Рассуждаешь как матерый преступник.

— Не вижу в этом ничего смешного, — опять разозлилась я.

— Они постараются узнать, откуда был звонок. Это наше единственное слабое место. Придется мне переезжать. Тогда ниточка оборвется. Хотя нет. Мы звонили с этого телефона, а служащие отеля, конечно, обратили внимание на нашу дружбу.

— Если ты беспокоишься обо мне, то напрасно. Даже если эти люди узнают, что мы с тобой встречались, что с того? Ты попросил меня позвонить, и я позвонила. Им придется довольствоваться этим. А вот тебе действительно лучше переехать, так будет надежнее.

— Я хочу увидеться со стариком, — упрямо повторил он.

— К черту этот камень, — не выдержала я. — Продадим его в другом месте.

— Я хотел бы знать, что стоит за всем этим.

Меня раздражало его упрямство, но я уже поняла, что отговорить его от этой затеи невозможно.

— Мы сегодня пойдем в «Альбатрос»? — спросила я, чтобы сменить тему.

— Да, конечно.

— Это не опасно?

— Не думаю. Но ты можешь остаться здесь, так, на всякий случай.

— Я пойду с тобой.

Он согласно кивнул.

В ту ночь мы пробыли в «Альбатросе» совсем недолго. Прошлись по игорному залу и наскоро поужинали в ресторане. В город отправились на такси. Как только машина миновала мост, Кирилл спросил:

— Не хочешь немного прогуляться, дорогая?

— С удовольствием, — улыбнулась я. — Ночь такая теплая.

Водитель по просьбе Кирилла остановил машину на Соборной площади. Мы вышли и побрели к гостинице, держась за руки. Какое-то время я в самом деле думала, что он просто решил пройтись.

— Вон там его магазин, — кивнул Кирилл в сторону переулка.

— Старик давно уже дома, — ответила я. — А эти типы, вполне возможно, где-то поблизости.

— Я бы хотел взглянуть.

Я по-прежнему не понимала причину такой настойчивости, но была уверена, что он отправится туда в любом случае, со мной или без меня, однако оставлять его не хотела, хотя и считала поступок Кирилла глупостью.

— Хочешь, я остановлю машину? — спросил он. — Отправлю тебя в гостиницу.

— Я пойду с тобой.

Кирилл вроде бы ждал такого ответа.

Узким переулком с брусчатой мостовой мы дошли до церкви. Прямо напротив было кафе, окна темные, только огни вывески светились. Рядом с кафе стоял двухэтажный дом, на первом этаже была антикварная лавка. Второй этаж тонул в темноте.

Я быстро огляделась, облизнула губы. Спрятаться здесь было негде. Церковь огорожена высоким кованым забором, на ночь калитку запирали. Дальше шел отвесный спуск к реке, место хорошо освещено фонарем, что был рядом с церковью. Переулок оказался совсем крошечный.

— Мы просто пройдем мимо, — шепнул Кирилл. — Там впереди есть проход, выйдем в соседний переулок.

Мои шаги громко отдавались в тишине, Кирилл двигался почти бесшумно. Я подумала, что мне следовало бы снять туфли, меня пугал этот звук, казалось, его слышит вся округа.

— Сигнализация не включена, — тихо произнес Кирилл, замедляя шаг. Я повернулась: так и есть. — Значит, старик все еще там. Он предупреждал, что сегодня задержится, а всех служащих отправит пораньше. Потому я и испугался, что трубку снял не он, а кто-то другой.

— И этот человек сейчас с ним, — сказала я.

— Вряд ли. Если они решили, что я понял, что меня ждут, глупо им торчать здесь.

— А если ты ошибаешься? — Я схватила его за руку, тревожно оглядываясь. Мне казалось, что из-за темных окон кто-то пристально смотрит на нас.

— Ты боишься? — ласково спросил Кирилл.

— Боюсь, — ответила я.

— Это ничего. Мой друг сказал однажды: каждый человек испытывает страх. Этого не надо бояться. Позволь своему страху завладеть тобой полностью, но только на минуту, а потом сбрось его и сделай то, что должен сделать.

— Наверное, он долго тренировался, — съязвила я, а Кирилл уже подошел к двери магазина, достал носовой платок, тот белым пятном мелькнул в его руках, и осторожно надавил на дверь. Она не поддалась.

— Заперто.

— Разумеется, — переведя дух, ответила я. — Глупо оставлять на ночь дверь открытой.

— Но сигнализация не работает, — подумал он вслух, достал что-то из кармана и стал возиться с замком.

Через мгновение дверь открылась, а я зажмурилась в ужасе, ожидая рева сирен или появления людей и бог знает чего еще. Но в переулке было по-прежнему тихо. Кирилл сделал шаг, и я, не задумываясь, приблизилась к нему. Он сунул руку в карман, раздался глухой щелчок. Этот звук мне был хорошо знаком, в руках Кирилла появился пистолет, и он снял его с предохранителя. Я, тяжело дыша, сделала еще шаг и прикрыла за собой дверь. Теперь мы были в абсолютной темноте, свет фонаря сюда не доходил.

— Иди за мной, — сказал Кирилл. — Там впереди дверь.

Я так и не увидела двери, ослепнув от темноты, но услышала звук, когда он открыл ее. Сделала еще пару шагов и натолкнулась на Кирилла, с трудом удержавшись, чтобы не вскрикнуть от неожиданности. Он замер, наверное, ждал, когда глаза привыкнут к темноте. А потом чиркнул зажигалкой и вытянул руку. Из темноты выступили предметы, шкаф, стол, а на столе... В первое мгновение я подумала, что на стол небрежно брошено одеяло, и только когда Кирилл, сделав еще несколько шагов, высоко поднял руку, освещая столешницу, я поняла, что *это* на самом деле. Мужчина лежал лицом вниз, свесив руки, оттого я не могла его видеть, но сразу поняла — он мертв, слишком неподвижно, слишком страшно он лежит, упираясь ногами в пол. Не знаю, почему я не заорала в голос. Скорее всего, просто отупела от ужаса, в такие мгновения крик стынет в горле и ты не в состоянии пошевелиться и соображать тоже не в состоянии.

Кирилл левой рукой коснулся плеча мужчины, чтобы перевернуть его на спину, но труп был слишком тяжел. Кирилл передал зажигалку мне и попытался сделать это еще раз уже двумя руками. Он перевернул мужчину на спину, рубашка на груди покойника распахнулась, и я увидела массивный крест на цепочке и только после этого перевела взгляд на лицо убитого. Точнее, на то, что от него осталось. Выстрелом ему снесло половину черепа. Огонь зажигалки в этот момент потух, и комната вновь погрузилась в темноту, еще более кромешную, чем несколько минут назад.

Я почувствовала руку Кирилла на своем локте. Не

говоря ни слова, он направился к двери, я шла за ним, то и дело натыкаясь на него в темноте. Не знаю, как он ориентировался, но до двери на улицу мы добрались благополучно. Он распахнул ее, и я в полуобморочном состоянии шагнула на мостовую. Кирилл не дал мне опомниться и, захлопнув дверь, повлек в сторону улицы, откуда мы пришли сюда.

— Боже мой, — только и смогла произнести я и на мгновение остановилась, не в силах сделать еще шаг.

— Надо уходить, — сказал Кирилл, голос его звучал абсолютно спокойно, и это поразило меня больше всего. — Пожалуйста, потерпи немного, в двух кварталах отсюда есть стоянка такси.

Он обнял меня, и мы быстро зашагали по улице. Возле сквера увидели машину. Водитель такси читал газету, заметив нас, посмотрел внимательно и, убрав издание, завел мотор.

— Тебе нельзя возвращаться в гостиницу, — выдавила я из себя.

— Я только провожу тебя.

— Нет.

— Я не могу отпустить тебя одну.

Свои вещи он забрал из гостиницы еще до нашей поездки в «Альбатрос» и оставил их в камере хранения на вокзале.

— Там нет ничего ценного, — пошутил он тогда. — В крайнем случае, обойдусь без них.

— Что, если старик все-таки рассказал им о тебе? — не торопясь садиться в машину, спросила я.

— Ему нечего рассказать. Разве что назвать мое имя, ну и еще сообщить, что иногда я приносил ему кое-что на продажу.

— Господи, зачем мы взяли этот камень? — запричитала я.

— Не плачь. То, что сделано, уже сделано. Это уже не исправишь.

— Мы увидимся завтра? — я поспешно вытерла слезы.

— Да, на набережной. Приходи туда как обычно.

— Где ты собираешься ночевать?

— Не беспокойся обо мне, вообще ни о чем не беспокойся. Запомни: ты никогда не видела этого камня, обо всем остальном можешь рассказать. О встрече со мной, о том, что мы были в «Альбатросе», о том, что я попросил тебя позвонить, но ты понятия не имеешь куда. Все поняла? И ты никогда не была в том переулке и о трупе ничего не знаешь. Справишься? Запомни главное: им не в чем тебя обвинить. Мы случайно познакомились, встречались несколько дней, а сегодня ночью простились возле гостиницы. Если ты будешь убедительна, им ничего не останется, как тебе поверить.

— Мы еще увидимся? — глядя ему в глаза, спросила я.

— Конечно. Если я решу, что тебе здесь оставаться опасно, непременно приду за тобой. Ничего не бойся, я буду рядом.

— Я не могу не бояться, я опасаюсь за тебя.

Он коснулся губами моих губ.

— Спасибо. Все будет хорошо, верь мне.

— А если они появятся и ты не сможешь прийти ко мне? Как я тебя найду?

— Не надо меня искать. Я же сказал, что буду рядом.

Его слова меня не успокоили, таксист нетерпеливо посматривал в нашу сторону, а я не выпускала руки Кирилла, не позволяя ему направиться к машине, ведь там поговорить мы уже не сможем.

— Послушай, если я буду знать, что появляться тебе опасно... мы должны договориться об условном сигнале.

— Будешь выставлять цветок на окно? — улыбнулся он.

— Прекрати. Я говорю серьезно.

— Так и быть, поиграем в шпионов. В случае опасности заплети волосы в косу, я пойму, что подходить к тебе нельзя.

Я кивнула и первой пошла к машине.

— Куда? — обернувшись, спросил водитель.

Кирилл назвал гостиницу, и мы поехали. На дорогу ушло всего несколько минут, и, когда машина затормозила у крыльца, я готова была разреветься, потому что поняла: нам придется расстаться. Я боялась, я очень боялась остаться одна.

Кирилл вышел из машины, попросив водителя подождать, мы долго целовались, стоя на ступеньках, и я готова была сказать Кириллу: «Идем со мной», но понимала, что ни в коем случае не должна этого делать. Ему надо покинуть город, хотя знала: он на это ни за что не согласится.

— До завтра, — сказала я и пошла к двери. Он помахал мне вслед и дождался, когда я войду в гостиницу.

Утром я проснулась рано, позавтракала и сразу отправилась на набережную. Прекрасный вид, что открывался отсюда, вовсе меня не занимал. Я ждала Кирилла, то и дело оглядываясь и злясь на себя за это. «Он не придет», — где-то через два часа решила я и не знала: радоваться этому или печалиться. Я хотела, чтобы он был в безопасности, и вместе с тем, оставшись одна, почувствовала страшную пустоту, как будто лишилась единственного близкого человека. Впрочем, так оно и было.

К обеду я возвращалась в гостиницу, прекрасно зная, что это не спасет меня от тоски. «Может быть, пойти в кино?» — подумала я, проходя мимо кинотеатра, подошла к кассе и в самом деле купила билет. Но в зале выдержала не больше получаса. Вдруг Кирилл позвонит? Я бросилась в гостиницу со всех ног. Администратор за стойкой посмотрела на меня как-то странно и широко улыбнулась.

— Как успехи? — кивнула она на мольберт.

— Прекрасно. — Я старалась говорить спокойно и выглядеть беззаботно, но ее взгляд мне не понравился, и я сразу догадалась: что-то происходит. Не успела я войти в номер, как в дверь настойчиво постучали.

— Да! — крикнула я, не приближаясь к двери, убирая мольберт и бормоча себе под нос: «Спокойно, спокойно».

Я была уверена: это не Кирилл, и ждала появления незваных гостей. Дверь распахнулась, и в номер друг за другом вошли трое мужчин. Впереди невысокий сутулый мужик с сединой в волосах и с помятой физиономией; несмотря на более чем скромную его внешность, мне стало ясно: в этой троице он главный. На нем были поношенные брюки и голубая рубашка. Двое других были на голову выше его, здоровяки, лица плоские, глаза пустые. Такие обычно стоят возле дверей ночных клубов и в прочих местах, где требуется охрана. Я удивилась, что их появление не вызвало у меня приступа страха, напротив, я вдруг вздохнула с облегчением. Ожидание опасности — тяжелое испытание, теперь, по крайней мере, я вижу своих врагов.

— Здравствуйте, — сказала я с ноткой удивления в голосе.

— Козельская Селина Олеговна? — деловито спросил невзрачный.

— Да, — нахмурилась я. — А вы кто?

— У меня к вам несколько вопросов.

— Вопросов? — Я вновь изобразила удивление. — А в чем, собственно, дело?

— Давно вы приехали в наш город? — устроившись в кресле, спросил сутулый, игнорируя мой вопрос. Парни замерли недалеко от двери, буравя меня взглядами.

— Несколько дней назад.

— И что вас сюда привело?

— Будьте добры объяснить, что все это значит, — сложив руки на груди, сказала я. — Или выметайтесь.

— Не хами, — рыкнул один из здоровяков и даже сделал шаг ко мне, должно быть, решил, что нагонит на меня страха и этим рыком, и желанием приблизиться. Мужчина в кресле сделал предупреждающий жест рукой, потом повернулся ко мне:

— Боюсь, Селина Олеговна, вы оказались замешанной в очень скверную историю.

— Вот как? И что за история?

— Убийство.

— Вы шутите? — усмехнулась я.

— Отнюдь.

— Тогда давайте поподробнее, что за убийство и

как, по-вашему, я в нем замешана. Это во-первых. А во-вторых и главных: извольте представиться.

Он хмуро взглянул на меня и, сообразив, что толку от игры в молчанку не будет, неохотно извлек удостоверение и сунул его мне под нос, не выпуская из рук. Я мельком взглянула, даже не успев прочитать, что там. Страх накатил внезапно. Если честно, появления милиции я не ожидала и теперь пыталась решить, как себя вести. Почва стремительно уходила из-под ног, а дядя в кресле внимательно наблюдал за мной.

— Эти тоже из милиции? — кивнула я в сторону парней. — Больше похожи на бандитов.

Дядя усмехнулся.

— Выбирайте выражения.

— Я бы все-таки хотела увидеть их удостоверения, — в ответ усмехнулась я. — Если они у них есть, конечно.

— Ты... — начал здоровяк, тот, что уже ранее подавал голос, но под взглядом мужчины вновь заткнулся.

— В ваших интересах не создавать себе трудности, — медленно произнес тот. — А помочь следствию.

— Я не создаю трудности, я хочу убедиться, что эти люди те, за кого себя выдают.

— Если вас так раздражает их присутствие, они могут подождать в коридоре, — проявил необычайную покладистость главный и кивнул парням, предлагая покинуть комнату.

Они взглянули на него с некоторым недоумением, быстро переходящим в гнев, но на его лице никаких эмоций не отразилось, он был спокоен, а взгляд его настойчив, и парни в некотором замешательстве убрались вон.

— Теперь мы можем поговорить? — обратился он ко мне.

— Я и раньше не отказывалась, — усмехнулась я. — Итак, в чем дело?

— Вчера вечером произошло убийство, — сверля меня взглядом, ответил он, голос его звучал спокойно, даже задушевно. Стало ясно: он решил изменить тактику. Сначала меня хотели запугать. Поняв, что пугаться и выкладывать все как на духу я не тороплюсь, мент сменил гнев на милость. Сообразив, что имею дело с человеком далеко не глупым, я посоветовала себе быть очень осторожной. — Убит известный в городе ювелир, — он вздохнул. — Известность ему принесла редкая неразборчивость, он скупал краденые вещи.

— И какое отношение ко мне может иметь данное событие? — удивилась я. Мужчина чуть усмехнулся.

— Мы проверили звонки, которые поступили на его телефон вчера вечером. Два последних нас особенно заинтересовали, что вполне понятно. Звонили из этой гостиницы, из восемнадцатого номера.

Я изобразила на лице легкую тревогу.

— Вот как?

— То, что мы хотели поговорить со звонившим, вас, я думаю, удивлять не должно.

— Допустим. Что дальше?

— В номере проживал некто Самсонов Кирилл Сергеевич. Номер оплачен до двенадцати часов сего дня, гостиницу господин Самсонов покинул вчера вечером. И к себе не вернулся.

— Насколько мне известно, вчера он уехал ночным поездом в Москву. По крайней мере, мне он сказал именно это.

— Значит, вы знакомы с Самсоновым?

— Если вы решили меня навестить, значит, уже знаете об этом, — улыбнулась я. Он тоже улыбнулся.

— Персонал гостиницы обратил внимание на вашу нежную дружбу.

— Какой смысл вы вкладываете в это выражение? — полюбопытствовала я. Он пожал плечами, точно хотел сказать: «Ну, это понятно». — Если вы намекаете на то, что мы с ним были близки, то я должна вас разочаровать, это утверждение далеко от действительности. Кстати, горничные и дежурные по этажу, скорее всего, заметили: ни он в моем номере, ни я в его подолгу не задерживались. Заходили всего на несколько минут.

— Вчера вы встречались с ним?

— Да. И часов в девять он при мне звонил по телефону. Если быть точной, я вошла в его номер, когда он звонил.

— Вы слышали разговор?

— Нет, когда я вошла, Кирилл как раз вешал трубку. Мы собирались вместе поужинать и договорились, что около девяти я зайду за ним.

— Что было дальше?

— Дальше? Мне казалось, он выглядел слегка озадаченным. Мы уже собрались уходить, и тут он спросил, не могу ли я оказать ему услугу? Я с готовностью согласилась, а он попросил меня позвонить и попросить к телефону... не помню имени человека, а вот отчество запомнила: Аристархович. Как, кстати, звали вашего ювелира?

— Миронов Николай Аристархович, — с едва заметной иронией ответил мужчина.

— Значит, я звонила ему.

— О чем вы говорили?

— С Мироновым я не разговаривала. Трубку снял мужчина, я спросила, могу ли я поговорить с Николаем Аристарховичем, а мне ответили, что он неважно себя чувствует и ушел домой. Из чего я сделала вывод, что звонила, судя по всему, в офис.

— Сделали вывод? А ваш знакомый ничего не рассказал?

— Нет. Зачем? Он попросил меня только позвонить и пригласить к телефону этого человека.

— И вас это не удивило? Почему он не сделал этого сам?

— Не удивило. Честно говоря, меня все это не интересовало. Мы собирались поужинать, и я хотела побыстрее покинуть номер. Человек, разговаривающий со мной, безусловно, подтвердит мои слова, ведь это кто-то из сотрудников офиса, я так понимаю?

Он ничего не ответил. И не задал вопрос о серьгах, которые я хотела оценить. Либо не знал о содержании разговора, что вряд ли, если вчера я говорила с кем-то из его сотрудников, либо не мог признать тот факт, что это ему не известно, следовательно, говорила я вовсе не с сотрудником магазина, а с предполагаемым убийцей, который ждал появления Кирилла. Может быть, я ошибалась, но в тот момент мне казалось, все именно так и есть.

— Что было потом?

— Мы поехали ужинать.

— Поехали? Я думал, здесь неплохой ресторан.

— Мне он тоже нравится. Но Кирилл предпочел другое место. Загородный клуб, кажется, «Альбатрос».

— Вот как? Странно.

— Что вы находите в этом странного? — удивилась я.

— В нашем городе это место пользуется дурной славой.

— Ничего не слышала об этом. Кухня там прекрасная.

— И очень дорогая. Вы можете себе это позволить? Или расплачивался Кирилл?

— Расплачивался он, но я вполне могу себе это позволить.

— Что ж, рад за вас. После ужина вы вернулись сюда?

— Собственно, это был прощальный ужин. Кирилл еще утром сказал, что уезжает. Он отвез меня в гостиницу, а сам уехал на вокзал. Поезд, по-моему, отходил в 3.15.

— В 3.40, — кивнул мент.

— Простите, я не помню вашего имени, — сказала я.

— Алексей Федорович Кривошеин, — подсказал он.

— Вот, собственно, и все, Алексей Федорович.

— Вы сказали, что из «Альбатроса» отправились в гостиницу. По дороге никуда не заезжали?

«Врать бессмысленно, — подумала я. — Они найдут таксиста». И тут же испугалась: а что, если рядом с магазином были видеокамеры? Возле церкви точно нет и возле магазина... а вот кафе... черт.

— Мы доехали до Соборной площади, — как можно спокойнее ответила я. — И решили пройтись пешком. Время до поезда еще было, а мы не спешили расставаться.

— И где вы прогуливались?

— Где-то в центре. Бродили по старым улочкам. У вас красивый город, — улыбнулась я. — Живописный.

— А где конкретно были, можете сказать?

— К сожалению, нет. Я еще очень плохо знаю город, а ночью вообще с трудом ориентировалась. — «Если камеры там были, мы точно влипли», — решила я, наблюдая за его лицом. — Мы дошли до сквера и взяли такси. Простились возле гостиницы.

— Ясно, — кивнул Кривошеин, точно весьма сомневался в этом.

— Вашего ювелира убили дома? — спросила я.

— Нет. В его магазине.

— В тот момент, когда Кирилл звонил ему, он был еще жив. А после телефонного разговора Кирилл был рядом со мной, так что вряд ли он может иметь отношение к его смерти.

— Рядом с вами? И что, ни разу не отлучался?

— В туалет, когда были в ресторане. Сомневаюсь, что за пять минут он смог совершить преступление.

— Что ж, выходит, мы ошиблись и ищем не там. В нашей работе такое бывает сплошь и рядом. И все-таки мы бы хотели поговорить с господином Самсоновым. У вас наверняка есть номер его мобильного, домашний адрес...

— Все это есть у администратора. Он ведь останавливался в этой гостинице. А у меня ничего. Мы жили рядом, так что по мобильному звонить не было надобности. А перезваниваться и встречаться впредь мы не собирались.

— Странно, — почесав бровь, заметил Кривошеин. — Я бы непременно захотел встретиться с такой женщиной еще раз.

— Алексей Федорович, Кирилл был здесь в командировке, дома у него наверняка жена и дети. Думаю, он не прочь был со мной переспать, но, сообразив, что я не стремлюсь к мимолетным романам, решил просто приятно провести время. Вот и все.

— Можно узнать, когда вы познакомились?

— Четыре дня назад.

— Здесь, в гостинице?

— Нет, на набережной. Я рисую, так, для себя. Я рисовала, а он подошел и сделал несколько замечаний. Мы разговорились. Выяснилось, что мы живем в одной гостинице. Вечером мы столкнулись в холле, и он предложил мне поужинать вместе.

— В «Альбатросе»? — быстро спросил Кривошеин.

— Да. С завидным постоянством мы ужинали там три вечера подряд.

— Вас это не удивило?

— Конечно, нет.

— Но ведь должна же быть этому причина...

— Разумеется. Кириллу просто нравился этот ресторан.

— Возможно, он ожидал там кого-то встретить?

— Возможно. Но мне об этом ничего не сказал.

— А что он вообще о себе рассказывал?

— Если честно, ничего. Что и позволило мне предположить: у него есть семья. Вскользь он упомянул, что находится здесь по делам, но ничего конкретного. Я даже не знаю, откуда он приехал. Мужчины любят заводить романы на стороне, но терпеть не могут осложнений, которые часто следуют за этим. Так что, чем меньше у женщин его исходных данных, тем спокойнее. Найти его, решись я на это, будет затруднительно. Правда, в нашем случае все проще: при известном старании я могу получить его адрес у администратора, но мне это и в голову не придет.

— Почему? Он вам не понравился?

— Напротив. Он приятный собеседник. Но не более того.

— Однако ведь о чем-то вы три дня говорили?

— В основном о живописи, о книгах. О путешествиях. Я только что вернулась из Европы, а он как раз собирался туда отправиться. Кстати, меня он тоже ни о чем не расспрашивал.

— Вы уверены, что он уехал?

— А какой смысл ему врать мне? Если бы мы стали любовниками и он решил, что все зашло слишком далеко, тогда понятно. Но так... не вижу в этом необходимости.

— Вы сказали, что недавно вернулись из Европы. А что вас привело в наш город?

— Я развелась с мужем, у меня нет желания видеть его с новой возлюбленной, и я подумала, что путешествие — это лучший способ избавиться от депрессии. Ваш город я выбрала потому, что давно хотела побывать здесь.

— Я думал, что лучшее лекарство от прежней любви новая любовь, — усмехнулся Кривошеин.

— Возможно, — не стала я спорить. — Но мимолетных романов я не ищу. У меня есть намерение поскорее выйти замуж.

— Не думаю, что с этим у вас возникнет проблема, — весело заметил он.

— И я не думаю, — серьезно ответила я. — Потому очень разборчива. Кирилл на роль мужа отнюдь не подходил.

— Почему же?

— Я же сказала, что уверена: он женат. И в этом причина его нежелания говорить о себе.

— Что ж, — Кривошеин поднялся. — Вам придется поехать со мной.

— Куда? — удивилась я.

— В моем кабинете вы подробнейшим образом изложите историю своего знакомства с этим человеком и всего, что касается вчерашних телефонных звонков. Надеюсь, вы не возражаете?

Я, разумеется, никуда не хотела ехать, но понятия не имела, могу ли отказаться, оттого и согласилась. Вдвоем мы вышли в коридор. Здоровяков там не оказалось, не было их и в холле гостиницы. На стоянке Кривошеин направился к новенькой «Ауди», а я порадовалась, что у сотрудников наших правоохранительных органов столь приличные зарплаты, что они могут позволить себе такие машины.

По дороге Алексей Федорович все больше молчал и хмурился. Я смотрела в окно, изображая интерес к мелькавшим за стеклом зданиям девятнадцатого века и многочисленным церквям. Дорога заняла не больше двадцати минут, и вскоре мы уже оказались в кабинете Кривошеина, просторном, душном и прокуренном. Он поспешил открыть окно. Я повторила свой рассказ, на этот раз Кривошеин его фиксировал в протоколе. Где-то в середине нашей беседы ему пришел факс, он внимательно ознакомился с содержанием бумаги и, недовольно хмурясь, указал мне, где следует расписаться в протоколе. И тут у него зазвонил мобильный.

— Селина Олеговна, будьте добры подождать в коридоре, — очень вежливо попросил он. Я вышла, но дверь закрыла неплотно и, привалившись к косяку, прислушалась. — Да, — отрывисто сказал Кривошеин, далее последовала пауза. — Она сейчас у меня. Ничего... то и значит. Она не отрицает, что звонила, перестань психовать... конечно, отпущу. А что прикажешь мне делать? И на каком основании? Познакомилась с парнем, трижды с ним поужинала... я что, за это должен ее... не психуй и кончай орать на меня. Ее история выглядит вполне правдоподобно, и я склонен ей верить. С чего ты взял, что звонил непременно убийца? Этот парень, может быть, вовсе ни при чем. Я найду его, найду. Если адрес в гостинице не чистой воды липа, значит, мы будем знать, где он, уже к вечеру. А если нет... если он еще в городе, я найду его. Да при чем здесь девка? Я только что получил факс, все, что она о себе сказала, подтверждается. Девчонка вышла замуж за богатого мужика. А он завел еще кого-то. Она подала на развод и, между прочим, оттяпала у него чуть ли не половину его денег. Дамочка весьма разборчива, хотя, я уверен, чего-то она недоговаривает. Скорее всего, поняла, что вляпалась в дерьмо, вот и молчит от страха. У меня нет оснований ее задерживать. Я что, ей пальцы должен ломать? На сие у тебя спецы найдутся. Только это вряд ли что даст... да потому что она сама ничего не знает. Если она чего-то недоговаривает и парень ее здесь, они, скорее всего, попытаются встретиться. А своей бабе купишь другую цацку, не обеднеешь... все, мне работать надо.

Кривошеин замолчал, а я переместилась на два метра вправо и без всякого интереса обозревала стену напротив. Дверь распахнулась, и появился Кривошеин.

— Входите.

Я вновь устроилась на стуле, а Алексей Федорович спросил:

— Сколько вы еще намерены оставаться в нашем городе?

— Несколько дней. Возможно, неделю. Хочу проехать по близлежащим городкам, у вас очень много достопримечательностей, заслуживающих внимания.

— Н-да... — кивнул он. — Хорошо. Если надумаете уезжать или просто сменить гостиницу, прошу мне сообщить. — Он протянул визитку с номером телефона. — И еще... если вдруг Кирилл появится... надеюсь, вы понимаете, ваш долг сразу же...

— Да-да, конечно, — согласилась я.

Мы простились, и я поспешила покинуть его кабинет, а потом и здание.

Одна фраза в его разговоре заставила меня задуматься. Кривошеин сказал: «С чего ты взял, что звонил непременно убийца?» Что-то не складывается. Я была убеждена, что говорил он с нашим лысым красавцем, по крайней мере, слова «купишь своей девке новую цацку» прямо на это указывают. Мы решили, что смерть старика связана с появлением у него Кирилла с этим проклятым изумрудом, но из разговора следует, что лысый к убийству вроде бы не причастен, тогда кто убил ювелира? То, что Кривошеин в приятельских отношениях с лысым, — не вопрос. Продажный мент, оттого и ездит на дорогой тачке, однако лысый мог не настолько ему доверять, чтобы рассказать все начистоту. Тогда его слова об убийце не более чем ловкий ход, а если он действительно ни при чем, тогда каким образом узнал о телефонном звонке и почему смерть ювелира его заинтересовала? Или старик успел позвонить лысому и сказать, что видел принадлежащую ему вещицу в чужих руках? Одно хорошо, что видеокамер там не было, иначе бы мне так легко не отделаться.

Я подумала о Кирилле и испуганно огляделась. Что, если он сейчас появится? Эти типы, вне всякого сомнения, будут наблюдать за мной. Возможно, уже сейчас кто-то идет следом, а Кирилл... Я вошла в ближайшее кафе, заказала мороженое, прошла в туалет и заплела волосы в косу, радуясь, что у меня хватило ума договориться об условном сигнале. Теперь мне стало немного спокойнее, хотя слова Кривошеина о спецах по поломке конечностей очень меня тревожили. Кривошеину приходится считаться с законом или хотя бы делать вид, что он считается с ним, а здоровяки произвели на меня самое отталкивающее впечатление. Что, если со мной решат поговорить они? Надо поменьше болтаться по улицам. Но тогда мои слова об интересе к местным достопримечательностям покажутся весьма подозрительными. Проще всего уехать, запретить мне этого они не могут, придумаю какую-нибудь вескую причину. Но я знала, что никуда не уеду, раз Кирилл останется здесь, а он останется, чтобы дождаться своего друга. Еще вопрос, появится ли тот когда-нибудь, впрочем, Кирилл как будто в этом уверен.

Я вошла в свой номер и плюхнулась в кресло, понятия не имея, что мне делать дальше. Зазвонил мобильный, я схватила трубку, уверенная, что это Кирилл, начисто забыв, что у него нет моего номера. Звонил Нилин, и в первое мгновение я растерялась, такой далекой мне показалась моя прошлая жизнь.

— Как дела? — спросил он.

— Прекрасно. Любуюсь местными красотами.

— Рад за тебя. Думаю, ты скоро сможешь вернуться. Наши милые ребята вдруг затихли. Даже странно. Я был уверен: их боевого задора хватит надолго. Сегодня явился Истомин и между делом поинтересовался твоим самочувствием, дал понять, что испытывает к тебе большую симпатию и лишь обязанности адвоката вынуждали его желать твоего скальпа.

— Как думаешь, что они затеяли?

— По-моему, они убедились, что все бессмысленно. Кстати, твой муж отказался от услуг Истомина, говорят, они здорово повздорили.

— Не удивительно, раз идея развестись со мной пришла в светлую голову Валерия Павловича.

Нилин засмеялся.

— Теперь в адвокатах у него некая Фомина, впрочем, вряд ли ты о ней что-нибудь слышала. Редкая стерва, беспринципная и не особо умная. Нам она не страшна. Поговаривают, что у нее с твоим мужем роман. Что ж, пока еще немного подержись на расстоянии, дадим возможность твоему бывшему окончательно успокоиться. Очень скучаешь?

— Нет. Мне весело. Даже слишком.

— А в чем дело? — насторожился Нилин. Мгновение я размышляла, может быть, все рассказать ему? Не все, о нашем неблаговидном поступке лучше промолчать. Ерунда, он умный парень и тут же поймет, что ему голову морочат. Зато я почувствую себя гораздо спокойнее, если рядом будет Нилин. Вряд ли Кирилл скажет мне спасибо, когда узнает о моих намерениях. Душевная борьба длилась недолго.

— Конечно, я скучаю, — ответила я. — Совершенно не знаю, чем себя занять. Вот рисовать начала.

— Заведи любовника, — засмеялся Нилин. — А что? Ты теперь совершенно свободна. Хороший человек скрасит твое пребывание в этом городе.

— Ладно, попробую. — Мы дружно рассмеялись и вскоре простились.

Ближе к вечеру я начала томиться, сидение в четырех стенах было невыносимым, а куда-то идти, хотя бы в ресторан поужинать, не хотелось. Я подумала, отправится ли Кирилл сегодня искать своего друга? Надеюсь, его здравого смысла хватит, чтобы этого не делать, приятели лысого непременно станут его в клубе поджидать. Он может сбрить бороду и усы и надеяться, что его не узнают. Почему-то я была уверена: именно так он и поступит. Я знала, как велико его желание встретить своего друга, это было сродни сумасшествию. Стоило ему начать говорить о нем, и он уже не мог остановиться. Но, несмотря на это, ничего конкретного я так и не узнала. Его друг по-прежнему был человеком-легендой, а не существом из плоти и крови. Временами мне казалось, что Кирилл все это выдумал и нет в действительности никакого друга. Иногда Кирилл представлялся мне не совсем нормальным, что ли... Как ни крути, а некая странность в нем была. Однако его возможное сумасшествие никоим образом не изменило моего к нему отношения. Я подумала: что, если и мне отправиться в «Альбатрос»? Но тут же отказалась от этой мысли. Я могу ненароком выдать Кирилла.

Я рано легла спать, а утром после завтрака у меня вновь появился Кривошеин. На этот раз один.

— У меня малоприятная новость, — заявил он с порога.

— Проходите, — кивнула я. — Кофе будете?

— Нет, спасибо.

— Тогда выкладывайте новость.

— Пришел ответ на наш запрос. Самсонова Кирилла Сергеевича в природе не существует. Он скончался два месяца назад.

— Вы хотите сказать, что Кирилл жил здесь по чужому паспорту? — нахмурилась я.

— Вот именно.

Конечно, новость меня не удивила, Кирилл — вор, и наличие у него чужого паспорта вполне объяснимо. Однако я, как могла, продемонстрировала те чувства, которые должны непременно возникнуть у женщины, для которой фальшивый паспорт нечто невероятное. Удивление, сомнение, беспокойство и, наконец, страх. Кривошеин наблюдал за мной, а я гадала: хорошая ли я актриса? Он человек, безусловно, наблюдательный, работа должна была приучить его быть недоверчивым. Но если и появились у него какие-то подозрения, он их высказывать не стал. Протянул мне листок бумаги, оказавшийся ксерокопией первой страницы паспорта, и указал на фото:

— Это он?

На фотографии был человек, чем-то напоминающий Кирилла, но точно не он, что меня тоже не удивило.

— Похож, — внимательно присматриваясь, кивнула я. — Он носит усы и бороду, а на фото он без них. Но в общем похож. Я почти уверена, это он.

Кривошеин достал авторучку и быстро нарисовал усы и бороду парню на фотографии. Сходство увеличилось, как и следовало ожидать.

— Он, — обрадовалась я.

— Что ж, попробуем установить по фотографии, кто это на самом деле. Возможно, нам повезет. Думаю, этот парень уже обращал на себя внимание моих коллег. Он не звонил?

— Нет. Я бы сразу вам об этом сообщила.

— Это в ваших интересах. Вы же понимаете, его причастность к убийству теперь более чем вероятна.

— Я не знаю, когда совершено убийство, но в одном абсолютно уверена: с того момента, как Кирилл звонил, мы практически не расставались, так что, если убийство произошло после звонка, он не мог его совершить, хотя по поводу его причастности или непричастности ничего сказать не могу.

Кривошеин посверлил меня взглядом, задал еще несколько ничего не значащих вопросов и ушел. Чтобы не вызвать подозрения своими вдруг изменившимися привычками, я отправилась в старый город, чтобы порисовать. Не успела приступить к работе, как заметила неподалеку машину, какой-то тип с праздным видом таращился на прохожих, открыв окно. За мной приглядывают. Интересно, кто это, коллеги Кривошеина или друзья лысого? Я бы предпочла первых. Вторым болтаться за мной по городу скоро надоест, и они, чего доброго, приступят к решительным действиям. Такие мысли вовсе не способствовали занятиям рисованием, но я упрямо проторчала на улице до обеда. Не поднимаясь в номер, зашла в ресторан гостиницы и тут подумала, что мы с Кириллом можем больше никогда не встретиться. Я затруднялась сказать, хорошо это или плохо. Я хотела его увидеть, очень хотела, но предпочла бы, чтобы он не рисковал.

Закончив обедать, я поднялась к себе, вошла в номер, поставила мольберт и едва не вскрикнула от неожиданности. В гостиной на диване лежал Кирилл, в джинсах, белой футболке, сложив руки на груди, и вроде бы спал. Я торопливо заперла дверь, а Кирилл поднял голову.

— Привет, — улыбнулся он, поднимаясь мне навстречу.

— Ты с ума сошел? — ахнула я и испуганно понизила голос. — Тебя же ищут. А если бы горничная вошла?

— Она убирает номер до двенадцати, не беспокойся, меня никто не заметил. Рабочие возле служебного входа разгружали какие-то ящики, и я пристроился к ним. Ты рада меня видеть?

— Нет.

— Не шути так.

— Я не шучу. Я боюсь за тебя. Сегодня утром приходили из милиции. Вчера тоже были трое типов.

Кирилл обнял меня и привлек к себе.

— Прости, я втравил тебя в опасное дело.

— Вовсе нет. По крайней мере, не это меня беспокоит. Я боюсь за тебя. Видишь, заплела косу, ты ведь не забыл о нашем уговоре?

— Я ничего не забыл. Расскажи, что они хотели от тебя?

Мы устроились на диване, держась за руки, и я подробно рассказала о разговоре с Кривошеиным. Кирилл слушал спокойно и время от времени кивал.

— Насчет мента ты права. Лысый поручил ему меня найти, вот он и бьет копытами. А по поводу того, что лысый к убийству не имеет отношения, — очень сомневаюсь. Потому что не сходится. Он явился к старику, зная, что тот скупает краденое. Я уверен, ювелир заявил, что никакого камня в глаза не видел. Но лысый по какой-то причине усомнился в его словах. Ювелир, я тебе скажу, далеко не так прост и вряд ли испугался угроз. Они поссорились, и лысый его убил. Но с ментом поостерегся откровенничать.

— А как он смог объяснить свой интерес к этому убийству? — спросила я. — Провидческим даром?

— Что-нибудь придумал. К примеру, что старик позвонил и сказал ему о камне.

— Тогда ювелир должен был знать, у кого мы его стырили, к тому же был звонок или нет, легко проверить.

— Вряд ли мент начнет проверять. Зачем? В его интересах считать, что дружок ни при чем.

— Кирилл, боюсь, старик рассказал о тебе. Они знали, что ты придешь, и остались ждать, вместо того чтобы оказаться подальше от трупа. Убил его лысый или кто-то другой, но им было известно, что ты придешь. Им нужен камень. Но когда ты позвонил, они поняли, что спугнули тебя, и ушли.

— Само собой. Вот что: тебе нельзя здесь оставаться. Ментам нечего тебе предъявить, но у этих типов свои методы развязывать человеку язык, и убийство тому подтверждение. Придется тебе найти местечко понадежнее.

— Где ты сам был все это время?

— Тут неподалеку. Наблюдал за тобой. Ужасно переживал, что ты одна, вот и решил, что вдвоем будет спокойнее. Хотя, конечно, знакомство со мной может доставить тебе неприятности, если кто-то еще раз увидит нас вместе.

— Мне наплевать на неприятности, и я ничего не боюсь. — Тут я, разумеется, врала, но вполне убедительно. — Мы можем уехать отсюда?

— Я — нет. А ты...

— Тогда я тоже останусь. Здесь, в этой гостинице. По крайней мере, буду знать, что затевает Кривошеин... если мне повезет, конечно.

— Потерпи, ладно? — серьезно сказал Кирилл. — Как только мой друг появится, мы уедем.

— Хорошо. А сейчас скажи мне, как ты намерен покинуть гостиницу?

— Что-нибудь придумаю.

— Ты можешь остаться у меня.

— Нет. Ты сама сказала про горничную.

— До утра ты можешь остаться.

Он покачал головой.

— Тебе нельзя рисковать. Не хочу, чтобы меня здесь застукали.

Через полчаса он решил уходить. Я пошла с ним,

желая убедиться, что ему это удастся. Мы спустились в холл, и я испуганно попятилась. Прямо напротив двери устроился парень, тот самый разговорчивый здоровяк, что приходил с Кривошеиным. Он даже не стал делать вид, что, например, читает газету, впрочем, может, он неграмотный, сидел и, не моргая, смотрел на дверь.

— Это он, — шепнула я Кириллу, и мы быстро стали подниматься назад.

— Иди в номер, — сказал Кирилл. — И не беспокойся обо мне. Я уйду через служебный вход.

— Вряд ли они этого не предусмотрели. Возвращаемся в номер.

На счастье, никого на этаже мы не встретили.

— Жди здесь, — сказала я Кириллу. — А я проверю служебный вход.

— Селина...

— Молчи. Я тебя одного не отпущу.

— Не стоило мне приходить, но я... мне нужно было тебя увидеть.

Я торопливо поцеловала его и выскользнула из номера. Возле служебного входа стояла машина, ее я уже видела утром. Теперь парней было двое. Заметив меня, один из них вышел из машины и не спеша прошелся. Сама я покинула гостиницу через центральный вход под недобрым взглядом здоровяка и тоже делала вид, что прогуливаюсь. Обошла гостиницу по кругу. Если я сейчас вернусь в номер, это покажется подозрительным. Я продолжила прогулку, зашла в ближайший магазин. Выбрала себе кофточку, отправилась в примерочную, уверенная, что за мной наблюдают. Когда я подошла к кассе, взгляд мой натолкнулся на витрину соседнего отдела, где была выставлена краска для волос. И тут меня осенило. Ну, конечно. Сделав круг по магазину и купив массу ненужных мне вещей, я зашла в отдел, где продавалась краска. Вот эта подойдет. Быстро расплатившись, я вышла из магазина, и тут на меня накатил страх. Что, если они решили проверить мой номер? Я заставила себя идти спокойно, борясь с подступившей вдруг тошнотой. Никогда в жизни я так не боялась.

Кирилл был в спальне, и я рухнула в кресло, увидев его.

— Что? — спросил он.

— Машина у входа. Там двое. Но я кое-что придумала, — сказала я, как только смогла отдышаться. — Можешь пожертвовать своей бородой и усами? Я купила краску для волос. Сделаем тебя блондином. Не могут они знать в лицо всех постояльцев гостиницы. — Я-то думала, он оценит мою идею, но Кирилл нахмурился и молчал, размышляя. Вроде бы сомневался. Мне же мой план казался единственным выходом. Конечно, я знала, что мужчины довольно упрямы, и, возможно, для кого-то из них лишиться бороды и усов так же нелегко, как женщине обрезать длинные волосы. Но женщины любят эксперименты. И с Кириллом ничего не случится, если он на время лишится своего украшения. Борода и усы, по моим представлениям, растут довольно быстро. Все это скороговоркой я выдала ему, потянув за собой в ванную.

— Хорошо, — нерешительно согласился он. Сел на бортик ванны и со вздохом посмотрел на меня.

— Сними футболку, — сказала я.

— Зачем?

— Я же ее намочу.

— Это не страшно.

— Ты ужасно упрям. Брейся, бритва у меня есть.

— Сначала волосы.

Я положила полотенце на его плечи и приступила к работе. Через час он выглядел очень забавно, блондин с темными усами и бородой. Кирилл посмотрел в зеркало и покачал головой:

— Я похож на клоуна.

— Когда ты побреешься, будет лучше.

— Хорошо, — вздохнул он. — Заодно приму душ, если ты не возражаешь.

— Конечно, не возражаю.

Я вышла из ванной и нетерпеливо стала ждать его. Когда он через некоторое время появился в гостиной, я порадовалась перемене в его облике. Возможно, дело было в том, что он сменил цвет волос, но без бороды и усов он выглядел значительно моложе. Гладкая румяная кожа была почти девичьей.

— Они тебя не узнают, — хихикнув, сказала я. — Ни за что не узнают. Теперь я спокойна, ты сможешь покинуть гостиницу. Знаешь, о чем я подумала? Мы даже можем встречаться.

— Вряд ли, — вздохнул он. — Мужчина рядом с тобой привлечет внимание.

А я вновь отметила, что черты лица у него удивительно мягкие. Это и навело меня на очередную гениальную идею.

— Подойти ко мне, — велела я. — Кажется, я знаю способ провести их.

— Что за способ? — спросил Кирилл.

— Мы с тобой одного роста, и ты довольно худощав. Они ожидают увидеть парня, а если мы им подсунем девицу?

— Что? — растерялся он.

— Девушку, — повторила я и, смеясь, вооружилась феном. — Сейчас попробую распрямить твои волосы и сделать прическу. Если не получится, можешь просто стянуть волосы в хвост. Темные очки, моя кофточка, бюстгальтер набьем ватными дисками. Джинсы оставишь свои, так же, как кроссовки, сороковым размером обуви у девушки сейчас никого не удивишь.

— Ты с ума сошла, — проворчал он.

— Не капризничай. Это единственный способ нам видеться, когда мы захотим, не привлекая их внимания.

— Какая из меня девушка, сама подумай? Мужик в бабских тряпках все равно не будет выглядеть женщиной.

— Если ты постараешься, все получится.

Я закончила с его прической и опять засмеялась. Что бы он ни говорил, но сейчас я бы и сама усомнилась, что передо мной мужчина, не знай этого наверняка. Нашла подходящую кофточку, бюстгальтер и напихала в него ваты.

— Бред какой-то, — простонал Кирилл, но взял все это из моих рук. — Пойду в ванную, немного потренируюсь перед зеркалом. Сиди здесь и жди моего торжественного выхода.

Он исчез в ванной комнате и не выходил очень долго.

— Что ты там копаешься? — не выдержала я.

— Вхожу в образ, — ответил он и наконец появился в гостиной. Я критически осмотрела его с ног до головы, заставила пройтись.

— Походка никуда не годится. Старайся двигаться легче и не загребай плечами. И выпрями спину, что ты согнулся?

— Эта штука на груди меня смущает.

— Настоящая женщина носит свою грудь с достоинством. Покажи товар лицом. Вот так.

Еще полчаса мы тренировались. Я отдала Кириллу одну из своих сумок, и теперь образ был завершен. Спортивная девчонка, довольно широкая в кости, привыкшая к джинсам и кроссовкам. В платье он бы, наверное, выглядел комично, а так в самый раз.

— Отлично, — захлопала я в ладоши. — Знаешь, ты невероятно похож на девушку.

— Не шути так, — обиделся он.

— Я хотела сказать: им ни за что не догадаться. Слушай, ты можешь остановиться в этой гостинице. Черт... нужен паспорт.

— Паспорт для меня не проблема, — напомнил Кирилл. — Встретимся за завтраком и разыграем сцену знакомства.

— Ты будешь сегодня в «Альбатросе»?

— Да. Только не в таком виде, — хихикнул он.

— Жаль, что не могу пойти с тобой.

— Увидимся завтра, — повторил Кирилл и поцеловал меня, а я вновь хихикнула:

— Я чувствую себя извращенкой, целуясь с тобой.

— Да? — Он был серьезен. Я решила: он боится, что наш маскарад гроша ломаного не стоит и на него сразу же обратят внимание.

— Если ты будешь помнить мой урок, все пройдет прекрасно.

Я проводила его до двери, выглянула, коридор был пуст.

— Пока, — шепнула я, и он пошел, пытаясь воспроизвести мою походку.

Его футболку я свернула и убрала в сумку, потом бросилась к окну. Кирилл как раз сворачивал за угол здания, я поспешно спустилась вниз. Одного здоровяка сменил другой, этот был грамотным или просто любил разглядывать картинки, потому что листал журнал. Я отправилась в магазин и убедилась, что машина все еще стоит у служебного входа. И улыбнулась. Кирилл их совершенно не заинтересовал.

Утром я спустилась на завтрак и за столиком у окна обнаружила Кирилла. Его новый облик, не успевший стать привычным, меня поразил. Почти все столы были заняты, так что мой выбор выглядел вполне естественно.

— Вы позволите? — спросила я.

— Да, конечно. — Он кашлянул, стараясь, чтобы голос звучал мягко. — Это ужасно, — шепотом, начал жаловаться он. — Я постоянно забываюсь.

— Просто это недостаток практики. Ты же гений. Кстати, женские роли всегда доверяли только гениальным актерам.

— Ни одна не приходит на ум.

— «В джазе только девушки», — засмеялась я.

— О боже... хорошо хоть мне в оркестре играть не надо.

— Считай, что тебе повезло. Как тебя теперь зовут?

— Анна Ильинична Пискунова. Фамилия могла быть и получше.

— Ничего, зато с именем повезло, а меня зовут Лина.

— Очень приятно, — кивнул он. — Чем вы здесь занимаетесь, Лина?

— Рисую акварели, а еще я познакомилась с потрясающим парнем. Жаль, что ему пришлось уехать. А вы?

— Я собираю материал для книги, исторический детектив. Действие происходит в одном из здешних монастырей.

— Здорово. Вы известная писательница?

— Нет, но собираюсь ею стать.

Дурачась и без конца хохоча, мы продолжали в том же духе. Завтракать закончили одними из последних, со столов уже стали убирать приборы. В холле здоровяков не оказалось, но мы были уверены: кто-то из сидящих здесь за нами наблюдает.

— Если хотите, я могу вам показать одну из церквей, — болтал Кирилл. — Место удивительно живописное. Мы могли бы поехать туда после обеда.

— Отлично, — обрадовалась я, и мы тепло простились.

А после обеда встретились вновь и пошли гулять по городу.

— Твой друг не появлялся? — спросила я.

— Нет. Мне нужен компьютер, — помолчав, сказал он.

— Интернет-кафе подойдет? — спросила я.

— Вполне.

— Тогда идем.

Мы перешли дорогу, Кирилл машинально взял меня за руку.

— Черт...

— Не беда, подружки так иногда ходят.

— Подружки, — фыркнул он.

— Получай удовольствие от происходящего, и ломать комедию станет легче.

В интернет-кафе было малолюдно. Кирилл устроился за компьютером, а я на стуле неподалеку. От безделья я начала листать журнал. Кирилл был очень серьезен, иногда хмурился, я же молчала, чтобы не мешать ему, а главное, не раздражать его вопросами.

— Вот он, — вдруг произнес Кирилл.

— Кто? — не поняла я.

— Самурай. Вот он. Они ждут его здесь. И он придет. Он придет, — повторил Кирилл и удовлетворенно кивнул.

— Твой друг? — сообразила я. — Почему самурай? Он что, японец?

— Конечно, нет. Когда-то давно он придумал для себя кодекс чести и никогда его не нарушал.

— Вот как, — пожала я плечами, но проявила любопытство и заглянула в компьютер. Обычное сообщение, вряд ли оно меня бы заинтересовало. — Здесь ничего нет о том, что он приедет, — с сомнением сказала я.

— Просто надо уметь читать.

— О'кей. А когда конкретно он появится?

— Они собираются здесь через пару недель.

— Кто «они»?

— Его недруги.

— Они ждут его, и он дал согласие прийти?

— Конечно.

— По-моему, это глупо.

— Он их не боится. И они об этом знают.

— Однако все равно постараются с ним разделаться, так? Твоему другу следует проявить благоразумие.

— Однажды они тоже ждали его. Он знал, что это ловушка, но все равно пошел. Он мог бы обратиться за помощью, было много людей, готовых ему помочь. Но он не хотел, чтобы кто-то рисковал ради него. Он всегда рассчитывает только на себя. Он пришел, их было двенадцать человек, понимаешь? А он один.

— И что? — вздохнула я.

— Они остались там, а он вернулся. Хотя его враги успели его похоронить.

— Постой, — нахмурилась я. — Он что, убил этих людей? Двенадцать человек? Да твой друг просто бандит, — не выдержала я.

— Не говори того, чего не понимаешь, — отрезал Кирилл. И так взглянул на меня, что я заткнулась.

— Значит, он появится через две недели? — выждав время, чтобы Кирилл немного успокоился, подхалимски спросила я, он после моих слов о его друге замкнулся и говорить не желал, что было для меня весьма мучительно. Я поторопилась вернуть былую доверительность, вот и старалась изо всех сил.

— Да, — кивнул Кирилл.

— Выходит, тебе не нужно сегодня отправляться в «Альбатрос». Мы могли бы сходить в кино.

— Хорошо, — кивнул он.

— Извини, что я так о нем сказала, — вздохнула

я. — Ты его знаешь лучше, чем я, наверное, он достоин восхищения. Расскажи о нем что-нибудь еще.

О своем друге он мог говорить часами, глаза Кирилла были полуприкрыты, и он словно грезил наяву, как будто видел некие красочные картины и старался подробно их описать. Я понятия не имела, что в его рассказах правда, а что вымысел. Больше всего в те минуты он напоминал древнего скальда, и я сама впала в транс от его неторопливого рассказа. Видела ладью с бородатыми мужчинами в шлемах, а на их суровых лицах детский восторг. Они, затаив дыхание, слушают очередную песнь о славном герое по имени Самурай, который храбро сражался и принял достойную смерть, а теперь пирует за столом в Валгалле, и сам Один произносит тост в его честь, а валькирии нетерпеливо топчутся рядом, ожидая, когда доблестный герой завалит их на ближайшем сеновале. Впрочем, в Валгалле должны быть места и поприятнее.

Лично мне подвиги героя казались весьма сомнительными, разумеется, если лишить их романтической окраски, которую так обожал Кирилл. Я попыталась выяснить что-нибудь конкретное о герое, и опять безрезультатно, каждый раз наталкиваясь на хмурый взгляд Кирилла, он сразу же замыкался, и мне больших усилий стоило разговорить его вновь.

— Чем Самурай все-таки занимается? — напрямую спросила я и не дождалась ответа.

Мало того, теперь Кирилл не смотрел в мою сторону, отвернулся, точно меня не было рядом. Только через полчаса крайне неприличного заискивания с моей стороны он подобрел и даже согласился пойти со мной в кино. В общем, дружба была спасена, но задавать подобные вопросы я себе отсоветовала. Ладно, парень — герой, а чем обычно заняты герои? Бьют врагов. Совершенно неважно, кто эти враги, главное, чтоб наши всегда побеждали, и я решила дождаться появления Самурая, а не приставать к Кириллу с глупостями. Но если герой так и не появится, я ничуточки не удивлюсь.

Моя выдумка оказалась на редкость удачной, взаимная симпатия двух девчонок никого не удивила. Мы регулярно встречали здоровяков и спокойно шли себе дальше, весело болтая, то есть в такие минуты болтала в основном я, Кирилл помалкивал, боясь, что его может выдать голос, а еще он часто сбивался и говорил о себе в мужском роде. Я его поправляла и просила быть внимательнее. В остальном маскарад удался, Кривошеин больше не появлялся, значит, в наличии у меня подруги он не видел ничего подозрительного.

А потом пришел понедельник. С утра мы отправились в старый город, где я рисовала, а Кирилл, устроившись рядышком, читал книгу. Вдруг хлынул дождь, и пока мы бежали до гостиницы, успели вымокнуть до нитки. Заглянув к себе в номер, я быстро переоделась и пошла к Кириллу, прихватив блузку. Я постучала, он открыл, а я сказала:

— Туалеты надо менять чаще. Где ты видел женщин, способных ходить в одной кофточке несколько дней кряду?

— Пойду приму душ, — сказал он, забирая у меня блузу. — А ты пока закажи чай, пусть принесут в номер.

Я сделала заказ по телефону и стала ждать. И тут у Кирилла зазвонил мобильный. Я подумала, что он лежит в его сумке, то есть в моей, конечно, но мобильного там не оказалось. Он продолжал надоедливо трещать, и я наконец сообразила, что он не в дамской сумке, которую я подарила Кириллу для полноты образа, а в спортивной, что валялась у кровати. Пока я расстегнула ее и нашла телефон, звонившему успело надоесть ожидание, я бросила сотовый на журнальный стол, и тогда взгляд мой привлекла небольшая коробочка, что лежала поверх белья. Копаться в чужих вещах страшная гадость, но эта мысль не уберегла меня от любопытства. Я была уверена, что в коробке драгоценности, скорее всего, тот самый изумруд. Косясь на дверь в ванную, я открыла ее и озадаченно почесала нос. В коробке лежал вовсе не изумруд, а бутафорские бородка и усы, а еще тюбик со специальным клеем. То, что Кирилл предпочитал иметь под рукой такие вещи, не удивило меня, вору всегда нужно думать о маскировке, но я была уверена: именно эти борода и усы совсем недавно украшали его физиономию. И в этом, в сущности, не было бы ничего необычного, вот только с какой стати он мне ничего не сказал?

Убрав коробку в сумку, я направилась к ванной, повернула ручку двери, и она открылась. Должно быть, Кирилл просто забыл ее запереть или был уверен: как девушка воспитанная, я не стану врываться в ванную, когда там моется мужчина, или хотя бы постучу. К сожалению, ни на то, ни на другое моего воспитания не хватило. Дверь открылась. Кирилл как раз выходил из душевой кабины, а я ошалело замерла. Передо мной стояла женщина. Мужеподобная, с едва наметившимся бюстом, но все-таки женщина. Она сделала резкое движение, пытаясь вернуться в кабинку, но опоздала, хотя все же задвинула шторку, а я попятилась из ванной. «Не может быть», — думала я, но тут же другие мысли хлынули сплошным потоком. Ведь были, были в его поведении странности, которым я не находила объяснения. Теперь многое стало понятно: и его нежелание переодеваться при мне, и его целомудрие, несвойственное мужчинам. Любой другой на его месте давно бы уложил меня в постель.

Много чего пришло мне в голову в эти минуты. А потом вспыхнула обида: какого хрена он, то есть она, пудрила мне мозги? Чертова лесбиянка, нашла остроумный способ подцепить подружку? Но обида почти сразу исчезла, потому что в тот момент я поняла: все не так. Кирилл не был женщиной, то есть он, конечно, ею был, но... За моей спиной хлопнула дверь, я повернулась и увидела его. Он стоял и смотрел на меня, в джинсах и футболке без дурацкого накладного бюста. Не мужчина и не женщина. Лицо его было бледным, а взгляд мутным от боли. Он вроде бы удивился, увидев, что я все еще в номере, а я не знала, правильно ли поступила, оставшись здесь.

— Извини, — промямлила я, единственное, что пришло в голову. Он вздохнул, пряча взгляд, сел в кресло, сцепив руки замком, и теперь разглядывал пол. — Мобильный звонил, — сказала я, не зная, что делать, уйти или остаться. Наверное, лучше уйти, чтобы дать ему возможность свыкнуться с мыслью, что теперь мне известна его тайна, и привыкнуть к ней самой, но я боялась, боялась, что, если уйду, мы больше никогда не увидимся. — Прости меня, пожалуйста. Прости, — жалко сказала я. Он покачал головой.

— За что? Рано или поздно ты все равно бы узнала. Я не мог тебе сказать, правда, не мог. Хотел, чтобы ты была рядом еще немного. Очень хотел. Это мне надо просить у тебя прощения.

— Кто ты? — задала я дурацкий вопрос, не в силах разобраться в происходящем. Передо мной была женщина, но она вела себя как мужчина.

— Урод, — усмехнулся он. — Ошибка природы. Ты слышала о гермафродитах? Вот я и родился таким. Врачам нужно было принять решение, и они его приняли. Только в моем случае они ошиблись. Я всегда чувствовал себя мужчиной.

— Но ведь... — начала я, понимая всю бесполезность своих слов.

— Я знаю, что ты хочешь сказать, — перебил меня Кирилл. — У каждого человека свой путь. Я иду своим.

— Это может помешать нам остаться друзьями?

Он улыбнулся печально, а потом взял меня за руку.

— Если ты захочешь...

В дверь постучали, я пошла открывать, нам принесли чай. Кирилл стоял, отвернувшись к окну, дожидаясь, когда женщина уйдет.

— Я хочу, чтобы ты знал, — решилась я. — Для меня ничего не изменилось. Мне очень важно, чтобы ты был рядом.

— Конечно, — кивнул он, и мы стали пить чай.

— Твой друг, — заговорила я. — Он... вы... ты поэтому хочешь помочь ему?

— Ты не поняла, — покачал он головой. — Я мужчина. И другие мужчины меня не интересуют. Просто он мой друг. Он единственный, кто не считал меня уродом. Однажды он сказал: мужчину определяет дух, то, что вот здесь, — Кирилл ударил себя кулаком в грудь. — А не то, что болтается между ног. Так он сказал. И я знаю, что он прав.

— Конечно, он прав, — согласилась я и готова была согласиться с чем угодно, лишь бы не видеть боль в его глазах.

— Иди к себе, — помолчав немного, попросил Кирилл. — Мне надо побыть одному.

— Я боюсь. Боюсь, что ты меня бросишь.

— Нет, что ты... как я могу тебя бросить? Самую прекрасную воровку на свете...

Мы встретились вечером. Кирилл сам пришел ко мне. Все это время я изнывала от беспокойства, но не решалась зайти к нему или позвонить. Он вел себя так, точно ничего не произошло, и я была рада этому, но теперь он не решался меня поцеловать и даже коснуться моей руки. И я была благодарна ему за это, потому что знала: я не смогу переступить некий барьер, не смогу, как бы ни хотела, и он уже понял это и смирился.

А на следующий день мы, как обычно, отправились в старый город, бродили в толпе туристов возле собора, а потом Кирилл сказал:

— За нами следят. Вон тот парень в черной футболке.

— Конечно, следят, — усмехнулась я.

— Нет, — покачал головой Кирилл. — Наши, как всегда, торчат в машине. Это что-то другое.

— Другое? — не поняла я.

— Давай зайдем в супермаркет.

Минут сорок мы бродили по магазину, Кирилл с праздным видом разглядывал товары на полках, а я терялась в догадках.

— Я не ошибся, — шепнул Кирилл. — У наших друзей появились конкуренты.

— Ты меня пугаешь. Кто это может быть?

— Если бы знать. Идем.

Мы расплатились на кассе, Кирилл прошел к шкафчикам, что предназначались для сумок, нашел свободную и сунул пакет туда. Ключ отдал мне.

— Что ты делаешь? — удивилась я.

— Заберем на обратном пути, — ответил он. — Чего его с собой таскать?

Спорить я не стала, оглядывалась по сторонам, пытаясь делать это незаметно.

— Где он? — спросила тихо.

— Стоял возле двери.

Я повернулась в ту сторону и никого не увидела. Мы вышли на улицу и замерли у перехода, дожидаясь сигнала светофора. Зажегся зеленый, нам навстречу хлынул поток людей, и я увидела парня в черной футболке, он шел очень быстро, держа руку в кармане. Где-то на середине дороги мы встретились, парень шагнул ко мне, а Кирилл вдруг схватил меня за локоть и больно дернул, я оказалась за его спиной, и они столкнулись с парнем, задев друг друга плечами. Парень торопливо пошел дальше, Кирилл шагнул вперед и начал медленно оседать на землю. Машины рванули с места, кто-то истошно сигналил, а Кирилл, согнувшись, упал на асфальт, и я упала рядом с ним, не понимая, что происходит.

— Что с тобой? — испуганно спросила я, он лежал, скрючившись, сцепив руки на животе, и под его пальцами растекалось кровавое пятно. Но и тогда я не поняла, отказывалась понимать.

— Кирилл, — звала я. — Кирилл.

Он посмотрел на меня и улыбнулся, а потом произнес медленно, по слогам:

— Я... люблю... тебя... самая прекрасная...

Изо рта его хлынула кровь, я держала его голову, а потом закричала:

— Помогите кто-нибудь, помогите.

Он умер там, на дороге. Толпа разошлась, а кровавое пятно в том месте, где он лежал, засыпали песком. Потом я долго отвечала на вопросы, ответов на которые и сама не знала. И думала, что мне ничего, ничего не известно о нем, только имя, которое он сам себе придумал. Следователь изрядно со мной намучился. Я могла ему рассказать о нашем знакомстве в гостинице за завтраком, о наших прогулках по городу, о том, что мою подругу зовут Анна, что приехала она из Ярославля, собиралась писать книгу. Следователь тяжко вздыхал, он хотел понять, кто и за что мог убить молодую женщину на переходе почти в центре города. Женщину, у которой здесь не было, не могло быть врагов, у нее даже знакомых и то не было, не считая меня.

— Все это очень странно, — несколько раз повторил он, и я согласно кивала. В конце концов в милиции решили, что у меня шок и толку от вопросов не будет. На машине меня отправили в гостиницу и даже поинтересовались, не нужен ли мне врач.

А утром у меня появился Кривошеин. Он тоже задавал вопросы, а потом сказал:

— Кстати, ваша знакомая жила здесь под чужой фамилией. Настоящая Анна Пискунова еще на прошлой неделе написала заявление о том, что потеряла паспорт. Вам следует осмотрительнее выбирать себе друзей, Селина Олеговна. Странные вещи происходят вокруг вас. То вдруг появляется загадочный приятель, который исчезает неизвестно куда, то не менее загадочная подруга, которую убивают без всякой причины. Я бы на вашем месте хорошо подумал.

— Я подумаю, — кивнула я.

Я и вправду думала, но совсем о другом. Кирилл всегда носил диск с собой, но его не нашли ни в карманах, ни в сумке, ни в номере. Так же, как и изумруд. По крайней мере, мне о них ничего не сказали. Если бы их нашли, следователя они заинтересовали бы, и тогда бы непременно возникли вопросы. «Я должна им все рассказать», — думала я и тут же вспомнила о Кривошеине. Я ему не верила и не знала, могу ли верить другим. Если Кирилл не взял с собой против обыкновения диск, значит, он должен был где-то спрятать его. Где? В номере? В своем убежище, где он провел несколько дней и о котором мне ничего не известно?

Днем я бесцельно бродила по городу и, когда оказалась возле супермаркета, вспомнила, что мы вчера оставили здесь пакет. Ключ от ячейки все еще лежал в моей сумке. Я вошла в супермаркет, мельком взглянула на ячейки. Та, что под тридцать шестым номером, была закрыта. Супермаркет работал круглосуточно, и на нее попросту никто не обратил внимания. Уверенная, что за мной наблюдают, я подошла и сунула сумку в ячейку под номером тридцать семь, которая оказалась свободной. Взяла корзинку, купила воды и печенья. Расплатившись на кассе, вновь подошла к ячейкам и, загородив их спиной, достала сначала сумку, а потом пакет, он был небольшой, и я затолкала его в сумку, надеясь, что тот, кто наблюдает за мной, этого не заметит. Взяла такси и вернулась в гостиницу.

Оказавшись в номере, я проверила пакет. Зубная паста, печенье, коробка зефира. Открыла коробку, под белой тонкой бумагой лежали диск и изумруд, завернутый в бумажный носовой платок. Кириллу не понравилось появление еще одного наблюдателя, и он решил подстраховаться? Неужели что-то предчувствовал?

Диск и изумруд лежали на журнальном столе, а я пыталась решить, что мне сделать? Рассказать все в милиции? Нет. Я знала, что не пойду на это. И вовсе не обвинение в воровстве или соучастии тому причина. Я никому не верила. Изумруд, вполне возможно, вскоре оказался бы у лысого, а диск... Я понятия не имела, какая информация содержится там, и не хотела знать, но понимала: я должна сделать то, что не успел Кирилл: передать диск Самураю. Мне очень хотелось верить, что он действительно существует, человек-легенда, перед которым преклонялся Кирилл. А еще я надеялась: то, что он рассказывал о нем, — правда. Хотя бы часть правды должна быть в его рассказах, а человек чести непременно найдет убийцу моего друга и воздаст ему по заслугам или поможет в этом мне.

— Я найду его, — произнесла я громко, как будто всерьез верила, что Кирилл меня слышит.

Я прекрасно понимала: это легче сказать, чем сделать. Я ничего не знаю о Самурае, если честно, я по-прежнему не уверена в его существовании. Я не знаю ни имени, ни того, как он выглядит, только дурацкое прозвище, а еще то, что через две недели он должен появиться в этом городе, в клубе «Альбатрос». Так считал Кирилл. Но у меня нет другого выхода, и я найду Самурая.

Прошло несколько дней. Следователь еще трижды беседовал со мной, а я, наблюдая за ним, поняла: это убийство для него рядовое дело, они стопками громоздились на его столе. Одно из многих, и он, усталый, измотанный, думает, скорее всего, о том, как было бы хорошо отправиться в отпуск, а не сидеть в прокуренном кабинете, задавая одни и те же вопросы. Это для меня найти и наказать убийцу теперь стало смыслом жизни, а для него это дело рутина, и, по большому счету, не так уж важно, раскроет он его или нет. Удача не всегда ему сопутствует, и он смирился с этим.

— Мы получили разрешение прокуратуры на захоронение, — сказал он мне.

— Но вы даже не знаете, кто эта женщина на самом деле, — я нахмурилась, поняв, как трудно мне назвать Кирилла женщиной.

— Не знаем. Значит, могила будет безымянной.

— И что дальше?

— Будем работать. Надеюсь, в конце концов нам удастся установить, кто она на самом деле. Вскрытие производили, отпечатки пальцев сняли, труп фотографировали, в общем, нет смысла держать его в морге.

Вот так Кирилл оказался в безымянной могиле. На городском кладбище, в стороне, ближе к лесу, в компании двух десятков таких же безымянных. Рабочие ушли, а я долго сидела возле свежего холмика, удивляясь, что не могу плакать. Гладила землю рукой, а потом достала авторучку и написала на табличке с номером: «Кирилл». Я сидела на корточках, не в силах покинуть это место, долго, до самого вечера, пока слезы не хлынули потоком и мне не стало легче дышать. Размазывая их по щекам, я шла к воротам кладбища, провожаемая заинтересованными взглядами рабочих, что подметали дорожки.

До гостиницы я добралась через час, быстро собрала вещи, достала из сейфа диск и камень, спрятала их за подкладку сумки и вызвала такси. И поехала в «Альбатрос», не зная, что буду делать дальше. Я помнила, что там была гостиница, вот и надеялась устроиться в ней.

— В «Альбатрос»? — переспросил водитель, запихивая в багажник мой чемодан. — Дороговато. Здесь-то вам чем не понравилось?

— Слишком далеко от злачных мест, — хмуро бросила я, и он заткнулся, так и не поняв, шучу я или говорю серьезно. По дороге меня охватило беспокойство. Вдруг в «Альбатрос» меня попросту не пустят? Не зря Кирилл говорил, что этот клуб — настоящий притон. Если так, то чужаков там, скорее всего, не жалуют и найдут предлог отделаться от меня. Я нетерпеливо ерзала, то и дело поглядывая по сторонам. Если кто и увязался за нами, то в потоке машин мне его ни в жизнь не заметить.

— К гостинице? — подал голос водитель, когда мы подъехали к клубу.

Я молча кивнула. Он затормозил у самых дверей, а я вышла из машины с тем выражением на физиономии, которое не оставляло сомнений: если я решила здесь остановиться, значит, гражданам в собственных интересах лучше этому не препятствовать.

Швейцар, заметив, что водитель достает мой чемодан, сбежал по лестнице мне навстречу с самой счастливой улыбкой на лице.

— Позвольте, я вам помогу.

— Сумку не забудьте, — напомнила я. — И поаккуратней.

— Не беспокойтесь. Сюда, пожалуйста.

Сопровождаемая швейцаром, я направилась к стойке регистрации. Девушки встретили меня дежурными улыбками.

— Номер люкс, — не обращая внимания на их улыбки, произнесла я. — Подальше от ресторанов. Не люблю шум.

Одна из девушек заглянула в компьютер, другая суетливо предложила:

— Присаживайтесь. Может быть, кофе?

— Сначала душ.

Мое перевоплощение в богатую стерву прошло успешно, номер я получила через пять минут. Деньги, а главное диск и камень, убрала в сейф. Приняла душ и заказала ужин в номер. Теперь мне оставалось только ждать.

В тот вечер я не пошла в казино, чувствовала себя разбитой настолько, что не смогла бы, наверное, двигаться, оттого и легла после ужина спать. А проснулась, как от толчка. Открыла глаза и замерла в страхе: мне показалось, в номере кто-то есть. Я торопливо включила ночник, углы комнаты тонули во мраке, оттуда кто-то пристально смотрел на меня. Я упала головой на подушку и заставила себя успокоиться, подозревая, что больше не усну. Выключать свет было страшно, а со светом почему-то стало еще страшней.

«Я лежу в гостиничном номере, и со мной ничего плохого не случится», — бормотала я. Свет все-таки выключила, выждав немного, поднялась и подошла к окну. Звук работающего кондиционера раздражал, я выключила его. Открыла створку окна. Ночь была душной, небо затянуло тучами, ни луны, ни звезд. «Наверное, будет гроза», — подумала я. И, несмотря на духоту, зябко поежилась. Внизу среди деревьев мелькнул свет фар, вырвав на мгновение из темноты шлагбаум и кусты с ярко-красными цветами. Машина притормозила в поисках места на стоянке, но вскоре скрылась из глаз. В ту минуту я еще не знала, что на грязном, расхристанном «Лендровере» в «Альбатрос» въезжает моя судьба.

В загородном клубе все было предусмотрено для того, чтобы клиенты не скучали. Боулинг, бассейн, лошади, лодки на пристани, здесь же под открытым небом играли музыканты, так что можно было сколько угодно услаждать себя классической музыкой. У причала красовалась яхта, самая настоящая, хоть и небольшая.

Весь день я бродила по территории, удивляясь тому, сколько придумано способов пустить деньги на ветер. Хотя наплыва граждан, желающих здесь отдохнуть, не наблюдалось, по крайней мере, в светлое время суток. Ближе к вечеру я заглянула в казино. Здесь тоже было немноголюдно. С праздным видом я прошлась по залу, ловя на себе заинтересованные взгляды.

— Давай же, решайся, — шипела я себе под нос, в

конце концов собралась с силами и направилась к парню, что тосковал у стола в ожидании клиентов. Он был молод и улыбчив, оттого я и выбрала его. — Я ищу человека по имени Самурай.

— Простите, что? — убрав с физиономии улыбку, переспросил он.

— Мне нужен Самурай.

На лице его отразилось замешательство.

— Не понимаю...

— Жаль. Он должен здесь появиться, и я рассчитывала на вашу помощь.

— Извините, но я даже не представляю, чем могу вам помочь.

Я кивнула и направилась в бар, парень проводил меня взглядом. А когда я получила заказанный кофе, заметила, как он покинул свое место и выскользнул за дверь. Через пять минут я вновь увидела его. Теперь в компании рослого дяди в дорогом костюме, судя по табличке на груди, он был менеджером. Они стояли напротив бара, укрывшись за фонтаном, и оттуда поглядывали на меня. Парень что-то говорил, а дядя хмуро слушал. Я не торопясь пила кофе, ожидая, что будет дальше. Парень вернулся за свой стол, а его собеседник сделал три круга по залу и приблизился ко мне. В какой-то момент я решила, что он пройдет мимо. Но он вдруг передумал и шагнул в мою сторону.

— Добрый день, — приветствовал он меня, взгляд его был настороженным, а улыбка фальшивой. Я молча кивнула. — Мне сказали, вы ищете одного человека.

— А вы его знаете?

— Нет.

— Тогда что вам надо? — удивилась я, спокойно выдержав его взгляд. Он вроде был в замешательстве.

— Возможно, я уже слышал это имя, то есть прозвище... я полагаю, это прозвище?

— Я тоже так полагаю.

— Допустим, я кое-что знаю о нем... Могу я вас спросить, зачем он вам понадобился?

— У меня к нему дело. Важное. Если он здесь появится, передайте, что я его ищу.

— Не могу ничего обещать... вы остановились у нас?

— Да. В двести пятнадцатом номере.

Сообразив, что от этого типа ничего не добьешься, я поднялась и отправилась к себе. Вошла в номер и в изнеможении повалилась на кровать. А потом засмеялась. Счастливо. Кирилл ничего не выдумывал, Самурай действительно существует. И этот тип в казино, несомненно, его знает.

— Он приедет, — бормотала я. — Ему обо мне расскажут, и он сам меня найдет. Хотя бы из любопытства...

Просидев в номере до десяти вечера, я вновь отправилась в казино. Не потому, что всерьез надеялась, будто Самурай появится именно сегодня, ожидание меня изматывало, необходимо было действовать, правда, я понятия не имела как. Кирилл надеялся застать Самурая в казино, оттого меня и тянуло туда, точно магнитом.

Я вошла в зал, отметив, что мужчина, разговаривавший со мной днем, прогуливается недалеко от дверей. Взглянув на меня, он заметно напрягся, а потом машинально повернул голову, словно кого-то высматривал среди присутствующих. Сердце у меня забилось часто-часто, я набрала в грудь воздуха и твердой походкой пошла вперед. Теперь народу в зале было много, но я уверена: если Самурай здесь, ему уже сказали обо мне, и он... В тот же миг я замерла, глядя прямо перед собой. Я его узнала. Сразу. Как и обещал Кирилл. Самурай сидел за карточным столом, не поднимая глаз и не обращая внимания на людей вокруг. В ту первую минуту я даже не смогла бы сказать, как он выглядит. И здесь Кирилл оказался прав. Рост, цвет волос и глаз не имели никакого значения. Я видела его и только его, и люди вокруг вдруг стали бесплотными тенями, призраками, а зал — декорацией, бутафорией, не стены, а разрисованный картон, как в театре. Настоящим здесь был только он. Мужчина в темно-сером костюме, синей рубашке, с перстнем на мизинце. Когда его руки двигались, перстень странно мерцал, от него как будто исходило сияние. «Ты узнаешь меня по тайному знаку, я узнаю тебя по перстню на пальце», — всплыло в голове когда-то услышанное, а во мне все вопило: «Это он, он!» Это в самом деле был Самурай, я это чувствовала, нет, знала наверняка. А вслед за мгновенной сумасшедшей радостью пришел страх. Потому что стало ясно: тот, кто сидит напротив, вряд ли захочет моей помощи, он был не из тех, кто в ней нуждается. Еще вопрос, захочет ли он выслушать меня, позволит ли приблизиться?

Именно так я подумала в ту минуту, и это не удивительно. В нем было что-то волнующее, то, что будоражило воображение. И одновременно нечто опасное, даже жуткое. И я поняла: невозможно справиться ни с тем, ни с другим, это вроде стихийного бедствия, никогда не знаешь, повезет тебе уцелеть или нет, но так хочется заглянуть в самую бездну. Хоть на миг. Я провела рукой по потному лбу, пытаясь прийти в себя, избавиться от странных картин, что возникли в моем воображении, стараясь увидеть в нем человека, почти обычного. И тут же стало понятно, что это невозможно. Кем-кем, а уж обычным человеком он точно не был. И все-таки я смогла справиться с паникой, огляделась вокруг, люди говорили, шумели, двигались, но по-прежнему казались мне не настоящими. Я отошла чуть в сторону, делая вид, что слежу за игрой. Он проиграл, раз, другой, с завидным равнодушием, точно наблюдал за игрой, сам в ней не участвуя. Я не заметила, как оказалась совсем рядом, боясь посмотреть в его лицо и страстно желая этого. Если честно, в тот момент я успела забыть, что привело меня сюда. Важно было одно: он здесь, он рядом. В эти несколько минут передо мной прошла вся моя жизнь, и я отчетливо поняла: все, что было раньше, не более чем прелюдия вот к этой встрече, ожидание момента, когда я войду в зал и за карточным столом увижу его.

Он бросил карты, вздохнул и вдруг повернулся в мою сторону.

— Ты уже полчаса стоишь и пялишься на меня, — произнес он. — Этому есть объяснение или ты просто чокнутая?

Я сглотнула и попробовала ответить:

— Я... — но дальше этого не пошло.

— Понятно, — кивнул он и подозвал официанта. — Принеси девушке шампанского.

Тот поклонился и поспешно отошел, а мужчина отвернулся, вроде бы потеряв ко мне интерес. Шампанское мне принесли. Я стояла рядом и пыталась придумать слова, что позволят ему понять — это я. Я всегда его ждала, а теперь, когда он появился, чувствую беспомощность и страх: вдруг он не узнает меня, пройдет мимо. Все, что приходило мне в голову, никуда не годилось, и я это понимала лучше, чем кто-либо другой, и готова была разреветься от своего бессилия. Видимо, мое надоедливое присутствие рядом его раздражало. Он прекратил игру, поднялся из-за стола, а я подняла голову, пытаясь поймать его взгляд, восприняв как данность тот факт, что, даже если бы он был одного со мной роста, мне все равно пришлось бы смотреть на него снизу вверх.

— Имя у тебя есть? — спросил он.

— Да, — кивнула я. — Только оно дурацкое.

— Я это переживу. Так как тебя зовут?

— Селина.

— Попробую запомнить. Есть хочешь?

— Что?

— Я собираюсь пригласить тебя поужинать.

— Да, хочу.

— Ну, тогда идем. — Он взял меня за руку, а второй я вцепилась в его локоть, так что он невольно покосился на меня.

«Я веду себя неправильно, — в панике думала я. — Он, чего доброго, решит, что я дура. И вправду дура. С чего я взяла, что он...»

— Ну и глазищи у тебя, — сказал он. — Никогда таких не видел.

— Что?

— Это я пытался сказать тебе комплимент, — усмехнулся он. — Как всегда, неудачно.

— Нет-нет, все в порядке, — испугалась я. — Просто я...

— Просто ты что? Будь добра, сойди с моей ноги, так мы не сможем двигаться.

Я испуганно отступила, не выпуская его локтя.

— Извините.

— Ничего, мы уже почти пришли, так что инвалидом ты меня сделать не успеешь.

Мы оказались за столом, это было и хорошо и плохо. Хорошо — оттого, что я смогла отдышаться и теперь не боялась грохнуться в обморок; плохо, что пришлось отпустить его руку. Подскочил официант, и мой спутник уткнулся в меню.

— Что будешь есть? — спросил он с сомнением.

— Все равно.

— Достойный выбор. — Он сделал заказ и добавил: — Девушке, которой все равно, то же самое. Теперь ты вдоволь можешь на меня глазеть, — сказал он, когда официант отошел. — Не могу взять в толк, чем я так тебе интересен.

— Вы... я хотела, то есть я...

— Ты, главное, не волнуйся, выпей вина.

— Я ищу Самурая, — выпалила я.

— А-а... — качнул он головой. — Кто это?

— Послушайте, мне очень важно с ним встретиться. Это действительно очень важно. Мне надо передать ему... — Я испуганно замолчала, на мгновение усомнившись: вдруг я ошиблась и этот человек вовсе не тот, кого я искала.

— Ну, если так, надеюсь, ты его найдешь, — сказал мужчина. — А пока он где-то бродит, давай выпьем.

Официант принес заказ, разлил вино в бокалы. Мой визави поднял бокал, кивнул и выпил, я тоже: большими глотками, точно меня мучила страшная жажда. Впрочем, так и было. Я не сводила глаз с мужчины напротив, кляня себя последними словами. «Скажи ему, скажи...»

— Ты ешь, ешь, — кивнул он. — Твой парень никуда не денется.

— Он не мой парень, он... Если бы он выслушал меня... это очень важно, для него важно... Я хотела бы ему помочь в очень серьезном деле. — «Вот так хорошо», — подбодрила я себя.

— В серьезном деле? — удивился он. — За длинные ноги и шикарную грудь женщин в дело не берут, — усмехнулся он. — Расплачиваются наличными.

— Меня прислал один человек, то есть он не прислал меня, он...

— Счастье мое, возьми вилку, нож и что-нибудь съешь. Я все понял, но ты обращаешься не по адресу. Я знать не знаю никакого Самурая.

— Врешь, — выпалила я и в досаде отшвырнула салфетку.

— А у тебя характер, — засмеялся он и добавил спокойно: — Нет, не вру. Я первый день в этом городе и никого здесь не знаю. Так что не трать время на объяснения, как все это важно и прочее... Я тебе верю, но при всем желании ничем помочь не смогу.

— Хорошо, — кивнула я, решив быть терпеливой. Кирилл говорил: у Самурая неприятности, кто знает, почему он не хочет быть откровенным, возможно, у него на то есть причины, серьезные. — Очень вкусно, — не чувствуя вкуса пищи, произнесла я через десять минут.

— Что-нибудь еще?

— Нет-нет, спасибо.

Далее мы ели почти в молчании, время от времени обмениваясь ничего не значащими фразами. Наконец он попросил счет.

— Ты приехала из города? — задал он мне вопрос.

— Нет, я остановилась здесь.

— Отлично.

И я поняла, что сейчас он уйдет. Просто уйдет, и неизвестно, встретимся ли мы еще когда-нибудь. От этой мысли мне сделалось так страшно, что я сказала то, что никому и никогда не сказала бы ни за что на свете:

— Можно, я пойду с вами?

— Я сам только что собирался тебе это предложить, — усмехнулся он.

Мы вошли в лифт, и я спросила:

— Как вас зовут?

— Саша, — ответил он. Лифт остановился, он вышел первым. Его номер оказался точной копией моего. Саша запер дверь, снял пиджак, повесил его в шкаф. — Проходи, — кивнул он мне. — Не стой с сиротским видом.

— Я... у вас могут быть причины мне не верить, но я здесь для того, чтобы передать вам... то есть я хотела сказать...

— Вот что, я тебе уже говорил: ни о каком Самурае я не слышал. И давай оставим это. У меня нет ни малейшего желания тратить время на бесполезные разговоры. Будешь продолжать в том же духе — выгоню. — Он снял рубашку, швырнул ее на кресло, сбросил туфли. — Предпочитаешь наслаждаться мужским стриптизом или все же начнешь шевелиться? — покосился он на меня.

— Что?

— Платье сними. Хочешь, чтобы я тебе помог?

Я стянула платье и села на краешек кровати. Мне было очень страшно, страшно оттого, что он ничего не понял. Я для него обычная девица на ночь, может, не хуже других, но и не лучше. Здесь могла оказаться совсем другая женщина, и он точно так же вел бы себя с ней. Я для него не значу ничего, ничего... а он для меня? В тот момент я твердо знала: все. И дело даже не в том, что я без него не справлюсь, не разберусь в этой истории, не найду убийцу Кирилла и не отомщу за его смерть. Я хотела быть рядом с ним, кем бы он ни был, и это желание вселяло страх, и вместе с тем я бы не хотела, чтобы было по-другому. Мы наконец-то встретились, и то, что он меня не узнал, ничего не меняло.

Я очень боялась сделать что-нибудь не так, не угодить, не понравиться ему, я знала: это неправильно, что это лучший способ потерять его, и ничего не могла с собой поделать. Он был добр, он был ласков, он хотел доставить мне удовольствие, но я-то знала, что точно так же он мог гладить собаку, впрочем, собаку он, возможно, пожалел бы и взял с собой. А вот я ему была не нужна. Девушка на три часа. Эти мысли и невозможность что-либо изменить вконец меня доконали. Мне не следовало ложиться с ним в постель, но я знала: если бы можно было все вернуть, я поступила бы точно так же.

Он уснул, уткнувшись лицом в подушку, а я кусала губы, чтобы не разреветься. Потом представила, что придет утро и надо будет что-то говорить, и, видя, как он торопится от меня отделаться, опять пытаться не разреветься. А потом он уйдет, и я ничего не смогу изменить, ничего...

Я тихо поднялась, нащупала в темноте свое платье, взяла туфли и сумку и на цыпочках направилась к двери. Я не знала, правильно ли поступаю, и была уверена, что через полчаса, через час уже пожалею об этом. Останься я здесь, и иллюзия близости продлилась бы еще какое-то время, и мое решение уйти, правильное или нет, в сущности, ничего не меняло.

Я плотно закрыла за собой дверь и пошла к лифту. В душе царили такая тоска и отчаяние, что все остальное не имело никакого значения.

— Я люблю его, а он меня нет, — сказала я самой себе, стоя в лифте и выводя пальцем узоры на зеркале. — Вот и вся сказка.

Дежурная на моем этаже отсутствовала, впрочем, мне было безразлично, что обо мне подумают.

Мой номер был как раз напротив лифта. Я вошла, не включая света, опустилась на кровать и легла, раскинув руки. Ясно было: уснуть не удастся. Я поднялась и побрела в ванную, щелкнула выключателем, открыла дверь и громко икнула. В ванне полулежал мужчина. В одежде, ботинках, запрокинув голову и открыв рот. На черной футболке кровь была почти незаметна, зато две аккуратные дырочки видны очень хорошо. Две дырочки от пуль, выпущенных ему в грудь.

— Да что ж это такое... — пробормотала я и тут же сжала рот рукой, чтобы не заорать во все горло. Парня убили, и почему-то в моей ванной. А между тем клуб огромный, и места здесь сколько угодно. Я почувствовала что-то вроде обиды, в те минуты совершенно не желая связывать появление трупа с собой, мне казалось, это какая-то идиотская ошибка, что сюда его запихнули по нелепой случайности. Не сам же он ко мне забрался. — Господи, что же делать-то? — опять пробормотала я. Стояла и таращилась на труп, не в силах сдвинуться с места. — Надо вызвать милицию, — осенило меня наконец. — Пусть они его отсюда заберут.

Я уже направилась к телефону и тут поняла: конечно, они его заберут, вот только мне придется объяснять, как он тут появился. И вряд ли они поверят, что я об этом понятия не имею. На ум пришел Кривошеин, и я глухо застонала. Этот точно не поверит. И правильно сделает, у нормальных людей в ванне трупы не появляются. Так что же делать?

Была еще причина, по которой я не хотела встречаться с милицией: Саша. Мне придется рассказать о нем. Вряд ли он мне скажет за это спасибо. Хотя Саша ко всему этому точно не имеет отношения. Или имеет? Я вконец запуталась, а время шло. Надо было на что-то решаться.

Как была, в платье и босиком, я бросилась вон из номера, опомнилась, вернулась и заперла дверь. Мне опять повезло, в коридоре я никого не встретила.

Дверь номера, где остановился Саша, была заперта, нечего удивляться, раз я сама ее захлопнула. Тут с опозданием ко мне пришла вот какая мысль: с какой стати Саша станет мне помогать? Я тихонько скулила от отчаяния, но, собравшись с силами, все-таки постучала. Тишина. Я испуганно огляделась, беспокоясь, что произвожу слишком много шума. И все-таки постучала еще раз. Наконец дверь открылась. Саша, тараща спросонья глаза, спросил с удивлением:

— Это ты?

И перевел взгляд на постель, словно сомневаясь и ожидая обнаружить там мою точную копию. Я вошла в номер и прикрыла за собой дверь.

— Где ты была? — додумался спросить он, включив свет и нахмурившись, должно быть все-таки от света, а не от моего внезапного вторжения.

— У себя в номере.

— Да?

— Саша, я не знаю, что делать, — кусая губы, сказала я.

— Лучше всего лечь спать, если не придумаем ничего более интересного.

— Я не могу спать. У меня в ванной труп.

— Что у тебя в ванной? — обалдел он.

— Труп. И я не знаю, что с ним делать.

— Ментам звонить, наверное.

— Саша, он там лежит, — заголосила я. Одной рукой он обнял меня за плечи, другой зажал рот:

— Тихо. И ради бога, без истерик. У тебя там вправду кто-то лежит?

— Конечно. Не кто-то, а труп. У него дырочки в груди.

— Дырочки? Ладно, пойдем посмотрим, что там лежит. Подожди, я сейчас оденусь.

Он натянул брюки, сунул босые ноги в туфли, достал из шкафа свитер.

— Это у тебя так зубы стучат? — повернулся он.

— Не знаю, наверное.

Мне казалось, он до последнего сомневался в моих словах, может, решил, что я чокнутая или выдумываю страшилки с неведомой целью.

Подойдя к двери своего номера, я попыталась вставить ключ в замок, но руки так дрожали, что ничего не получалось. Понаблюдав за этим, Саша забрал у меня ключ и открыл дверь сам. Мы вошли, и он ее запер.

В ванной горел свет, дверь туда была распахнута настежь, так что труп был хорошо виден. Саша приблизился к нему и коснулся его шеи.

— Дела...

Я, нервно ломая руки, стояла возле двери.

— Это не ты его?

— Что?

— Я так спросил, на всякий случай. Парня ты раньше видела?

— Нет, — отчаянно замотала я головой.

— Точно нет?

— Точно. Не знаю, — теперь я сомневалась. На миг мне даже показалось, что, возможно, я встречала покойного раньше. — У него такое страшное лицо.

— Да?

Саша внимательно посмотрел на труп и пожал плечами:

— Нормальный покойник. Держи рот открытым, ты так клацаешь зубами, что мне становится не по себе. Что ж, вызывай ментов. Трупы по их части. — Он взглянул на меня и вздохнул. — Судя по выражению твоего лица, эта идея не очень тебе нравится. Есть причина?

— Да. То есть я... там есть один мент... господи, я не знаю, что делать.

— Если честно, иметь с ними дело и мне не улыбается. Выбор у нас ограничен: либо звонить им, либо куда-нибудь вывезти труп. И то и другое мне одинаково не симпатично. А тебе?

— Я не хочу звонить, — вполне членораздельно произнесла я.

— Вот что, закрой дверь в ванную и сядь в кресло. Нет, лучше пока переоденься.

— Куда ты? — испугалась я, увидев, что он идет к двери.

— Я вернусь через пять минут.

Не успел он выйти из номера, как зазвонил телефон, тот, что стоял на тумбочке. Я испуганно подпрыгнула, потом уставилась на аппарат, не зная, что делать. Телефон звонил, а я так ничего и не решила. Если сейчас появится милиция...

В номер вошел Саша.

— Ты почему не переоделась? — грозно спросил он. Я бросилась к шкафу, на ходу стаскивая платье. — Кроссовки у тебя есть? — хмуро поинтересовался он.

Через две минуты я стояла в джинсах, свитере и кроссовках и только тогда заметила, что Саша держит в руках покрывало или скатерть.

— Идем, поможешь мне, — позвал он и направился в ванную. Расстелив на полу покрывало, мы переложили на него тело парня. Я больше путалась под ногами, чем помогала, прекрасно понимала это и панически боялась, что Саша уйдет. Он прикрыл лицо покойника концом покрывала, и я почувствовала себя немного лучше.

— Значит, так, — сказал Саша, взяв меня за локоть. — Идешь впереди и ничего не боишься. Или боишься, но все равно делаешь то, что я говорю. — Он взвалил тело себе на плечо и сказал: — Дверь открой и не забудь потом запереть ее. Тут позже надо будет убрать.

Я выглянула в коридор, свет был приглушенный, а коридор пустой.

— Налево, — тихо скомандовал Саша, а я уже собиралась нажать кнопку лифта и в досаде обругала себя идиоткой. Коридор упирался в пожарную лестницу, почему-то я решила, что труп мы здесь и оставим. Пусть вызывают милицию и сами с ним разбираются. Но Саша начал спускаться, я обогнула его и теперь шла впереди, как он велел, мало что соображая и не решаясь приставать с вопросами.

— Нам туда нельзя, — прошептала я, замерев перед дверью на улицу.

— А куда нам можно? — спросил он, и я под его взглядом толкнула дверь, она была заперта, что совершенно не удивило ни меня, ни Сашу. Он поставил тело на ноги, привалив его к стене, как скатанный ковер, и велел: — Держи его.

«Я не могу», — хотела ответить я, но слова застряли в горле. Если я не могу, ему-то все это зачем? Если он сейчас развернется и уйдет, это будет вполне справедливо. Тихонько поскуливая, я привалилась к телу спиной, так было все-таки легче, чем видеть его перед собой. Саша возился с дверью; надо отдать ему должное, с замком он справился в считаные секунды.

— Жди, — скомандовал он и вышел на улицу, вернулся через минуту, вновь взвалил труп на плечо и шикнул: — Шевелись.

Я выпорхнула на улицу. Свет фонарей и рекламы сюда не доходил, так что здесь царил непроглядный мрак, что поначалу меня порадовало. Потом я подумала, что в темноте немудрено с кем-нибудь столкнуться нос к носу, и начала мелко дрожать, очень надеясь, что какое-то время еще смогу продержаться и не лишусь сознания.

— Куда ты? — раздраженно сказал Саша. — Направо.

— Почему направо? — стуча зубами, спросила я.

— Потому что там река.

Мы прошли метров двадцать и уперлись в забор. Невысокий, но мне он показался непреодолимой преградой.

— Что же делать? — ахнула я, уже сообразив, что забор тянется вокруг всего комплекса и выйти мы сможем лишь через стоянку, что совершенно недопустимо: ведь у нас при себе труп. Там охрана, там светло, машины шныряют туда-сюда. — Надо оставить его здесь, — прошептала я. Не знаю, слышал меня Саша или нет, но поступил он неожиданно. Поднял труп и в два приема перекинул его через забор, с глухим стуком тот упал с той стороны. — Вот и правильно, — обрадовалась я.

Саша, взяв меня за руку, быстро зашагал к гостинице. Я бежала за ним, выделывая кренделя ногами, но все равно чувствовала себя лучше. Правда, недолго. Войдя в здание через ту же дверь, Саша закрыл ее и, выведя меня на свет, придирчиво оглядел со всех сторон. Потом снял с себя свитер.

— Надо же так вывозиться. Иди в мой номер,

принеси мне рубашку. Висит в шкафу. Справишься? — Он протянул мне ключ от номера, но, посмотрев на меня, вздохнул. — Нет, пойдем вместе.

Мы начали подъем по лестнице. Войдя в номер, он взял меня за плечи, легонько встряхнул, а потом пристроил в кресло:

— Сиди. Если продержишься еще полчаса, так и быть, я куплю тебе мороженое.

Он подошел к зеркалу и критически оглядел себя со всех сторон, достал рубашку. Я тоже посмотрела в зеркало и увидела дикого вида физиономию с выпученными глазами.

— Ой, — сказала я и закрыла глаза. Саше это очень не понравилось. Он легонько похлопал меня по щекам:

— Счастье мое, не вздумай упасть в обморок, это очень плохая идея. С этим вполне можно подождать, а вот с трупом нет.

Зря он про него напомнил. Глаза я открыла, но тут же свела их к переносице.

— Ладно, так даже лучше, — пробормотал Саша и подхватил меня, как недавно труп, левой рукой взял пиджак и пошел к двери.

— Куда мы? — удивилась я.

— На свежий воздух.

Я не понимала, чего он хочет, но не сопротивлялась. Лежа на его плече, я вроде бы пришла в себя.

— Я смогу идти, — сообщила доверительно.

— Правда сможешь? — усмехнулся он, но с плеча меня снял и поставил на ковровую дорожку, украшавшую коридор.

— Да, — кивнула я.

Саша перекинул пиджак через локоть, правую руку протянул мне:

— Держись. Если пару раз споткнешься, не страшно.

Он направился к лифту, что меня удивило, но задавать вопросы я не рискнула. Лифт спустился вниз, двери открылись, и я увидела граждан, мельтешащих в холле. Их вид так на меня подействовал, что я с перепугу подалась назад.

— Куда? — рыкнул Саша, обнял меня за талию и повел к выходу. Я была уверена, что все, кто находился по соседству, сразу поняли по моей физиономии, чем я занималась пятнадцать минут назад. Я уже видела себя в зале суда, тщетно пытающуюся объяснить, что появление трупа в ванной моего номера досадное недоразумение, и опять тихонько застонала, уверенная, что получу хорошую затрещину от Саши за свое слабоволие, но он ласково пропел, поравнявшись со швейцаром: — Ничего, милая, на свежем воздухе тебе станет легче. Ну, вот, посмотри, какие звезды.

Я доверчиво подняла голову, но звезд в огнях рекламы не увидела. Мы направились к стоянке. По тропинке, выложенной разноцветной плиткой, вышли с территории «Альбатроса». И тут Саша ускорил шаг.

— Двигайся, — буркнул он, свернул, и мы пошли вдоль забора.

— Что ты собираешься делать? — Я обрела дар речи, так же неожиданно, как и лишилась его.

— Избавиться от трупа, — ответил он. — Ты успела о нем забыть?

— Саша, — вцепилась я в него обеими руками. — Не надо избавляться, пусть он полежит там.

— Сдурела? Завтра утром здесь будет полно ментов, и как ты намерена выкручиваться?

— Почему именно я должна иметь к этому трупу какое-то отношение?

— Потому что ты, как я понял, уже на заметке у ментов. Или нет?

— Да. Наверное. Не знаю.

— Всеобъемлющий ответ. Смотри под ноги, ты без конца спотыкаешься.

— Что я увижу в такой темноте?

Я повисла на его локте, прижимаясь к нему все теснее.

— Счастье мое, ты меня возбуждаешь, я ничего не имею против, но только чуть позже.

Я резко отодвинулась, но его локтя не выпустила.

— Меня зовут Селина. Се-ли-на, — произнесла я по слогам.

— Потом запишешь на бумажке.

— А так ты запомнить не можешь?

— Стараюсь изо всех сил. А ты постарайся мне помочь, в конце концов — это твой труп.

— Не вспоминай о нем, пожалуйста.

— Я бы рад, но пока он лежит неприбранный, все мои мысли только о нем.

Минут через двадцать мы вышли к тому месту, где труп должен был лежать. Это Саша сказал, я сама не могла сообразить, где мы находимся, если честно, думалось мне по-прежнему плохо. Лес вплотную подступал к забору, ноги утопали в песке вперемешку с хвоей, росли здесь преимущественно ели и сосны.

— Ну, вот и наш друг, — вздохнул Саша, из темноты проступали очертания тела. — Времени у нас совсем нет, скоро рассвет, — хмуро глядя на меня, добавил он. Снял рубашку, сунул ее мне вместе с пиджаком, завернул труп в покрывало и вновь взвалил его на плечо.

— Он, наверное, тяжелый, — посочувствовала я.

— Что ты, легкий, как перышко. Не отставай.

— Куда мы теперь?

— К реке.

— Она вон там, — я ткнула рукой прямо перед собой, в той стороне горели огни лодочной станции.

— Умница, но нам туда не надо. Слишком близко к цивилизации.

Идти по лесу оказалось проще, чем я ожидала, трава была редкая, да и деревья росли на приличном расстоянии друг от друга. Река возникла совершенно неожиданно: ельник, а дальше пологий спуск к воде. Саша направился туда, я вприпрыжку за ним, слыша, как плещется вода у самого берега. Пробираться через низкий ельник оказалось трудной задачей. Саша сбросил труп на землю, связал концы покрывала и посмотрел на меня:

— Держи его за ноги.

Я повиновалась, но при первом же шаге осела на землю.

— Я должна собраться с силами, — шептала я и, чтобы себя подбодрить, вспомнила строки, обессмертившие русских женщин.

— Что ты бормочешь? Молишься, что ли? — удивился Саша.

— Стихи читаю.

— Серьезно?

— Ага... «Коня на скаку остановит, в горящую избу войдет». Чем я хуже?

— Если в избу горящую войдем, — сказал он, — опознают нас только по зубам.

Труп был тяжелым. Я опять попыталась ухватить покойника за ноги, услышав грозный окрик «Шевелись», но они непостижимым образом выскользнули из моих рук, и я с тихим стоном вторично опустилась на землю. Не дожидаясь очередного окрика, я вскочила, ухватилась за ноги трупа и, тяжело дыша, сделала первые несколько шагов. К счастью, ельник быстро кончился. Мы спустились к реке и положили тело у самой воды.

— Набери камней, — сказал Саша и сам стал их собирать. Здесь их было много. Мы складывали камни в покрывало, вскоре Саша решил, что их достаточно. — Хоть всплывет не сразу, — прокомментировал он. — А теперь соберись, — обратился он ко мне. — И еще раз посмотри на его физиономию. Ты видела его раньше? — Он чиркнул зажигалкой прямо над лицом покойника. Я сцепила зубы, но заставила себя посмотреть на него. — Видела или нет?

Я наклонилась ниже, и вдруг страх отступил. Я его узнала. И сразу вспомнила пешеходный переход и Кирилла, этот парень поравнялся с нами, Кирилл дернул меня за локоть, я оказалась за его спиной, а они задели друг друга плечами.

— Это он, — тихо сказала я.

— Кто?

— Он убил Кирилла.

Саша сбросил туфли, разделся и вошел в реку, волоча за собой труп. Тот медленно погружался. Сначала скрылось в воде лицо, и это было особенно жутко, совершенно нелепая мысль о том, что он захлебнется, пришла мне в голову. Последними скрылись под водой остроносые туфли. Саша вернулся на берег, где я сидела, держа в руках его одежду.

Набив свой свитер камнями, он и его бросил в воду.

— А вдруг найдут? — сказала я испуганно. — И отыщут тебя по этому свитеру? — В детективах я видела и не такое.

— Ну, посадить меня они при всем желании не успеют, так что я не вижу в этом ничего страшного. Идем.

Мы поднялись к ельнику, Саша подождал, когда немного обсохнет, и оделся.

— Ты его в гостинице не узнала или просто валяла дурака? — спросил он, когда мы направлялись к «Альбатросу».

— Этого парня? Не знаю... Я не была уверена...

— А теперь?

— Я же сказала, это он убил Кирилла.

Я ожидала, что Саша станет задавать вопросы, но он замолчал. А я мучилась мыслью: могу ли я взять его за руку? Теперь, когда я вроде бы пришла в себя и в состоянии двигаться самостоятельно. Будь на его месте кто-то другой, вряд ли я задалась этим вопросом, но сейчас все было иначе. В конце концов я решила рискнуть, поравнялась с ним и ухватилась за его локоть. Он хмуро взглянул, но ничего не сказал, а я с облегчением вздохнула.

Мы вернулись к кирпичному забору и пошли вдоль него к стоянке. Саша молчал, а я опять перепугалась: что, если оказавшись в гостинице, он отправится в свой номер, решив, что и так слишком много сделал для меня? Я даже представить не хотела, что будет со мной в этом случае. Мысль о том, что этой ночью нужно проститься с ним навсегда, казалась мне чудовищной, но, к сожалению, вполне вероятной. Чем, как я смогу удержать его? Я уже знала, догадывалась: удержать его помимо воли идея совершенно бесперспективная, он из тех, кто делает только то, что хочет.

— Не бросай меня, — сказала я тихо, но была уверена, что он услышал.

— Я тебя еще даже не нашел, — ворчливо ответил он через полминуты, показавшиеся мне вечностью. Я приободрилась, а когда мы вошли в холл, нахально повисла на нем, что вполне соответствовало нашей предполагаемой легенде: подвыпившую девицу выводили прогуляться, но прогулка не особенно пошла ей на пользу.

В лифте мне пришлось от Саши отлепиться, раз зрители отсутствовали, он нажал кнопку второго этажа, где находился мой номер, сам он жил на пятом, двери открылись, и мое сердце остановилось. Вот сейчас... Он вышел вместе со мной, и сердце мое застучало вновь.

Взяв у меня ключи, Саша открыл дверь и пропустил меня в номер. Включил свет. Я повернулась к нему и сказала:

— Спасибо. Не представляю, что бы я делала...

— Да не за что. Прятать трупы — это вообще-то мое хобби. Один, два за ночь...

— Не думай, что я не понимаю...

— Будь добра, помолчи. Лучше ляг и попытайся вздремнуть, а я уберу в ванной.

— Я могу...

— Уверен, что можешь. А теперь проваливай.

Я пошла в спальню, сняла кроссовки и легла поверх покрывала. О том, чтобы уснуть, не могло быть и речи. Прежде всего этому не способствовала недавняя прогулка, но была еще одна причина. Я усну, а он уйдет, и я его больше никогда не увижу. Я была готова хоть каждую ночь таскать трупы, лишь бы он был рядом. Глупость, конечно, но именно так я думала в тот момент.

Мне хотелось помочь ему, но я знала, что он рассердится, оттого и не смела подняться. Прислушивалась к шуму воды и ждала, когда скрипнет дверь. Шум стих, а дверь закрылась бесшумно, потом он позвал:

— Эй, ты спишь?

— Конечно, нет, — ответила я, садясь в постели.

— Выпить хочешь?

— Я вообще-то не пью.

— А я вообще-то не занимаюсь транспортировкой трупов, — съязвил он, но тут же подобрел: — Ладно, не смотри на меня с таким несчастным видом. У нас есть повод: выпьем за упокой души, не знаю, как его... Могу заказать тебе кофе. Хочешь?

— Давай, — вздохнула я.

Он подошел к телефону, набрал номер, сделал заказ.

— Разденься и ложись в постель, — повернулся он ко мне. — Мы должны походить на истомленных любовью, а не на могильщиков.

Сам он достал халат из шкафа и переоделся, а я вздохнула с облегчением. Если бы он собирался уйти через несколько минут, не стал бы этого делать.

В дверь постучали, и он пошел открывать, а я постаралась вообразить, как должны выглядеть истомленные любовью. Молодой человек прошел в спальню и, косясь в мою сторону, поставил поднос на столик. Я выжала из себя улыбку, а Саша проводил его до двери. Вернулся, сел в кресло, выпил текилы и посмотрел на меня с сомнением.

— Кофе остынет.

Я перебралась в кресло.

— Рассказывай, — сказал он.

— Что?

— Все. Только по существу. Что это за парень, которого мы похоронили, кто такой Кирилл. Как ты во все это вляпалась.

— С Кириллом мы познакомились в этом городе.

— Кстати, а что ты здесь делаешь? — проявил он интерес.

— Я с мужем развелась, вот и приехала сюда. Мне было все равно куда ехать, а тут места красивые.

— Ты что, художница? — кивнул он на мольберт.

— Нет, это так просто, от нечего делать.

— Что ты еще успела совершить от нечего делать?

— Все не так, как ты думаешь, — вздохнула я. — Все очень серьезно.

— Это я уже понял. Так что Кирилл?

— Мы познакомились на набережной. Я рисовала, он подошел, и мы разговорились. Он приехал, чтобы помочь другу. Так он мне сказал.

— Что за друг?

— Он называл его Самураем.

— Вот как? — Саша вроде бы удивился.

— Да. Его друг в большой беде, а Кирилл хотел передать ему компьютерный диск, был уверен, что Самураю это поможет.

— Что на диске?

— Я не знаю. Кирилл сказал, что тоже не знает.

— Звучит немного глупо, не находишь?

— Он сказал: его друг не любит, когда суют нос в его дела, вот он и не стал смотреть.

— Гениально. Откуда тогда уверенность, что этот диск другу поможет?

— Мне трудно объяснить. Но Кирилл был в этом уверен. Те, кто желал его другу зла, очень не хотели, чтобы диск оказался у него. Потому Кирилл и решил, что он Самураю поможет.

— А как диск попал к Кириллу?

— Он его украл. Он сказал, это было нелегко, но он очень хотел помочь...

— Что это вообще за парень, а? Что ты о нем знаешь?

— О Самурае?

— При чем здесь какой-то Самурай? Я о твоем Кирилле спрашиваю.

— Он вор.

— Ну и друзья у тебя.

— Кирилл не простой вор, он — гений.

— Разумеется, — презрительно фыркнул Саша.

— Зря иронизируешь. Он и вправду был гений. Мог снять часы с человека, а тот и не заметит.

— Цирк какой-то.

— Да, он учился в цирковом училище. А потом стал вором.

— Сколько вы с ним были знакомы?

— Несколько дней, — вздохнула я.

— И он вот так взял и признался тебе: я — вор?

— Да. То есть он не просто взял и сказал. Мы пошли сюда, в «Альбатрос», он был уверен, что его друг здесь появится. Он ждал его, нашел сообщение в Интернете. Мы были в ресторане, он пригласил меня танцевать, и, когда мы шли между столиков, он... в общем, он украл два бумажника и еще какие-то вещи. И показал их мне. Я испугалась, и тогда он все вернул.

— А этому чокнутому не пришло в голову, что ты сдашь его ментам?

— Я бы этого не сделала. А потом... он считал меня воровкой.

— Час от часу не легче. А ты что украла?

— Деньги. У своего мужа. Я подала на развод и сбежала за границу. И получила половину его состояния, — пряча глаза, сказала я, мне было стыдно, но соврать я не рискнула.

— И по этой причине он назвал тебя воровкой?

— Назвал. Самой прекрасной в мире.

— Ну, с этим я спорить не буду. Мое знакомство с Уголовным кодексом весьма поверхностно, но оттяпать у мужа деньги через суд воровством не считается. Миллионы баб во всем мире только тем и заняты. Богоугодным такой поступок не назовешь, но и в тюрьму за него не сядешь. Ладно, он вернул все законным владельцам. Что дальше?

— На следующий вечер мы опять были здесь. Ужинали в ресторане. За столом, ближе к эстраде, сидел мужчина, любовник девушки, что поет тут по вечерам, ее зовут Кристина. На ней был изумруд, большой и дорогой, конечно. Любовник, увидев его на ней, очень разозлился. Поднялся и пошел к Кристине в гримерную. Я была в туалете и, когда она возвращалась после выступления, пошла за ней.

— С какой стати?

— Мне было интересно.

— Серьезный повод.

— Мужчина сорвал с нее изумруд и положил в свой карман. А Кирилл его украл.

— Та-ак, — теперь в голосе Саши появился интерес.

— Он хотел продать его местному ювелиру, Миронову Николаю Аристарховичу. Тот не взял камень, сказал, что подумает. Вечером Кирилл позвонил ему, но трубку снял кто-то другой. Потом туда позвонила я и попросила позвать Миронова к телефону, мне сказали, что он ушел домой. Ночью мы заехали к нему в магазин, Кирилл подозревал, что со стариком что-то случилось. Сигнализация не работала, и это его насторожило.

— И вы не придумали ничего умнее, как в этот самый магазин влезть?

— Да, — кивнула я, чем, должно быть, причинила Саше страдания, потому что лицо его исказилось, точно он кислое съел.

— Ювелир приказал долго жить? — подсказал он.

— Да, его застрелили. На следующий день у меня появился человек по фамилии Кривошеин. Следователь. Он искал Кирилла, потому что успел поинтересоваться, кто звонил Миронову накануне вечером.

— А звонили вы, конечно, отсюда?

— Из гостиницы, но тогда мы жили не здесь, а в «Старом дворике».

— Просто детский сад какой-то.

— Кирилл не мог знать, что старика убьют.

— Но мог бы предположить, что воровать изумруды не совсем безопасно. Дальше.

— Кирилл уже к тому моменту покинул гостиницу. Когда появился Кривошеин, я ничего не рассказала о Кирилле, да и нечего было, я в самом деле ничего о нем не знаю. Только имя. Но оно не настоящее. Мы продолжали встречаться с Кириллом...

— Вам не пришло в голову, что это... как бы помягче выразиться... неразумно?

— Пришло. Кирилл переоделся девушкой, и они его не узнали. Я дала ему свои вещи.

Саша смотрел на меня так, точно я спятила. Я подумала: стоит ли сказать ему правду о том, кем на самом деле был Кирилл. Я хотела, но не смогла. Для меня Кирилл был мужчиной.

— Он разгуливал по городу в твоих вещах?

— Да. Он выглядел вполне... женственно. Никто не догадался.

— Выходит, все-таки догадались, если его убили. — Я вздохнула. — Как это произошло?

— Мы гуляли по городу, Кирилл заметил парня в черной футболке. Ему показалось, что он следит за нами. За нами, в общем-то, постоянно наблюдали, но этот тип его насторожил. Очень насторожил. Потому Кирилл спрятал диск и изумруд в коробку с зефиром и оставил пакет в ячейке супермаркета. А когда мы переходили улицу, опять увидели этого парня. Он шел навстречу, поравнялся с нами и ударил Кирилла ножом. Кирилл умер до приезда «Скорой», — с трудом произнесла я.

— Как отреагировали менты на ваш маскарад? У них наверняка возникли вопросы. Почему парень, которого они ищут, разгуливает по городу с тобой в женских тряпках?

— Я им сказала, что мы познакомились в гостинице, девушка назвалась Анной, а больше я ничего не знаю.

— И они поверили?

— Не знаю. Вряд ли, но им пришлось с этим смириться.

— Должен заметить, что это очень странно.

— Возможно, они наблюдают за мной, — тихо сказала я, подумав, что на нашу ночную прогулку с трупом могли обратить внимание. Вряд ли Саша будет благодарен мне за это. Я очень боялась вызвать его гнев, но он спокойно кивнул, как будто предполагаемые неприятности ничуть его не волновали.

— Если бы они взялись за тебя всерьез, ты бы выложила им все, — пожал он плечами.

В этот момент зазвонил телефон. Я вздрогнула от неожиданности и испуганно посмотрела на него. Саша снял трубку:

— Да. — В трубке царила тишина. Я сидела рядом, оттого не могла ошибиться. Саша выждал немного и положил ее на рычаг. — Есть идеи, кто это может быть? — повернулся он ко мне. Я испуганно покачала головой.

— Сегодня уже звонили, — вспомнила я. — Когда ты уходил... перед тем, как вынести труп. Но я не сняла трубку.

— Что ж, посмотрим, что будет дальше. На всякий случай запомни следующее: мы познакомились в казино, поужинали, потом пошли ко мне. Я вел себя по-хамски, ты обиделась и ушла. В одиночестве напилась в своем номере и решила выяснить отношения, оттого и явилась ко мне среди ночи. Чтобы привести тебя в чувства, я отправился с тобой на прогулку. Когда ты немного успокоилась, мы пришли сюда. Врать ты должна убедительно, опыт у тебя уже есть, так что постарайся.

Я нахмурилась, потому что в его словах мне почудилась насмешка, даже презрение.

— Я врала, чтобы помочь ему.

— Своему любовнику?

— Он не был моим любовником.

— Серьезно? В такое трудно поверить. С какой стати в этом случае...

— Он был мне другом. А его убили. Я должна найти того, кто это сделал.

— Так вроде уже нашла. Он теперь в речке, рыбок кормит.

— Он просто исполнитель. А мне нужен тот, кто...

— Я понял. Что ж, попробую разобраться. Если успею, конечно. Значит, по-твоему, парня убили из-за камня?

— Из-за камня или диска, который он украл. Если его друг в беде и его враги знали о том, что сделал Кирилл...

— Где камень?

— Здесь, в сейфе.

Я поднялась и прошла к сейфу, набрала код, достала завернутый в платок изумруд, диск и вернулась к Саше.

— Вот.

Он взял камень в руку, повертел его.

— Интересная вещица. Не возражаешь, если я оставлю его у себя?

— Конечно.

Он посмотрел как-то странно, бросил камень на стол. На диск даже не взглянул.

— Ты возьмешь его? — не выдержала я.

— Диск? Зачем? — удивился он.

— Если Кирилл...

— Боишься его хранить у себя?

— Я не боюсь. Я хочу, чтобы он оказался у Самурая.

— Тут я тебе не помощник. Никогда не слышал о нем и, признаться, не хочу.

Он говорил убедительно, но я ему не верила, хотя никаких разумных оснований у меня для этого не было.

— Пожалуй, будет спокойней, если и то и другое пока останется у меня, — подумав, добавил он. — Вскрыть сейф для профи не проблема. Найдешь своего Самурая, и я верну тебе диск. Значит, камень был у певички?

— Да, ее зовут Кристина.

— Знаю я, как ее зовут, — проворчал Саша, а я почувствовала легкое беспокойство. По тому, как он это сказал, я поняла, что, должно быть, не только ее имя ему известно. Вдруг их что-то связывает? — Вечером в ресторане ее не было, — подумал Саша вслух.

— Да, — кивнула я, удивившись, что не обратила на это внимания. Впрочем, я была в таком состоянии, что не реагировала на окружающих.

— Надо будет потолковать с красоткой, откуда у нее камень и почему ее друг так возбудился, увидев изумруд на ее шее.

— По-твоему, она станет с тобой откровенничать? — усомнилась я.

— Может, и не станет. Или не сможет. Но попытаться стоит.

— Не сможет? — испугалась я. — Ты хочешь сказать...

— Я хочу сказать: если из-за камня убили старика и твоего Кирилла, список жертв вполне могут продолжить.

— Господи, — пролепетала я. — Мы должны ее предупредить.

— Кристину? Можно попытаться, — пожал он плечами. Снял трубку и стал набирать номер. — Если повезет и она дома, — пояснил Саша. — И не сменила место жительства, что вполне вероятно.

— Ты знаком с ней? — спросила я, чувствуя, как беспокойство по этому поводу стремительно нарастает.

Я представила Кристину в ее серебристом платье и стиснула зубы, заходясь от ревности. Ответить Саша не успел, да мне и не нужен был ответ, ведь то, что произошло вслед за моим вопросом, не нуждалось ни в каких комментариях. На том конце сняли трубку и женский голос сонно произнес:

— Слушаю.

— Привет, счастье мое, — сказал Саша, а я поспешно отвернулась, так невыносимо было слышать его слова.

— Это ты? — ахнула женщина.

— Конечно, я.

— Ты... ты... — закричала она. — Сволочь, мерзавец, где ты был все это время? Скотина неблагодарная... я... о господи, чтоб ты подох, сволочь. — Саша отодвинул трубку от уха и терпеливо слушал.

— Милая, мне непонятен твой гнев, — улучив момент, заговорил он. — Я-то думал, что мы расстались друзьями.

— Друзьями? Скотина. Я каждый день ждала, я... ты мог хотя бы позвонить, но ты исчез, ничего не сказав, я чуть не спятила, а теперь ты являешься и говоришь, что мы расстались друзьями? Ты меня бросил, сволочь, бросил, как...

— Милая, успокойся и выслушай меня.

— Ненавижу! — крикнула она, далее пошли гудки. Я стояла, съежившись, вздрагивая от его слов, как от ударов. В том, что говорила женщина, я видела свою судьбу. Вот так же он вдруг исчезнет, а я буду ждать, не находя покоя и не веря, что он когда-нибудь вернется.

— Н-да, — сказал Саша, вешая трубку. — Будем надеяться, что она немного успокоится и нам удастся поговорить.

В тот момент я его тоже почти ненавидела, в предчувствии той боли, которую он причинит мне, и все-таки страшно испугалась, когда он поднялся и сбросил халат. Испугалась, что он сейчас уйдет.

— Ты... — начала я, пытаясь придумать предлог, чтобы задержать его, но он не нуждался в предлогах, лег на кровать и похлопал по матрасу рядом с собой.

— Ложись спать, лично у меня глаза слипаются. Ничего полезного для раскрытия всех этих тайн мы все равно сейчас не сделаем.

Я выключила свет и легла. За окном давно рассвело, и в комнате теперь было неуютно и серо, как у меня на душе. Саша отвернулся, устраиваясь поудобнее, а я лежала, вцепившись в одеяло, больше всего боясь, что разревусь, глупо, по-бабьи. А потом подумала: далеко не каждый, оказавшись в подобной ситуации, вел бы себя, как Саша. Не стал бы прятать труп, ввязываясь черт знает во что из-за девицы, с которой за пару часов до этого познакомился в казино. Он мог просто выставить меня за дверь и забыть через пять минут. Но он этого не сделал. Более того, он хочет помочь мне. Если успеет. Так он сказал. Почему он так сказал? У него мало времени? Он здесь ненадолго и вскоре собирается уезжать?

Я повернулась на бок, разглядывая его затылок. Если бы он захотел, я могла бы поехать с ним. Мне даже неважно куда. Только вряд ли он захочет. Превозмогая робость, я прижалась к нему, уткнувшись носом в его спину. Я была уверена, что он спит. Но это было не так. Он повернулся ко мне, и совсем рядом я увидела его глаза. Он улыбнулся и обнял меня.

— Не бойся, — сказал тихо и поцеловал меня.

Я проснулась около десяти. Дверь в ванную была открыта, оттуда появился Саша.

— Подъем, — сказал он громко. — Навестим нашу девушку. Раньше двенадцати она не встает, значит, есть шанс застать ее дома. Надо еще успеть позавтракать.

— Отвернись, — попросила я, приподнимаясь на постели.

— Странная фантазия, — усмехнулся он, но отвернулся.

Я прошмыгнула в ванную, прихватив халат.

— Встретимся в ресторане, — сказал он мне, через минуту я услышала, как захлопнулась дверь номера.

Минут через сорок мы уже были на стоянке «Альбатроса». Саша направился к грязному «Лендроверу», вид у того был такой, точно раз двадцать за последние три дня на нем уходили от погони по российскому бездорожью. Я подумала, что машина совсем Саше не подходит, а еще подумала, что не встречала человека, который носил бы костюмы с таким шиком. Дорогой костюм выглядел на Саше так естественно, точно он в нем родился. Невозможно было представить его, например, в джинсах. Двигался он легко, вроде бы неспешно, и вместе с тем в нем чувствовалась внутренняя собранность, словно он готов был к любой неожиданности. На манжетах белоснежной рубашки сверкали запонки с черным камнем. Встреть я на улице подобного парня, решила бы, что он выпендрежник, но при взгляде на Сашу такое даже в голову не приходило. Все в нем было абсолютно естественным, зато грязная машина диссонировала с его щеголеватым видом. Ему бы больше подошла спортивная тачка, что-нибудь эдакое экзотическое.

— Тебе не нравится моя старуха, — усмехнулся Саша, понаблюдав за мной и распахнув дверь со стороны пассажира.

— Почему она такая грязная?

— Потому что рабочая лошадка. Вымою ее при первой возможности, чтобы доставить тебе удовольствие.

А я вдруг задалась мыслью: кем он может быть? И, устроившись на сиденье, собралась с силами и спросила, хотя могла бы и догадаться: вряд ли он захочет отвечать.

— Ты кто?

— Я? — поднял он брови. — Мужчина средних лет, белый, рост сто девяносто сантиметров, волосы темные...

— Я не об этом, — вздохнула я. — Чем ты занимаешься?

— В настоящий момент пытаюсь тебе помочь. Пристегнись.

— А вообще?

— Вообще, ищу неприятности и, как правило, их нахожу. Вот, к примеру, тебя нашел.

— Это я тебя нашла.

— Не буду спорить, — кивнул он.

— Фамилия у тебя есть? — не отступала я.

— Ага. Даже паспорт есть. Только какое тебе дело до моей фамилии?

— Я бы хотела знать о тебе как можно больше.

— Лучше не надо.

— Почему?

— Ты чего приставучая такая?

— Не хочешь ничего рассказывать, потому что уверен: все это ненадолго?

— Что — все? — удивился он, выезжая со стоянки.

— Ты Кристину бросил и меня бросишь точно так же.

— Еще пару слов в том же духе, и ты отправишься в гостиницу. Давай договоримся сразу: никакой болтовни на тему большой любви, а также небольшой или совсем маленькой. Ты хочешь знать, кто и за что убил твоего Кирилла, я тебе собираюсь помочь. Будем считать, что мы пришли к соглашению. Пришли?

Я кивнула со вздохом, отворачиваясь к окну.

Кристина жила в новом районе за рекой. Чтобы попасть туда, пришлось проехать через весь город. Саша больше не произнес ни слова, и я боялась нарушить молчание, потому что уже поняла: он не шутил и в самом деле способен просто выставить меня из машины и из своей жизни тоже. Я занимала в ней очень незначительное место. Но он хотел мне помочь, пусть я и не знала по какой причине, но это вселяло надежду.

Мостовая в одном из переулков, по которому мы проезжали, оказалась на редкость скверной, а ездить медленно Саша, как выяснилось, просто не умел. На очередном участке нас тряхнуло, и из-под сиденья мне под ноги выкатился пистолет. Я открыла рот, собираясь произнести очередную глупость, Саша покосился недовольно, потом притормозил машину, наклонился и сунул пистолет обратно под сиденье. Под его взглядом задавать вопросы сразу расхотелось. Саша снова завел мотор.

Наконец показался нужный нам дом. Обычная девятиэтажка с мусорными баками во дворе и несколькими чахлыми деревцами у подъездов. Саша притормозил у третьего.

— Идем, — сказал он, что, признаться, меня удивило. Я ожидала, что останусь в машине.

— Ты уверен, что мне стоит туда идти? — нахмурилась я.

— Почему бы нет? Девушка должна уже успокоиться и скандалить не станет. Хотя...

Я все-таки пошла с ним, помня о том, что старая любовь не ржавеет. Вдруг девица начнет его соблазнять? «Он делает только то, что хочет», — с грустью думала я, поднимаясь с ним в лифте. На седьмом этаже мы вышли. Саша позвонил в дверь напротив выхода из лифта. Сунул руки в карманы брюк и стал ждать. За дверью царила тишина. Второй раз на звонок нажала я, с тем же успехом. Саша пожал плечами, потом толкнул дверь. Она открылась. Саша вошел в прихожую, огляделся и позвал:

— Счастье мое, ты меня слышишь?

Никто не ответил. Я бестолково толклась у порога, но дверь за собой закрыла. Саша не спеша прошел на кухню, потом свернул в коридор и скрылся из поля зрения. Потомившись в прихожей, я пошла за ним. Дверь в спальню была распахнута настежь, разобранная кровать пуста. Саша был в гостиной, где стояли диван, кресла и кинотеатр у противоположной стены, он замер перед креслом спиной ко мне и что-то разглядывал у себя под ногами. Я приблизилась и увидела Кристину. Она полулежала возле кресла, голова откинута на подлокотник, рот приоткрыт, на подбородке и щеках видны следы рвоты. Саша коснулся ее шеи и покачал головой.

— Что с ней? — испуганно спросила я.

— Передоза. Обычное дело.

— Она что... надо вызвать врача.

— Бесполезно. Врач ей не поможет. Она умерла часа два назад.

Я заставила себя еще раз посмотреть на Кристину, она была в ночной рубашке ярко-красного цвета, на лице размазанная косметика, глаза закатились. Саша молча оглядывался. Потом прошел на кухню, я за ним. Он заглянул в мусорное ведро и чертыхнулся.

— Идиотка.

— Она наркоманка? — спросила я.

— С приличным стажем.

— Ты уверен, что она сама... — Эта мысль меня

испугала, а еще я подумала, что вижу уже четвертый труп за последние несколько дней.

— Не уверен, — покачал головой Саша. — Но менты, скорее всего, копать не будут. Девушка хорошо им известна. Меня смущает дверь, оставленная открытой, но наркоманы такой народ... — Саша пожал плечами, потом оглядел кухню. На столе стояла открытая бутылка коньяка и бокал, рядом пепельница, доверху заполненная окурками.

— Они узнают, что ты звонил, — облизнув губы, сказала я.

— Почему бы мне ей и не позвонить? Вспомнил старую подружку. А то, что я звонил из твоего номера... всегда можно сказать, что ты в тот момент была в ванной.

— Тебя не удивило, что она... ты ведь говорил...

— Я помню, что говорил.

Он достал из кармана изумруд, поразглядывал его, держа за цепочку, сунул назад в карман.

— Что-то за этой вещицей есть. Что-то очень любопытное. Идем.

Только в тот момент я сообразила, что мы находимся в чужой квартире, где лежит мертвая женщина, и заспешила к входной двери.

— Миронов, Кирилл... теперь эта девушка, — сказала я уже в машине. — Без нее мы вряд ли узнаем...

— Узнаем, — отмахнулся Саша. — Бабы болтливы по своей природе, а у Кристины была подруга. Они часто скандалили и даже дрались не раз, но в общем-то доверяли друг другу. Придется навестить Дусю. Она живет неподалеку.

— Может быть, стоит позвонить в милицию? — неуверенно спросила я.

— Она и позвонит. Если захочет.

По улице с бесконечной вереницей одинаковых домов мы выехали на проспект. Слева между высоченных зданий, возведенных недавно, притулился двухэтажный дом из красного кирпича. Мы свернули во двор. В доме был всего один подъезд. Саша набрал цифру «четыре» на домофоне и стал ждать.

— Кто? — сурово спросил женский голос, низкий, хриплый, дама зашлась в кашле, а Саша ответил:

— Дуся, открой, пожалуйста.

— Это ты? — ахнула она.

— Да. Это я, Саша.

— Заходи, — помедлив, ответила женщина и открыла.

Мы вошли в подъезд. На первом этаже дверь квартиры справа была открыта, на пороге стояла женщина лет тридцати пяти, высокая, темноволосая и очень красивая какой-то вызывающей, дикой красотой. Волосы падали на ее грудь, глаза ярко блестели. Она стояла совершенно голая, но это не смущало ее. Не смутило и Сашу. Из нас троих только я почувствовала неловкость.

— Вот так сюрприз, — сказала Дуся. Трудно было придумать имя, которое так же мало подходило бы ей, как это. Дуся обняла Сашу, нет, повисла на нем и поцеловала в губы, прижимаясь к нему всем телом, поцелуй вышел долгим. Саша обнял ее, но, к моему облегчению, на страстные объятия это все-таки не походило, по крайней мере, с его стороны. Он снял ее руки со своей шеи и сказал, отстраняясь:

— Обалдеть. Ты стала еще красивее.

Тут женщина удосужилась взглянуть на меня и нахмурилась:

— Кто это?

— Я постоянно забываю, как ее зовут, — ответил он и тоже посмотрел на меня с таким видом, как будто пытался решить, откуда я здесь взялась.

— Завел новую подружку? — усмехнулась Дуся, сцепила руки на груди и изучала меня. — У тебя что, изменились вкусы? Эта похожа на студентку-отличницу.

— На самом деле она воровка, — порадовал он ее.

Теперь в недоумении пребывала Дуся, а я мысленно чертыхнулась, одновременно поймав себя на мысли, что злиться на Сашу не в состоянии, то есть я разозлилась, конечно, но тут же испуганно подумала, что мой гневный вид, чего доброго, по душе ему не придется.

— Шутишь? — произнесла Дуся.

— Шучу. Она всего-навсего оттяпала деньги у мужа, невинные девичьи шалости. Войти можно?

— Конечно, — опомнилась Дуся.

Мы вошли в просторную прихожую, и хозяйка поспешно закрыла дверь на замок, а потом еще накинула цепочку.

— Проходи на кухню.

Я исподтишка оглядывалась, следуя за Сашей и этой дамочкой. Все в ее доме резко отличалось от того, что я видела у Кристины. У той была новая квартира с так называемым евроремонтом. Здесь ремонт не делали лет двадцать, обои в цветочек, на полу паркет, старый, в щербинах и пятнах, вытершийся и потускневший. И антикварная мебель. Наверное, еще с дореволюционных времен. Громоздкий шкаф на кухне, темный, с резьбой на многочисленных дверцах, занимал половину стены. Старинную тумбочку переделали под мойку, еще был круглый стол с венскими стульями под абажуром с кистями, на окне темные шторы, а в шкафу посуда, которую можно увидеть разве что в музее. Я разглядывала окружающие предметы, а Дуся Сашу.

— Ты ничуть не изменился. Все такой же. Только девка другая, — взглянув на меня, добавила она. — Садитесь.

Мы устроились за столом, хозяйка удалилась, но через минуту вернулась, на этот раз, к моему великому облегчению, набросив пеньюар. Он мало что скрывал, но вид женщины теперь смущал меня гораздо меньше.

— Сейчас сварю кофе, — сказала она, открыла шкаф, достала кофемолку, стоя к нам спиной. — Давно приехал? — нерешительно спросила Дуся.

— Вчера.

— Вот с этой девочкой?

— Нет.

— Можно спросить...

— Нельзя, — отрезал Саша, и она согласно кивнула.

— Говорят, у тебя неприятности, — помедлив, задала Дуся вопрос.

— Болтают. Ты же знаешь, люди склонны к фантазиям.

— Са... — начала она, поворачиваясь, он сделал ей предупреждающий знак рукой, она быстро взглянула на меня и опять кивнула. — Я боюсь за тебя.

— Все в порядке, милая.

— Кристина знает, что ты в городе? — разливая кофе в чашки, поинтересовалась Дуся.

— Мы только что от нее.

— Да? — Женщина пододвинула ему чашку, потом мне и себе, поставила на стол печенье. — Она закатила тебе скандал?

— Пыталась, по телефону, когда я звонил ей.

— И что?

— Ничего. Кристина умерла пару часов назад.

Дуся осела на стул, глядя на Сашу со смешанным чувством испуга и непонимания.

— Умерла? — повторила она.

— Передоза. Кристина так и не избавилась от скверных привычек.

— Боже мой. — Женщина закрыла лицо руками.

Саша коснулся ладонью ее плеча, осторожно погладил. Она схватила его руку и прижалась к ней щекой. Потом резко отстранилась и выдохнула:

— Дура проклятая. Сколько раз я ей говорила... — Она вскочила, нашла сигареты, нервно закурила, глядя в окно.

— У меня есть повод сомневаться, что она перебрала сама, — сказал Саша, выдержав паузу.

Дуся повернулась, хмуро посмотрела на него:

— Ты хочешь сказать...

— Я уже сказал: у меня есть повод сомневаться.

— Но кто...

— Это я и хочу выяснить.

Она бросила сигарету и села за стол.

— Ты же ее знаешь: Кристина просто дура, жадная, стервозная, двуличная, способная на любую подлость, но даже ее ума хватило бы, чтобы ни во что не лезть.

— Наверное, все-таки не хватило.

Саша достал из кармана изумруд и выложил его на стол.

— Что это? — глядя на камень, спросила Дуся. Потом осторожно взяла его в руки. — Черт...

— Ты видела у нее этот камень?

— Нет. Но я о нем знала. Кристина рассказывала. Когда ты исчез, она места себе не находила. Месяца два. А потом... потом решила, что лучше синица в руках, чем журавль в небе. И стала его любовницей за новую тачку и этот изумруд. Продалась, одним словом.

— И кто ее купил?

— Нетрудно догадаться, — пожала Дуся плечами. — Лысый.

— Вот как, — сказал Саша.

— Не думаю, что на него так подействовала ее красота. Тут другое.

— Что?

— Не прикидывайся. Она была твоей подружкой, пусть недолго, но была. Он, дурак, должно быть, хотел сравниться с тобой, хотя бы так. Не понимая, что всю жизнь довольствуется объедками. Уже через полгода она ему надоела. Он шлялся от нее налево-направо, а она изводила его рассказами о тебе. Удивляюсь, как он ее ни пристрелил в припадке бешенства. Нервы у него всегда были ни к черту.

— Не проще ли было найти друг другу замену?

— Ей не проще. Какая бы она ни была, но понимала... Беда в том, что после тебя любой мужик в глазах женщины гроша ломаного не стоит. — Саша едва заметно поморщился. — А лысый... не знаю, наверное, ему все-таки льстило, что он спит с твоей бывшей девкой, а может, он находил во всем этом какое-то мазохистское удовольствие. Он же чокнутый. В любом случае они не разбежались, хотя ненавидели друг друга. Она-то его уж точно. Ты думаешь, это он?

— Если и так, то сделал он это из совершенно иных соображений. Что-то на этом камушке есть.

— Кристина говорила: лысый запрещал ей носить изумруд, — нахмурилась Дуся.

— Немного странно, да? Подарить украшение женщине и не позволять ей его носить.

— Да, странно, — согласилась Дуся.

— Она не пыталась узнать причину такой странности?

— Возможно, но мне об этом ничего не известно. Последнее время мы редко виделись. Она была совершенно невыносима: либо пьяна, либо под кайфом, и в любом случае закатывала истерики. То грозилась покончить с собой, то собиралась отыскать тебя и убить. Так и говорила: пристрелю его и пущу себе пулю в лоб. Глупые мечты. Ни на то, ни на другое она была не способна. Хочешь узнать, что это за камень? — деловито спросила Дуся.

— Затем и пришел.

— А я думала, повидаться со мной, — улыбнулась она.

— И за этим тоже.

— Спасибо, — вздохнула она. — Ты знаешь, что значишь для меня. Если бы не ты, я давным-давно закончила бы свое бесславное существование.

— Не преувеличивай.

— Я знаю, ты не любишь говорить об этом, но... я сделаю для тебя все, что угодно. Нет, гораздо больше.

— Будет достаточно, если подскажешь, кому стоит показать камень.

— Мирону. Но он погиб несколько дней назад. Ты его знал?

— Слышал о нем. Как он погиб?

— Пристрелили в собственном магазине. Мутная история. Впрочем, с его привычками — чему удивляться. Когда-нибудь это должно было произойти.

— Кого-нибудь из тех, кому он доверял, ты знаешь?

— У него работал парень, Сева Кукушкин. Хочешь, чтобы я ему позвонила?

— Хочу.

Женщина поднялась и направилась в прихожую, где был телефон. Мы слышали, как она с кем-то неторопливо беседует. Через пять минут она вернулась на кухню.

— Он будет ждать тебя в своей лавке. Открыл он ее месяц назад, на Вокзальном спуске, дом четыре. Увидишь, там есть вывеска. Парень серьезный, не дурак и очень осторожен. Не дави на него.

— Не буду.

— Можно спросить, почему ты приехал? — вздохнув, задала Дуся вопрос.

— Мне всегда нравился этот город.

— Врешь. Я ведь слышу, что болтают. Уезжай, ради бога, уезжай.

Она заплакала беззвучно, зажав рот ладонью. Саша поднялся и обнял ее.

— Прекрати. Ты же меня знаешь, все будет о'кей. И даже лучше.

— А кто она? — Видимо, этот вопрос ее очень интересовал, хотя на протяжении всего разговора она не обращала на меня внимания. А теперь кивнула в мою сторону, ожидая ответа.

— У девчонки неприятности.

— Ты неисправим, — усмехнулась Дуся и поцеловала его. — За это я тебя и люблю, — вздохнув, добавила она. — Отвезешь меня к Кристине? Я соберусь за пару минут. Надо вызвать милицию. Нехорошо, что она там лежит.

— Мы тебя подождем, — кивнул Саша.

Мы вернулись к дому Кристины. Дуся вышла из машины, захлопнула дверь, потом подошла к окну со стороны Саши, постучала. Он опустил стекло.

— Удачи тебе, — сказала Дуся.

— Удача привязчивая баба, мы давно подружились, — засмеялся он.

— Знаю. Только ничто не бывает вечно, Самурай.

Она отвернулась и пошла к подъезду, он закрыл окно, только я собралась произнести заготовленную фразу, как он покосился на меня, буркнул: «Заткнись», и я благополучно подавилась словами.

Конечно, меня не удивило, что она так его назвала. Я и без этого не сомневалась: он тот, кого я искала. Кирилл не обманул: все было именно так, как он обещал. Эта женщина права, все остальные мужчины рядом с ним казались бледными тенями, хоть я и не находила этому разумного объяснения. Просто чувствовала, как чувствуют животные приближение грозы. Он в беде, так говорил Кирилл, но решил помочь мне. Кто еще поступил бы так же? Я положила руку на его ладонь, легонько сжала, он вновь покосился недовольно.

— Лучший способ от меня избавиться — вести себя по-дурацки.

— Не сердись. Я рада, что смогла сделать то, чего хотел Кирилл.

— Я тоже рад. Вот чертова баба, язык как помело.

— По-моему, Дуся в тебя влюблена.

— Не болтай чепухи. Просто она считает себя обязанной мне.

— Ты когда-то помог ей?

— Вроде того. Ее муж задолжал кучу денег и смылся с любовницей. Долг повесили на нее. История банальная.

— И ты...

— По-твоему, было бы справедливо заставить ее платить за этого урода? И свой долг она давным-давно с лихвой мне вернула. Так что в этот раз запросто могла послать меня к черту.

— Мы поедем к этому Севе?

— Поедем. Дусин отец был известным в городе ювелиром, она сохранила старые связи, так что есть надежда, что парень будет с нами откровенен после ее звонка, если, конечно, ему есть что сказать.

Вокзальный спуск был в старой части города. Дома здесь в основном двухэтажные, встречались вовсе старые, с колоннами и навесами с металлической вязью над дверями, двери были широкие, двустворчатые, все добротно и надежно. Правда, иные строения выглядели ветхими. Нужный нам дом оказался из красного кирпича, с новенькими стеклопакетами и вывеской на фасаде: «Ювелирный салон». Взгромоздившись прямо на тротуар на своем «Лендровере»,

Саша вышел из машины и направился к дверям, я припустилась за ним, хотя он меня и не звал. Я ожидала приказа остаться в машине, но он решил быть добрым, и в салон мы вошли вместе.

Звякнул колокольчик, девушка, что стояла за прилавком, подняла голову и улыбнулась.

— Добрый день, — сказала она: наверное, рассчитывала на потенциальных покупателей. За исключением ее, в салоне никого не было.

— Хозяин здесь? — спросил Саша, оглядываясь. Ничего интересного тут не было. Прилавок вдоль стены с выложенными под стеклом украшениями, кассовый аппарат и открытая дверь в коридор, что вел в глубину помещения. Тут мне стало ясно, что девушка все-таки не одна. В коридоре на стуле сидел мужчина в униформе, должно быть, охранник.

— Вы к Всеволоду Сергеевичу? — неуверенно спросила девушка, охранник поднялся и крикнул кому-то:

— Тут вас спрашивают.

Я услышала, как скрипнула дверь, и в коридоре появился молодой человек. Я невольно улыбнулась. Волосы его были ярко-рыжего цвета, а лицо в крупных веснушках, что делало его похожим на известного мультяшного персонажа по имени Кузя. Он шагнул нам навстречу, и я поняла, как обманчива внешность. Взгляд его был весьма далек от мультяшного, в нем читалась спокойная уверенность. Молодой человек перевел взгляд с Саши на меня и опять вернулся к Саше. Кивнул.

— Идемте в кабинет, — сказал тихо.

Охранник посторонился, пропуская нас, и мы

оказались в небольшом кабинете. Хозяин сел за стол, нам указал на кожаный диван.

— Что вас интересует? — понизив голос, задал он вопрос. Саша молча выложил на стол изумруд. Всеволод Сергеевич смотрел на него, поджав губы, вроде не осмеливаясь к нему прикасаться. Потом словно нехотя взял камень в руки. — Откуда он у вас?

Саша, выждав немного, ответил:

— Долгая история. И неприятная.

— Вот как... — Теперь они оба молчали, сверля друг друга взглядами. Всеволод Сергеевич вернул камень на стол, как будто признал поражение в этой игре «кто кого переглядит». — Допустим, я раньше видел этот камень.

— У Мирона?

— У Николая Аристарховича, — сделал он ударение на имени, давая понять, что всякие там прозвища ему не симпатичны. Саша ждал, никак не выказывая своего нетерпения, и Всеволод после еле слышного вздоха сказал: — Ему принес его один человек. Года два назад. Камень был крупнее. Просто камень, едва обработанный. Человек хотел, чтобы Николай Аристархович сделал из него подвеску, вот такую, в форме капли. Тот объяснил, что камень потеряет в весе, но клиента это не остановило. Работой он остался доволен. Это все.

— Все? — усомнился Саша.

— Все, что я знаю.

— И больше никогда вы этот камень не видели?

— Я — нет. Два месяца назад я ушел от Николая Аристарховича, открыл собственный салон. Так что...

— Мирон, кажется, погиб не так давно? — спросил Саша.

— Да. Его застрелили.

— Это печальное событие не могло быть как-то связано с камнем?

Вне всякого сомнения, такого вопроса Всеволод Сергеевич не ожидал. В глазах его промелькнул испуг, хоть парень пугливым не выглядел.

— Связано с камнем? — переспросил он.

— Да. Вот с этим изумрудом. Старика застрелили в лавке?

— Да.

— А что-нибудь из драгоценностей взяли?

— Нет, насколько мне известно.

— То есть это не было ограблением.

— Есть мнение, что это чья-то месть, — тихо сказал Всеволод Сергеевич. — Если вы были знакомы с Мироновым, должны знать, что у него немало врагов.

— Еще бы. Я не был с ним знаком, но кое-что о нем слышал. Например, что он был не робкого десятка. И очень многие с ним вынуждены были считаться.

— Да, это так, — кивнул Кукушкин.

— Но кто-то решил наплевать на это, — продолжал Саша. — У этого типа к тому же должна быть веская причина убить его. Так для кого Мирон сделал подвеску? — несколько неожиданно закончил он, неожиданно для меня, а вот Всеволод Сергеевич, скорее всего, ждал этого вопроса, и он ему по какой-то причине не нравился.

Они вновь уставились друг на друга, продолжив ту же игру, потом Всеволод Сергеевич взял лист бумаги и быстро на нем что-то написал, а через секунду достал зажигалку, высек огонь и, держа листок над пе-

пельницей, поджег. Бумага сгорела, а Всеволод Сергеевич перевел взгляд на Сашу.

— Теперь все? — спросил Кукушкин.

— Теперь все, — согласился Саша и направился к двери.

— Я могу рассчитывать, что наш разговор останется между нами? — сказал ему вдогонку Всеволод Сергеевич, и впервые в его голосе послышалось беспокойство.

— Несомненно, — очень серьезно ответил Саша.

Я вскочила и последовала за ним.

— Что там было? — зашептала я, как только мы покинули магазин.

— Где?

— Что он написал?

— Фамилию, естественно.

— Какую?

— Райков.

— И что?

— Понятия не имею, — удивился он. — Никогда такой не слышал. А ты?

— Нет, конечно. Откуда?

— Жаль. Это избавило бы нас от беготни по городу.

— Саша, Кирилл был уверен, что на этом камне кровь, оттого и погиб старик.

Он кивнул:

— Правильно считал твой Кирилл. И эта фамилия должна что-то значить. Не зря парень так напуган.

— Почему ты так говоришь? — нахмурилась я.

— Не понял?

— Почему ты говоришь: «Твой Кирилл». Ведь он твой друг.

Саша посмотрел на меня с удивлением:

— Друг? У меня нет друзей, дорогая. Просто нет.

— Но как же так... ты должен его знать. Он считал тебя другом, он рисковал из-за этого диска. Ты смотрел, что там? — нахмурилась я.

— Нет. И не хочу.

— Но почему, почему, ты можешь объяснить?

— Потому что это не имеет никакого значения. А твой Кирилл был просто идиот. Кормил тебя сказками.

Саша хотел сесть в машину, но я схватила его за руку.

— Ты должен знать его. Возможно, под другим именем. Вспомни, когда-то вы встретились в «Альбатросе». Ему нужны были деньги, большие деньги, и он хотел их выиграть во что бы то ни стало. — Саша смотрел на меня с недоумением, я видела, что он не притворяется, он в самом деле не понимает, о чем я. — Он стал безбожно жульничать, ему было стыдно, он так презирал себя за это, но не мог по-другому. Но ты все равно выиграл, а потом сказал: «Я знаю, почему ты это сделал» — и отдал ему эти деньги. Они были нужны ему для того, чтобы спасти любимого человека. Помнишь? — с надеждой спросила я.

— А-а, — кивнул Саша. — Циркач. Эта чокнутая баба из Питера.

— Не смей о нем говорить такое! — заорала я, не помня себя от обиды.

— А что, разве не так? — удивился Саша.

— Он был настоящим мужчиной. — Теперь я готова была разреветься.

— Да я не против. Был и был.

— Ты сам когда-то сказал ему: мужчину определяет дух, то, что вот здесь, — ударила я Сашу кулаком в грудь. — А не то, что болтается между ног.

— Это я сказал? — не поверил он. — Должно быть, здорово набрался. Счастье мое, может быть, сядем в машину? На нас уже граждане таращатся, с замиранием сердца ждут, когда ты мне съездишь по физиономии. А я большой противник этого. Так что тебе лучше успокоиться.

— Как ты можешь, — пролепетала я, но в машину села, обида душила меня, я не в состоянии была успокоиться. — Если бы ты слышал, как он говорил о тебе. Он восхищался тобой, называл героем.

— Героем? — переспросил Саша и головой покачал. — С башкой у него точно были проблемы. Жаль, с нами больше нет Кристины, она бы порассказала, какой я герой.

Я собралась возразить, но Саша полоснул меня взглядом и буркнул:

— Завязывай. Весь этот бред действует мне на нервы.

— Как его звали на самом деле? — пытаясь справиться с обидой, тихо спросила я.

— Кого?

— Кирилла.

— Понятия не имею. Циркач, — пожал он плечами.

— И это все?

— Конечно, все. К чему мне его имя?

— Но ведь вы встречались не один раз?

— Да, встречались. То здесь, то там. Он и в самом деле был своего рода гений, мог за полсекунды обчистить любой карман. Работал всегда один, гастролировал по городам, нигде подолгу не задерживаясь. Когда становилось жарко, быстро принимал свой истинный облик. Мало кто знал, что он баба. Оттого найти его было непросто. Последний раз мы столкнулись в Нижнем. Он выиграл очень большие деньги. Честно выиграл, без шулерства. Но это кое-кому не понравилось. Ему могло повезти, и он бы выкрутился, а могло и не повезти, и я решил помочь провидению.

— Ты не сказал о нем?

— С какой стати? Он выиграл честно. Я выдал его за свою подружку и спокойно вывез из города. Вот и все.

— Он мне об этом не рассказывал.

— Правильно. Чем здесь хвалиться?

— Теперь понятно, почему он так к тебе относился. Ты дважды спас его.

— Да не спасал я его. Я же сказал: в тот раз он выиграл честно.

— А в «Альбатросе»?

— Ну... бывают в жизни обстоятельства, когда приходится вываляться в дерьме. Если делаешь это для того, чтобы спасти свою шкуру, то, как правило, дерьмом и остаешься. Но он-то сделал это не для себя. А для такого поступка нужно мужество. Оно тоже разным бывает.

Я смотрела на Сашу и думала: Кирилл во всем был прав. Как бы сейчас ни пытался меня в этом разубедить Саша, я-то видела: Кирилл был прав, и спросила робко, когда Саша замолчал:

— Кирилл рассказывал, что когда-то давно ты придумал для себя кодекс чести, оттого тебя и прозвали Самураем.

— Еще раз назовешь меня так и очень быстро окажешься за пределами города.

— Почему?

— Потому.

Он начал тормозить, а я насмерть перепугалась, решив, что он хочет меня высадить, вцепилась в ручку двери и спросила с бравадой:

— Зачем ты остановился?

— Приехали, счастье мое.

— Куда?

— К знакомому. Ты уже забыла, что хотела выяснить?

— Ничего я не забыла, — буркнула я, дождалась, когда он выйдет из машины, и лишь после этого вышла сама. А потом огляделась. Мы остановились возле автомастерской, это я узнала из вывески. «Он собирался вымыть машину», — вспомнила я, но, как выяснилось, Саша об этом благополучно забыл.

Он направился к дверям автомастерской, я поспешила за ним. Человек пять мужчин усердно трудились там, разбившись на группы. Стоящие здесь три иномарки делали помещение тесным. Саша уверенно пересек зал и толкнул стеклянную дверь. В маленьком кабинете сидел парень в оранжевом комбинезоне и что-то искал в компьютере. Услышав, как хлопнула дверь, он повернулся и буквально просиял.

— Вот это да, — поднимаясь навстречу Саше, сказал он. — Рад тебя видеть.

Парню с ничем не примечательной внешностью было лет тридцать. Он протянул руку, Саша пожал ее, а потом они обнялись. Правда, парень старался держаться на расстоянии, чтобы не испачкать Сашин роскошный костюм.

— Рад, очень рад, — повторил он. — Как дела?

— Лучше не бывает.

Сашин знакомый вроде бы усомнился в этом, но вслух свои сомнения высказывать не стал. Зато хитро посмотрел на меня:

— Красивая девчонка.

— Мне тоже нравится. Я к тебе по делу.

Парень сразу же стал серьезным, Саша прошел и сел на стул, его знакомый вернулся на свое место.

— Что надо? Ты же знаешь, я для тебя сделаю все, что смогу.

— Всего один вопрос, — сказал Саша, который при последних словах парня покосился на меня и недовольно поморщился. — Хотя за одним вопросом может последовать другой.

— Спрашивай.

— Фамилия Райков тебе о чем-нибудь говорит?

Тот, казалось, удивился, посмотрел на Сашу и только через полминуты ответил.

— Тебе-то он зачем? Извини, — кашлянув, быстро добавил он. — Фамилия знакомая, возможно, в городе много людей с такой фамилией, но я уверен, что мы имеем в виду одного и того же человека.

— И кто он этот человек?

— Покойник. Уже год как покойник. А когда-то был бизнесменом — то ли фабрикант, то ли банкир, я сейчас уже и не помню.

— За это его и определили в покойники? — спросил Саша.

— Нет. Похоже, что нет. История такая. Жил себе

дядя не тужил, и все у него было хорошо. Имел дом за объездной дорогой, в лесу. Там что-то вроде коттеджного поселка, но ни забора вокруг него, ни охраны тогда не было. Жил Райков там с семьей, баба и двое детишек. Младшей едва исполнился год. Водила привез Райкова вечером с работы и отбыл. А когда утром вернулся за хозяином, тот не вышел. Парень стал звонить, без толку. Он смекнул, что дело нечисто, и вызвал ментов. Те приехали... Короче, всю семью вырезали какие-то отморозки. Мужика убили сразу, а над детьми и бабой долго измывались. Видно, были уверены, что в доме есть деньги. Хотя какой дурик нынче в доме деньги держит? Весь второй этаж был залит кровищей, говорят, бывалые менты блевали, когда все это увидели.

— Отморозков нашли?

— Двоих да. Только уже мертвых. Один из них, кстати, был двоюродным братом жены Райкова. Наркоман. Райков его к себе пристроил, но тот решил, что должность для него неподходящая, и очень злился на сестру. Она богачка, а он, бедолага, вынужден вкалывать за скромные деньги. Короче, он был возмущен царящей в мире несправедливостью. Нашли их уже на следующий день. Наркоманы, они ведь чокнутые, этот псих часы сестры загнал одному черному на рынке. И скончался вместе с подельником до появления милиции. Но менты утверждали, что налетчиков было трое, третья — девка, подружка одного из этих уродов.

— Ее нашли?

— Нет. Подружка исчезла, оттого менты и подозревали, что третья — как раз она и есть. Упорхнула птичка, хотя, скорее всего, она лежит в каком-нибудь неприметном месте.

— Почему ты в этом уверен?

— Ее же искали. Прикинь, что творилось в городе после этих убийств. Менты совершенно озверели. А она просто чокнутая наркоманка, а не Джеймс Бонд, так что ее непременно бы нашли. Это и позволяет мне с девяностодевятьюпроцентной уверенностью сказать, что она давно подохла.

Саша кивнул, потер рукой подбородок и сказал:

— Выходит, был четвертый.

Парень внимательно посмотрел на него и кивнул:

— Выходит.

— Тот, кто все это организовал, — продолжал Саша. — И очень может быть, что у него как раз с мозгами все в порядке, и интересовали его отнюдь не деньги в доме, а что-то другое.

Парень хмурился, кивая в такт его словам.

— Очень может быть. Хочешь, чтобы я разнюхал, что к чему?

— Да, Вася, хочу. Только очень осторожно, без нажима. Дядя — бизнесмен, значит, враги у него вполне могли быть. Так вот, узнай, нет ли среди них такого, для кого смерть Райкова большой подарок.

— Можешь не сомневаться, я все сделаю. Когда надо?

— Чем раньше, тем лучше. Но... аккуратно, Вася, аккуратно.

— Понял. Как ты? — вдруг спросил он. — Болтают разное...

— Болтают, — усмехнулся Саша. — Когда ты стал прислушиваться к болтовне?

— А зачем ты приехал?

— Соскучился. Город у вас красивый, всегда мне

нравился. Еще вопрос. Мента по фамилии Кривошеин знаешь?

— Конечно. Кто его не знает? Редкая сволочь. Кстати, Лысого дружок. Ага. Только что под ручку с ним не ходит. Видно, погоны жмут. Зачем он тебе?

— Поговорить бы надо.

— С ним? Дерьмо мент, поверь на слово.

— Я верю, верю. А поговорить надо. Сможешь это организовать?

— Легче легкого. Один телефонный звонок. Он же на крючке, куда ему деться, прибежит как миленький. Сейчас Пете позвоню. Можно сказать, что ты в городе?

— Само собой.

— Где встречу назначить?

— В тихом месте.

— Он осторожный, сволочь.

— Тогда там, где ему удобней. Мне, собственно, все равно.

— Хорошо. Телефон у тебя есть? Я позвоню, как появятся новости.

Саша продиктовал номер.

— Ты остановился в «Альбатросе»? — улыбнулся Вася. — Твоя там до сих пор поет. — Тут он посмотрел на меня и кашлянул смущенно.

— Уже нет. — Вася смотрел с недоумением, а Саша пояснил: — Сейчас, скорее всего, она уже в морге.

— Пережрала, что ли?

— Думаю, девушке помогли.

— Потому что ты вернулся?

— С чего вдруг? — удивился Саша. — Она камешек приметный на шею нацепила, а покойный Мирон камешек этот, оказывается, знал. Отгадай, кому он принадлежал?

— Райкову? — растерялся Вася. Саша кивнул. — Черт... Мирона на днях застрелили.

— Точно. А теперь и девушка умерла. Очень кстати.

— Так вот почему ты... Да, история поганая. Откуда у нее камешек?

— У девушки обширные знакомства, — пожал Саша плечами.

— После твоего отъезда она к Лысому прибилась. Вот так ни хрена себе, — ахнул Вася.

— Не спеши. Если убийство его рук дело, вряд ли он стал бы очень переживать. Ты сам сказал: все три исполнителя, скорее всего, покойники, значит, доказать менты ничего не смогут. Скажет, что купил камешек или в карты выиграл. Не ментов он боялся, Вася. Так что сам понимаешь, в каких краях искать надо.

— Я найду. Дай время, найду.

— Вот со временем проблема, поэтому поторопись.

Саша поднялся, протянул руку, и они простились.

— Кто такой этот Вася? — спросила я, как только мы покинули автомастерскую. — Твой друг?

— Знакомый.

— Он нам поможет?

— Ты же слышала.

— А зачем тебе встречаться с ментом? — не унималась я.

— Задать надо пару вопросов.

— Каких?

— Тех, что меня интересуют.

— Куда теперь? — вздохнула я, Саша посмотрел на часы и ответил:

— Обедать.

— Поедем в «Альбатрос»?

— Сгодится любой ресторан, если ты не возражаешь.

— Я с тобой хоть на край света, — серьезно ответила я.

— Что так? — усмехнулся он.

— Нет никого лучше тебя.

— Хуже тоже поискать еще надо. Ты эти разговоры брось. Твой Кирилл просто чокнутый, и общение с ним тебе на пользу не пошло. Заметь, во всех смыслах.

— Я тебе хоть немного нравлюсь? — спросила я, заглядывая в его глаза.

— Я тебя предупреждал? — разозлился он.

— О чем?

— Что вышвырну из машины за такие разговоры?

— Так мы же на улице стоим. Куда ты меня вышвырнешь? — улыбнулась я. И загадала: если он улыбнется в ответ, у меня есть шанс. Он засмеялся.

— Вон там ресторан, прогуляемся немного.

Я сразу же вцепилась в его локоть.

Ресторан был итальянский, белые скатерти, накрахмаленные салфетки, свечи на столах. Мы оказались одни в зале, наверное, для ресторанов было еще слишком рано, оттого наплыва посетителей не наблюдалось.

Саша сидел напротив меня, пил минералку в ожидании, когда принесут заказ, а я, подперев голову рукой, смотрела на него и млела от счастья. Он взглянул на меня и опять засмеялся, не улыбнулся даже, а засмеялся. Значит, у меня есть не шанс, а шансище.

Так я решила. Он казался мне невероятно красивым. Каждое его движение, каждый жест были необыкновенные. Даже в самых смелых своих мечтах я не представляла, что он будет таким.

— Кончай пялиться, — сказал он.

— Я тебя соблазняю.

— Потерпи до вечера.

— А что будет вечером?

— Сольемся в экстазе.

— Звучит многообещающе.

— Обещать легко, — усмехнулся он.

— А ты скажешь, что я тебе нравлюсь, чуть-чуть, вот столько? — Я показала половинку своего ногтя на мизинце.

— Если будешь стараться.

— Еще как буду. Мне никогда ни с кем не было так хорошо, — вздохнула я.

— По моим подсчетам, бабы в среднем произносят эту фразу раз двадцать за свою жизнь, причем разным мужикам. Будет и на твоей улице праздник.

— Я говорила серьезно.

— Я тоже.

— Мне никогда ни с кем не было так хорошо, — упрямо повторила я.

— А чего ты тогда сбежала ночью? — хмыкнул он.

— Испугалась. Мне так хорошо ни с кем не было, а для тебя все это не имело значения. Я испугалась, что сделаю какую-нибудь глупость, зареву, начну к тебе приставать с разговорами.

— А сейчас ты что делаешь?

— Просто хочу сказать: я счастлива, что встретила

тебя. Даже если ты станешь вышвыривать меня из машины ежедневно, я все равно буду счастлива.

— Вот что, — Саша поставил бокал, посмотрел на меня и заговорил серьезно: — Пока ты со мной, тебя никто не тронет. Но как только меня не будет... короче, если я тебе скажу — сматывайся, сразу же уберешься отсюда, и как можно дальше. Поняла? Главное, без нытья и дурацких вопросов. Просто сматываешься. От этого будет зависеть твоя жизнь.

— А вместе можно?

— Что?

— Смотаться?

Он не успел ответить, потому что подошел официант, и я от чистого сердца пожелала ему провалиться. Парень поспешил убраться восвояси, сообразив по моему гневному виду, что появился весьма не вовремя. Но Саша не захотел возвращаться к прежней теме. Молча ел, совершенно не обращая внимания на мою болтовню. Отчаявшись, я тоже замолчала, но ненадолго.

— Этот Лысый, он твой враг? — вновь полезла я с расспросами.

— Нет.

— Но из того, что говорила Дуся, это следует само собой.

— Он мне не враг.

— Врешь. Твой приезд в этот город как-то связан с ним?

— Слушай, давай лучше о любви. Так тебе было хорошо со мной?

— Очень, — насторожилась я.

— Будет еще лучше, только помолчи и дай поесть спокойно.

Я собралась возразить, но, поймав на себе его взгляд исподлобья, поняла, что его терпение на исходе. Мне следовало быть благодарной ему за то, что он решил мне помочь, а не изводить вопросами.

— Если ты меня поцелуешь, я могу замолчать. На час или даже два. — Он поднялся, подошел ко мне и потянул за руку. Я встала, косясь на официантов. Сашу они вроде бы вовсе не занимали. Он посмотрел на мои губы, а потом поцеловал меня. И эти двадцать секунд я была на вершине блаженства. — Спасибо, — пролепетала я, с трудом выпустив его руку из своих ладоней. Он показал два пальца и сказал серьезно:

— Два часа.

Когда мы покинули ресторан, Саша направился к парку, что был по соседству. Жестом, успевшим для меня стать привычным, сунул руки в карманы брюк. А я привычно вцепилась в его локоть. Помалкивала, хоть и подмывало спросить, куда мы идем. Но я обещала молчать два часа, если он меня поцелует. Он поцеловал, значит, надо заткнуться. Все честно. Я уже поняла: в его школе ценностей это немаловажно, так что приходилось держать данное слово. Свое-то он всегда держал.

Мы вошли в сквер, он брел не спеша, глядя себе под ноги, и я решила, что ему просто необходимо подумать. И испугалась, что в этих мыслях нет меня, и прижалась к нему еще теснее.

Солнечные лучи пробивались сквозь листву, шум города сюда почти не доходил, только где-то впереди весело кричали дети, а я подумала, что могла бы очень долго идти вот так рядом с ним, в никуда, лишь бы знать, что ему это нужно.

— Вот что, — повернулся он ко мне. — Мне надо отлучиться ненадолго. Я отправлю тебя в гостиницу на такси.

— Не надо, — сказала я. — Пройдусь по магазинам, куплю себе платье. Красивое, чтобы тебе понравиться. Что мне делать в гостинице?

— Ждать меня.

— Это сколько угодно.

Мы побрели к выходу из парка. Саша опять замолчал, погрузившись в свои мысли, мы дошли до его машины.

— Поцелуй меня еще раз, — попросила я. — И я опять замолчу на два часа.

Он провел пальцами по моему лицу.

— Вон там такси, — сказал тихо.

— Я пешком. Позвони мне, когда освободишься. Номер запиши.

Он достал мобильный.

— Диктуй.

Я продиктовала номер, наблюдая, как он заносит его в телефонную книжку.

— Меня зовут Селина, — сказала я.

— Уже записал.

— Покажи. — Он протянул мне мобильный. На верхней строчке значилось: «Смешная девчонка». — Теперь меня легко будет найти, — вздохнула я, помахала ему рукой и пошла по улице, давясь слезами. Вот кто я для него: просто смешная девчонка. А чего я хотела? Чтобы он написал «любимая»? Хотела, очень хотела. Я опять себе напророчила: когда-то я мечтала о любви, пусть неразделенной, и вот я люблю. А он — нет.

Я вытерла слезы и вздохнула, попыталась смотреть на мир весело. Мы с Сашей знакомы всего сутки. Еще вчера я не знала его. И мир был пуст и уныл, а сегодня он рядом, пусть пока он даже не догадывается, что я его судьба. Надо быть терпеливой и тогда... Придет день, и он скажет: «Я тебя люблю», по-другому просто не может быть.

Я шла по улице и мечтала, погружаясь в свои мечты все больше и больше, и улыбнулась счастливо, как будто он уже сказал эти слова.

Визг тормозов заставил меня вздрогнуть. Я повернула голову и рядом с собой увидела облезлую «девятку». Окно открылось, и парень спросил, обращаясь ко мне:

— До цирка как проехать?

— Не знаю, — пожала я плечами.

— Не местная, что ли?

— Не местная.

Я отступила на шаг, парень мне не понравился, было в его физиономии что-то пугающее...

— Эй, а мост где?

Я огляделась, пытаясь сообразить, где нахожусь. Узкий переулок, где-то за спиной парк, хотя я отошла довольно далеко.

— Кажется, вон там, — неуверенно показала я рукой направо.

Парень поспешно вышел из машины.

— На карте покажи.

В руках его действительно была карта.

— Да не знаю я, — отмахнулась я от него и отошла еще на шаг. В этот момент он схватил меня за локоть.

— Давай в машину, шлюха, — прошипел зло.

— Пошел ты! — дернув локтем, рявкнула я, все еще

не веря в опасность, в то, что это происходит со мной. Безлюдный переулок и этот тип с гнусной рожей.

Он ударил меня в живот, я охнула и согнулась пополам, хотела закричать и не смогла. Парень схватил меня за волосы, задняя дверца распахнулась, он швырнул меня в машину и навалился сверху.

— Гони, — сказал он водителю, захлопнув дверь.

Машина рванула с места, а я наконец-то закричала. Он дважды ударил меня, сначала в грудь, а потом опять в живот, и я начала хватать ртом воздух от боли. Но все-таки изловчилась и достала его коленом. Кулак обрушился мне на голову, и все поплыло перед глазами: машина и небритая физиономия парня, перекошенная от бешенства.

Я вынырнула из бессознательного состояния так же стремительно, как и погрузилась в него. Первое мгновение абсолютно не понимала: кто я, где я? Предметы выступали из сплошного тумана, и вместе с тем приходила ясность и возвращалась память. Окружающее не радовало, все та же мерзкая рожа, к которой добавилась еще одна — парень лет тридцати со свежим шрамом на подбородке. Должно быть, это он был за рулем «девятки». Физиономия его выглядела так, точно недавно ею провели по асфальту, несколько раз и с удовольствием. Я в брошенной хибаре: выбитые окна, дверь на одной петле, топчан, на котором лежу. Лежу со связанными за спиной руками, они успели занеметь.Значит, прошло довольно много времени.

Эти двое сидят на широкой лавке за столом, сколоченным из досок. Пьют пиво, с насмешкой поглядывая на меня. Оба в джинсах и темных футболках.

Воняет от парней мерзко — пивом и давно не мытыми телами. Запах острый, резкий, я чувствую его даже на расстоянии. Первая мысль включившегося мозга: меня не убили. Это само по себе уже большая удача. Вторая: повода радоваться я не вижу. Не убили, так вполне могут это сделать. Чуть позже. Хотя, может, у них другая цель. Интересно, какая. Я пыталась себя уговорить, что цель все-таки есть, умирать сегодня не было желания. Так же, как и завтра, к примеру. Я подумала о Саше и сцепила зубы. Умереть сейчас — глупость несусветная. Умереть, когда я только-только его нашла. Это несправедливо, а значит, неправильно. Они не прячут лиц — это плохо. Выходит, все-таки уверены: им нечего бояться, я не смогу их опознать, следовательно, если цель существует, она не продлит надолго мою жизнь и, скорее всего, сделает этот самый период на редкость неприятным. Я вновь подумала о Саше. Он был уверен, что никто меня не тронет, по крайней мере, так сказал. А через полчаса после этого я получила по голове и оказалась в этой хибаре в компании двух плохо пахнущих мерзавцев. Он ошибся? Герои, бывает, тоже ошибаются.

И тут совершенно непрошеные мысли полезли в голову: а если не было никакой ошибки? Он сказал, что Лысый ему не враг, но то, что я слышала до этого, противоречило данному утверждению. Допустим, враг. Я рассказала Саше об изумруде, а он уже знал всех участников этой истории: и Кристину, и Лысого. И захотел узнать больше, чтобы использовать знания себе на пользу. Вот и причина его внезапного желания мне помочь. Вовсе не я сама причина и не Кирилл, который считал его своим другом. Сашей руководил обычный расчет. Расчет, что он сможет дотянуться до врага. А я во всей этой истории не более чем пешка. С героями всегда так, все, кто попадает в их орбиту, становятся пешками. Герои воюют со злом, неважно, в какой форме оно предстает, главное, это их личное зло, и путь героя выстилают трупы тех, кто случайно попал в жернова борьбы.

Роль жертвы мне не улыбалась. Но Сашу я не винила, просто не могла. Он такой, какой есть. Мое дело — принимать его таким или не принимать. Я приняла. Даже если сегодня я умру. Потому что точно знаю: в этот день я была счастлива, двадцать секунд счастлива, когда в ресторане он меня поцеловал. Может, такое счастье не стоит жизни, по мнению умников, но я-то знала — стоит. Потому что прошедшие двадцать три года таким счастьем похвастать не могла. Ну и чего тогда хорошего еще в тридцати таких же, но без него? Я вздохнула, а придурки за столом оживились.

— Очнулась, — сказал один.

Второй, тот, что ударил меня, криво усмехнулся и добавил:

— Сука.

Первый взглянул на часы:

— Чего-то она не звонит.

— Позвонит. Куда ей деться. — И почти сразу у него зазвонил мобильный. Он достал его и удовлетворенно кивнул: — Она. Да, — буркнул он в трубку. — Все в порядке. Девка у нас. — Он слушал, что ему говорят, машинально кивая. — Да ладно, будет как огурец... с пупырышками. Разве что немного помятая. — Он заржал и отложил телефон в сторону.

— Что она сказала?

— Прибудет через час. Руки этой сучке ломать нельзя, все остальное можно. Но к ее приезду она должна быть в сознании. У нас есть час.

Парень поднялся и с довольным видом шагнул ко мне. Хибара была совсем маленькая, он сделал два шага и ударил меня по лицу. Очень больно. Я вскрикнула и зажмурилась. Тот, что сидел за столом, тоже подошел.

— Это чтоб ты поняла, дрянь. Посмей только дернуться, я из тебя душу вытрясу.

Левой рукой он рванул платье на моей груди. Но тут второй вдруг спросил, присев на топчан рядом и обращаясь ко мне:

— А что это за громила в красивом костюмчике был с тобой?

— Этот громила тебе яйца отрежет, только посмей тронуть меня, — ответила я, поражаясь своей отваге.

— Что? — взвыл первый и занес кулак, но второй придержал ретивого товарища:

— Подожди. Хотелось бы понять, во что мы ввязались.

— Поздно, — порадовала их я. — Думать надо было раньше, а теперь вы оба трупы, хотя пока об этом не догадываетесь.

Парень нахмурился, мои слова заставили его задуматься, дружок, как видно, на такое был не способен.

— Ты, тварь ползучая, вон там свалка, — сказал он, тыча пальцем в окно. — И на этой свалке ты окажешься ровно через час. А пока... — Он так и не успел сообщить мне, что будет «пока». Грохнул выстрел, и голова парня разлетелась, как арбуз, а я завизжала, потому что кровь, мозги и прочее, что мгновение назад было его головой, полетело мне в лицо. Тело его завалилось назад и сползло на пол.

Второй парень вскочил, не соображая, что происходит, и потерял драгоценные мгновения, когда мог бы использовать меня в качестве живого щита. Потому что раздался второй выстрел, и он, отчаянно завизжав, упал на одно колено. К тому моменту я приоткрыла глаза и увидела его ногу, искалеченную выстрелом. А потом мой взгляд переместился к двери. И я заревела, истерично, как и положено в такой ситуации. На пороге стоял Саша, и моему беспредельному счастью мешало только то, что я подозревала: сюда он пришел не за мной.

Я ожидала, что он направится к парню, который, поскуливая, сидел на полу, но он, на ходу сунув оружие в карман пиджака, подхватил меня на руки и поцеловал, несмотря на кровь и чужие мозги на моей физиономии. И я сразу решила: он пришел за мной, хотя, если разобраться, в тот момент поцелуй был самым надежным способом заставить меня заткнуться.

— Извини, — сказал он. Непонятно, к чему это относилось. Развернул меня спиной к себе и развязал мне руки. Потом вновь развернул, достал носовой платок и вытер мое лицо. — Ты как? — спросил с сомнением.

— Не знаю, — честно ответила я.

— Не заикаешься — уже хорошо. Хочешь, отнесу тебя в машину, там есть бутылка воды, попьешь, умоешься.

— А ты?

— А мне вот с этим идиотом потолковать надо.

— Я лучше здесь останусь, — вытирая лицо ладонью, ответила я. Он опять посмотрел с сомнением.

— Хорошо, — поднялся и пнул парня ногой. — Ну, что. Давай рассказывай.

— Баба, — простонал парень, глядя на Сашу затуманенными болью глазами. — Нас наняла какая-то баба.

— Какая-то? — удивился Саша и пнул его еще раз. О гуманном обращении с ранеными врагами он, должно быть, не слышал, но я ему это охотно простила.

— Я ее не знаю. С ней Колька договаривался, — тут он испуганно посмотрел на труп по соседству.

— И что баба?

— Сказала, что девку надо кончить. Но не сразу. Сказала: можно сколько угодно измываться над ней и трахать в свое удовольствие. Но к ее приезду девка должна быть жива и в сознании. Еще что-то про руки говорила, чтоб пальцы были на месте и руки двигались.

— Занятно, — кивнул Саша. — Когда она должна приехать?

— Через час.

— А Коля тебе разве не сказал, где и как познакомился с этой девкой?

— Нет. Сказал только, что она сука отмороженная. Он вообще с ней связываться не хотел, но потом решил: себе дороже. Он ее боялся.

— Чем же она так страшна?

— Не знаю, я ее ни разу не видел. Знаю, что она вчера приехала. Так Коля сказал.

— Приехала? А сами вы откуда? — задал неожиданный вопрос Саша, для меня неожиданный, потому что мне он даже в голову не пришел. Парень слегка удивил меня, потому что, оказалось, прибыл он из того самого областного центра, где еще не так давно жила я.

— И девка оттуда? — продолжил задавать вопросы Саша.

— Не знаю. Ничего я не знаю. Не говорил Коля мне. Сказал вчера: она приехала, баба эта, нам адрес дала, где ее искать. — Он мотнул головой в мою сторону. — По телефону. Но в «Альбатрос» нас сегодня не пустили. Мы там у забора притулились, а потом она опять позвонила и назвала номер тачки. Тут вы выехали со стоянки, и мы сели вам на хвост. Время удобное выжидали. Но ты был рядом, и мы весь день за вами мотались, пока она одна не осталась. Коля сам из этих мест и про хибару эту знал, вот и решил сюда девчонку везти. Он позвонил этой бабе и объяснил, где нас искать. Она сейчас приедет.

В этот момент вновь зазвонил Колин мобильный.

— Ответь, — велел Саша, протягивая бандиту телефон.

— Да, — сказал тот.

— Куда сворачивать у развилки? — спросил женский голос.

— Направо, там лесопилка будет, — буркнул парень, морщась от боли.

Возникла пауза, потом женщина опять спросила:

— Где Колька? Дай ему трубку.

— Да он тут с девкой занят, — нашелся парень. Но заказчица проявила настойчивость:

— Дай ему трубку, придурок.

Парень с печалью взглянул на Сашу, тот забрал у него телефон.

— Да?

— Ты кто? — Теперь в голосе женщины было откровенное беспокойство.

— Приезжай, познакомимся.

— Ты кто? — взвилась она. И тут же пошли короткие гудки.

— Она не приедет, — проявил сообразительность парень.

— С ее стороны это разумно, — спокойно ответил Саша. — Не огорчайся, на тебе ее решение никак не скажется. — Он повернулся ко мне: — Иди в машину.

Я на мгновение замешкалась, но под Сашиным взглядом попятилась к двери. Не успела я дойти до машины, как раздался выстрел, а потом из хибары вышел Саша.

— Ты его убил? — пролепетала я.

— К девке он нас не приведет. А когда берешься за подобные дела, нужно учитывать вероятность собственной кончины. Парни об этом не подумали. Это их проблема, не моя. Все честно.

Меня слегка мотнуло, но возразить, по большому счету, было нечего. Эти типы хотели убить меня, а теперь лежат в хибаре бездыханными. И в самом деле, все честно.

Чтобы немного прийти в себя, я стала оглядываться. Покосившийся забор, за ним карьер, в котором устроили свалку. Вонь здесь стояла невообразимая. При мысли о том, что мой труп скоренько мог оказаться на этой самой свалке, мне стало дурно, только сейчас до меня дошло, как невероятно мне повезло. Или дело вовсе не в везении? Заприметив мою заторможенность, Саша взял меня за руку и повел к машине.

— Ты... ты знал, что они появятся? — собравшись с силами, спросила я, вопрос был сформулирован довольно бестолково, но Саша понял.

— На их тачку я обратил внимание еще у дома Дуси, но был уверен, что они приглядывают за мной. А когда мы расстались и хвост вдруг исчез... это навело меня на неприятные мысли. Я тебе позвонил, но ты не ответила.

— Наверное, уже была в отключке.

— Наверное. На то, чтобы отыскать их, понадобилось время. Засек я их на выезде из города. Но потом опять потерял, а заодно и время. Извини.

— Ты мог вообще не появиться, — пожала я плечами.

— В каком смысле? — не понял он.

— Ну... я подумала, что... что если они не имеют отношения к твоим делам, то тебе ни к чему связываться с ними. Ты мог вообще не приходить... или перехватил бы их на обратной дороге.

— Что, в самом деле ты так подумала? — удивился Саша.

— Нет, — вздохнула я. — Знала, что ты придешь. Изводила себя всякими глупостями, но знала. Оттого по-настоящему даже испугаться не успела.

— Да? А выглядишь паршиво.

Он достал из машины бутылку воды. Я сначала умылась, потом сделала пару глотков и вернула бутылку Саше.

— Ты ведь за мной пришел? За мной? — прошептала я.

— За кем же еще? — нахмурился он. — Садись в машину.

Я посмотрела на свое разорванное платье и со вздохом полезла в кабину.

— Это люди Лысого? — спросила я, когда мы выехали на дорогу.

— Нет.

— Почему ты так уверен?

— Уверен.

— Но почему?

— Потому что он бы не рискнул, — ответил Саша, повертел головой, пытаясь сообразить, куда следует ехать. Вокруг были какие-то полуразрушенные строения, конца и края им не видно. Я подумала, как он умудрился найти нас здесь?

— Вот туда, кажется, — удовлетворенно кивнул он, и мы поехали дальше.

— Он тебя боится? — не унималась я.

— Дело не в этом.

— А в чем?

— Есть правила, которые приходится соблюдать.

— Ты их тоже соблюдаешь?

— Не всегда.

— От этого твои неприятности?

— Мои неприятности не твое дело, — отрезал он.

— Если этих парней послал не Лысый, то кто? — решила я уйти от опасной темы.

— Понятия не имею. Но узнаю. Если успею.

— Почему ты так сказал? — испугалась я.

— Что я сказал?

— Если успеешь.

— Дорогая, я не могу находиться в этом городе вечно. У меня всего несколько дней.

— А потом?

— Важные дела, которые потребуют моего присутствия в другом месте.

— А меня ты с собой возьмешь? — Я ожидала гневного окрика, но решила не отступать. Пусть свыкнется с мыслью, что ему от меня не отделаться. Но никакого окрика не последовало, он посмотрел как-то странно и сказал:

— Давай поговорим о другом. К примеру, об этой бабе. Она собиралась приехать. Как думаешь, для чего?

— Понятия не имею.

— Жаль. Тебя хотели убить, но перед этим что-то должно было произойти. И она настаивала, что ты должна быть в сознании да еще с целыми руками. Ноги ее как будто не интересовали. В этом что-то есть.

— Фантастические идеи принимаются? — нахмурилась я.

— Давай фантастическую.

— Вася говорил про девицу, которая была с парнями в доме Райкова.

— Говорил.

— Что, если это она?

— Допустим. Допустим также, что она хотела получить изумруд. Но при чем здесь твои руки? — Я пожала плечами. — А еще надо придумать сносное объяснение, как изумруд попал к Лысому. И почему девушка вознамерилась получить его сейчас, а не тремя днями раньше, к примеру.

— Она не знала, что Лысый изумруд у Кристины отобрал, и считала, что камень у нее. И Кристи... — Я не договорила, испуганно глядя на Сашу. Он пожал плечами.

— Версия и впрямь фантастическая. Но пока сойдет и такая.

— Убитый парень искал в моем номере изумруд, — продолжала я фантазировать.

— А убил его кто? Или он сам с горя застрелился назло тебе в твоей ванной?

— Я его не убивала, — на всякий случай предупредила я. — У меня и оружия-то нет.

— А у Кирилла его разве не было? — невинно поинтересовался Саша.

— Было. Но после убийства менты в его номере оружие не нашли.

— Занятно.

— Ничего занятного, — заподозрив недоверие, возразила я. — Несколько дней Кирилл где-то прятался, здесь, в городе. Он не сказал, где жил эти несколько дней...

— Скорее всего, на съемной квартире. Хотя мог устроиться и в гостинице. Паспорт у него не один и даже не два.

Я не заметила, как мы въехали на стоянку «Альбатроса», и только тут взглянула на свое платье. Саша тоже посмотрел на него и сказал:

— Жди здесь. Схожу в твой номер и что-нибудь принесу.

— Тебе не дадут ключ, — нахмурилась я.

— Дадут, — утешил он и ушел.

Вернулся очень быстро с платьем для меня. Я торопливо переоделась, и мы направились к гостинице. В холле Саша сказал:

— Встретимся за ужином.

Но я ухватила его за руку.

— Я с тобой. Или ты со мной. Я боюсь. Меня же только что хотели убить, — поспешно добавила я, не видя восторга на его лице.

— Хорошо, идем ко мне, — кивнул он. — Я тебя на входе поцелую, и ты замолчишь на два часа.

— Идет, — радостно кивнула я.

Мы вошли в его номер, и я затопталась у порога, ожидая обещанного поцелуя.

— Девица должна иметь отношение к гостинице, — сказал Саша, налил себе текилы и встал у окна спиной ко мне. — Она знала номер моей тачки и смогла предупредить парней, что мы выезжаем.

Гадать, кто такая эта девица, мне в настоящий момент не хотелось, я подошла и кивнула на стакан в Сашиной руке:

— Эту штуку пьют с лимоном и солью.

— Мне и так хорошо, — усмехнулся он.

— Правда? — вздохнула я, максимально к нему приближаясь. Он все-таки отставил стакан и ухватился за мой подбородок.

— Сколько мы уже знакомы? — спросил строго.

— Скоро сутки.

— Н-да, — хмыкнул он неопределенно.

— А ты уже спас меня. Дважды. Второй раз от смерти.

— Пристрастие к насиженному месту меня сгубило.

— Что?

— Если бы я остановился в другом отеле, глядишь бы, и пронесло.

— Нет, — покачала я головой. — Это же судьба. Если бы ты остановился в другом отеле, я бы там тоже остановилась.

— Кто из придурков в казино проболтался, что это я? — задал он вопрос, продолжая держать меня за подбородок.

— Никто, — улыбнулась я. — Я сама тебя узнала. Сама. Все было так, как обещал Кирилл. Ты герой, я это почувствовала сразу.

— Герой, потому что пристрелил двух обдолбанных идиотов? — спросил он с усмешкой и отошел в сторону, что меня очень опечалило.

— Нет, — покачала я головой. — Просто ты совсем другой, не такой, как все. Это трудно объяснить, но можно почувствовать. А то, что тебе приходилось убивать, я знаю. От Кирилла. Он сказал: в тебя тоже не раз стреляли, где-то даже есть твоя могила. И ты иногда появляешься там, подолгу сидишь и разговариваешь сам с собой. Это правда? — Я поняла, что спрашивать не стоило, увидев, как он помрачнел.

— Правда, — кивнул он. — На камне мое имя, а в могиле мой друг. Умереть должен был я, а вышло так, что умер он.

— Ты же сказал, у тебя нет друзей?

— Когда-то были, — пожал он плечами. — Вот что, пойдем ужинать.

— Еще рано, — вздохнула я, сообразив, что поцелуй отменяется.

— В самый раз.

В ресторане он устроился основательно и, судя по всему, надолго. Я заподозрила: что-то или кто-то его здесь держит, то есть привело его сюда некое дело, оттого и вертела головой по сторонам, силясь угадать, что здесь может быть интересного. Хотя могло быть и другое объяснение: он просто не хотел оставаться со мной наедине, но об этом я предпочитала не думать. Тут на ум пришла девица, которая жаждала моей крови, и я решила: может, он надеется застать ее здесь? Но как он намерен ее узнать? Или ему известно гораздо больше, чем я думаю?

На всякий случай я взяла на заметку всех присутствующих в зале женщин. Ни одна не показалась мне особенно подозрительной.

— Кого я вижу? — услышала я за своей спиной возбужденный вопль, повернулась и начала беспокойно ерзать: в трех шагах от нас стоял Лысый, раскинув руки и улыбаясь во весь рот. При виде его радости Саша не пришел в большой восторг, посмотрел на Лысого и сказал:

— Привет, — но все же поднялся ему навстречу, они пожали друг другу руки, а потом и обнялись, инициатива опять-таки исходила от Лысого.

— Давно приехал?

— Вчера, — ответил Саша, устраиваясь на стуле и всем своим видом давая понять, что торжественная часть подошла к концу, а неформальной, судя по всему, не последует.

Тут Лысый взглянул на меня, и в глазах его появилось нечто вроде беспокойства. Я, признаться, напряглась, уверенная, что Лысый мой враг, а от врагов хотелось держаться подальше.

— Уже подцепил девчонку? — спросил он с усмешкой и, не дожидаясь ответа, добавил: — Красивая.

— Твоя тоже ничего, — ответил Саша, кивнув в сторону эстрады, где как раз появились музыканты,

Кристины среди них, конечно, не было. Но Лысый намек понял.

— Что-то наша птичка сегодня задерживается, — хихикнул он.

— А ты всерьез надеешься ее здесь увидеть? — усмехнулся Саша, глядя в глаза Лысому. Вопрос тому не понравился, а усмешка Саши и того меньше.

— Не понял, — сказал он, нахмурившись.

— Ни за что не поверю, что ты еще не в курсе, — взявшись за вилку, буркнул Саша. — Раньше ты всегда знал, что происходит в родном городе.

Щека Лысого непроизвольно дернулась.

— Так ты уже... я не решался сказать тебе сразу, — он вздохнул, виновато глядя на жующего Сашу. — Тебе ведь известны ее дурные склонности.

— Известны, известны... Я звонил ей ночью, но она не захотела со мной разговаривать. А ближе к обеду уже не смогла.

— О чем это ты?

— Тебе она, случаем, не звонила?

— Ах вот как. — Лысый разозлился, но слова все-таки подбирал с осторожностью. — Может, все проще и девка лежит в морге оттого, что ты вдруг объявился?

— Объявился я не вдруг, о чем тебе хорошо известно, — ответил Саша.

— Вот именно, — на мгновение потеряв над собой контроль, огрызнулся Лысый. — Тебе стоило бы подумать о своих делах и не усложнять и без того паршивую ситуацию.

— Приму к сведению, — кивнул Саша, и по тому, как он это сказал, стало ясно: разговор окончен.

Лысый побагровел и поспешно отправился восвояси, бормоча что-то себе под нос.

— Это он, — зашептала я, как только он скрылся с глаз, — тот тип, у которого Кирилл украл изумруд.

Саша кивнул. Разумеется, он и без моих слов прекрасно знал об этом, но я подумала, вдруг он захочет что-то объяснить: что это за тип, к примеру. Но Саше это даже в голову не пришло.

Лысый ресторан покинул, по крайней мере, я его больше не видела. Зато минут через десять обратила внимание на одного типа. Мужчина в темном костюме шел по проходу. Я увидела его боковым зрением, а когда повернула голову в его сторону, он вдруг развернулся и весьма поспешно направился к выходу. Что-то в его фигуре и походке показалось мне знакомым, хотя лица я теперь видеть не могла, и мои догадки догадками и остались. «У меня нет знакомых в этом городе, — напомнила я себе. Но тут же подумала о Кривошеине и еще трех-четырех парнях, которые присматривали за нами с Кириллом. — Кто-то из них?»

— Я в туалет, — сообщила я Саше и поспешно направилась к выходу.

В холле парня в темном костюме не оказалось. Я быстро перевела взгляд от стеклянных входных дверей к лифтам. Первый лифт, отмечая этажи, поднимался вверх. Остановился он на третьем. Почему-то теперь мне казалось очень важным увидеть лицо незнакомца. Когда я вышла на третьем этаже, холл был пуст, коридоры разбегались в противоположные стороны и тоже были пусты. Дежурная на этаже отсутствовала, как видно, здесь это считалось хорошим тоном. Я вернулась к лифту, дверь как раз отъехала в сторону, и я увидела Сашу. Он стоял, привалившись к стене кабины, и поманил меня пальцем.

— Кажется, я кого-то видела, — предваряя его вопрос, ответила я.

— Не удивительно, — кивнул он, нажав кнопку второго этажа.

— Я хотела сказать, этот человек показался мне знакомым.

— И что?

— Ничего. Я не успела его рассмотреть как следует, он исчез.

— Счастье мое, — выходя из лифта и направляясь к моему номеру, спросил Саша. — А ты большие деньги оттяпала у мужа?

Пока я пыталась понять, к чему этот вопрос, мы вошли в мой номер.

— Ну, так что? — повернулся ко мне Саша.

— Не знаю, — пожала я плечами. — Я могу позвонить Нилину, — потянувшись к телефону, сказала я. — Это мой адвокат, он должен знать.

— Не спеши. — Саша прошел и сел в кресло, кивнув мне на соседнее. Я устроилась в кресле, поглядывая на Сашу, так и не поняв, с какой стати его вдруг заинтересовал мой муж, то есть сколько денег я у него украла. — Какую сумму ты называешь большой? — пришел он мне на помощь.

— Для меня и тысяча долларов деньги, — пожала я плечами.

— Столько ты и свистнула?

— Нет, — обиделась я. — Я ничего не украла в общепринятом смысле, я отсудила у него...

— Сколько?

— Половину всего, что у него было, разумеется.

— А у него были «Жигули» и хрущевка на окраине?

— С чего ты взял? Его годовой доход исчислялся суммой с шестью нулями, в долларах, разумеется. Так он говорил. Он хотел обмануть компаньонов, и адвокат подсказал ему идею, как это сделать проще всего. Развестись со мной, дать мне отступного, а потом эти деньги забрать. Понимаешь?

— Еще бы. А ты с этими деньгами свинтила.

— Да, — вздохнула я. — Они поступили нечестно. Я, конечно, тоже, но...

— Адвокат этот самый Нилин?

— Нет. Нилин — мой адвокат. А у мужа был свой. Теперь они вроде бы поссорились.

— Понятно, — кивнул Саша. Поднялся и пошел к двери.

— Ты куда? — заволновалась я

— В ресторан. Надо расплатиться.

— Ты сюда вернешься?

— Если ты не против.

— С чего мне быть против, — почесав нос, тихо ответила я.

Только за ним закрылась дверь, как я бросилась в ванную, потом расстелила постель, нашла ночную сорочку, чтобы во всем блеске предстать перед ним. Зажгла свечи, легла на кровать, приняв позу, которая должна была, по моим представлениям, демонстрировать все достоинства моей фигуры. Но все это вдруг показалось мне глупым. Я была уверена, Саша непременно высмеет меня. А мне так хотелось ему понравиться. Я вернулась в гостиную, встала напротив двери, и в этот момент он вошел, запер дверь и повернулся ко мне. «Если скажет, что я красавица, шанс есть, — опять загадала я. — А если засмеется...»

— Что это за тряпочка? — серьезно спросил он, кивнув на мое эротическое белье.

— Ночная сорочка.

— А-а-а...

Я собралась реветь, потому что мне стало ясно: он издевается. Но тут он вдруг улыбнулся и легко приподнял меня, а я соединила ноги за его спиной, обхватив его за шею. Он направился в спальню, на ходу целуя меня, а я радостно взвизгнула.

Утром нас разбудила горничная. Мы забыли повесить табличку «Не беспокоить», и она пришла, чтобы убрать номер. Очевидно, заглянув в спальню, она поспешила удалиться, но сделать это совершенно бесшумно не смогла, оттого мы и проснулись. Саша взглянул на часы и зевнул.

— Придется вставать.

— Почему? — Такая перспектива мне совсем не улыбалась, ведь уснули мы на рассвете.

— Скоро Вася объявится.

Он отправился в ванную, а я в его номер за бритвой и прочими мужскими атрибутами, по дороге поражаясь тому факту, что небрежно брошенные слова: «Сбегай в мой номер», — никакого протеста у меня не вызвали, напротив, я готова была на подвиги, так что скажи он мне: «Принеси-ка Жар-птицу», я бы припустила с тем же рвением, правда, не знаю куда.

Он брился, а я паслась рядом в состоянии, близком к блаженству. То, что он время от времени поглядывал на меня в зеркало и вроде бы улыбался, блаженство мое лишь увеличивало. Я сочла момент подходящим и предложила:

— Почему бы нам не жить в одном номере?

— А мы как живем? — удивился Саша. Слово «мы» вызвало во мне бурный восторг.

— Зачем тогда еще один номер? — слегка обнаглев, спросила я. — Могли бы сэкономить.

— Не думай об этом, — усмехнулся он. — Твой номер я оплачу.

Ну, вот, здравствуйте. Я же совершенно другое имела в виду. Тут мои мысли потекли в ином направлении, и я сказала:

— Саша, ты вчера спрашивал, сколько денег я оттяпала у мужа. Если тебе нужны деньги... — договорить я не успела, он повернулся и молча посмотрел на меня. Нехорошо посмотрел. Не зло, не раздраженно, просто нехорошо, и я почувствовала себя под этим взглядом крайне неуютно. — Ой, кажется, сережку потеряла, — пискнула я и стала шарить руками по полу. Он отвернулся, а я с облегчением вздохнула. — Кофе заказать? — крикнула я уже из гостиной, все еще опасаясь приближаться к нему слишком близко.

— Выпью в баре, — ответил он.

Я попыталась сообразить, сердится он или уже нет. Тут зазвонил его мобильный, и я, схватив его, бросилась к Саше. Он взглянул на номер и ответил «да». Выслушал собеседника и перевел взгляд на меня.

— Вася?

Саша кивнул.

— Кривошеин ждет меня через два часа в баре «Толстяк». Это где-то в центре.

— Можно мне с тобой?

— Конечно, нет.

— Почему?

— Потому что он мент. А я собираюсь говорить с ним об изумруде. Ты вроде бы показания давала под протокол. Или я ошибся?

— Давала.

— Ну, вот. Глупо так подставляться.

— Что ты ему скажешь? — заволновалась я, сообразив, что идти к менту с изумрудом Саше совсем не безопасно. Вопрос он проигнорировал.

— Идем, накормлю тебя завтраком.

После завтрака мы вновь поднялись в номер.

— Отсюда ни шагу, — начал инструктаж Саша. — На дверь повесь табличку «Не беспокоить», никому не открывать, на звонки не отвечать. Поняла? — Я кивнула. — Отлично. — Он повернулся с намерением уйти, но я успела ухватить его за руку и запечатлеть на его губах поцелуй. Он вроде бы вздохнул. Надеюсь, это вздох сожаления оттого, что он не мог остаться.

Он отсутствовал часа четыре, и это было настоящим испытанием для меня. Я слонялась по номеру, считая минуты. Телевизор вызывал раздражение, на книге невозможно было сосредоточиться. Я всерьез задалась вопросом: а смогла бы я прожить без него сутки, к примеру? Получалось — нет. А он? На этот вопрос лучше не отвечать.

Наконец в дверь постучали, и я услышала Сашин голос:

— Открой.

Он вошел, снял пиджак, я несколько суетливо сновала рядом. Пиджак повесила в шкаф, с удовлетворением отметила, что Саша сел на диван, что позволило мне устроиться по соседству.

— Вы виделись? — кашлянув, задала я вопрос.

— Виделись.

— И что он сказал? — Я вовсе не была уверена, что Саша начнет рассказывать, но он, как видно, решил-таки посвятить меня в происходящее.

— История выглядит так: у Лысого в «Альбатросе» украли подвеску, которую он собирался подарить Кристине. Разумеется, ему это очень не понравилось, но в какой момент это произошло, он понятия не имеет, оттого и решил, что кулона навеки лишился. Однако на следующий день ему позвонил Мирон и сказал, что у него был парень, предлагавший купить у него это самое украшение.

— Откуда Мирон знал, что оно то самое, то есть украденное у Лысого?

— Лысый, оказывается, купил у него подвеску год назад. Вот Мирон вещицу узнал и сразу же позвонил Лысому. Дальше так. Мирон обещал, как только парень вторично появится, задержать его, чтобы люди Лысого успели подъехать и потолковать с ним по-свойски. Но Мирон так и не позвонил, а утром выяснилось, что старика убили. Дальше все понятно: звонок из гостиницы, менты вышли на тебя...

— Похоже на правду, — пожала я плечами.

— Похоже, — кивнул Саша. — Но от правды далеко.

— Почему ты так решил?

— Потому что мент здорово занервничал, как только я заговорил о камне.

— Ты показал ему изумруд?

— Этого не понадобилось. Я сказал, что Кристина

хвалилась подарком своим подружкам и в тот вечер появилась на сцене, украсив им свою нежную шейку, что очень не понравилось Лысому. Он сорвал с девицы подвеску, чему есть свидетели. Затем я сообщил, что, по моим сведениям, изумруд, о котором идет речь, действительно был знаком Мирону, но вряд ли Лысый купил камень у него. Мент держался молодцом, но было видно, что упоминание об изумруде совсем его не порадовало.

— То есть он на самом деле не знал, что искал?

— Точно. А теперь здорово напуган.

— Еще бы. Если камень исчез из дома Райкова во время убийства, выходит, Лысый имеет к этому убийству прямое отношение. Хоть мент и продажный, но должен понимать, чем дружба с Лысым может для него обернуться.

— Уверен: он бы это пережил. Но тут что-то еще...

— Что?

— Пока не знаю. Но то, что мент почувствовал себя очень скверно, не вопрос. Я посоветовал ему отправиться в отпуск, пока погода хорошая, а главное, забыть о твоем существовании. Он заверил, что уже забыл. Расстались мы практически друзьями, — улыбнулся Саша.

К вечеру у нас появился Вася, по его физиономии стало ясно: не с пустыми руками. Так и оказалось. Он прошел, сел в кресло и предложил:

— Давай-ка выпьем.

— А есть за что? — спросил Саша.

— Есть, есть. Я тут такого успел накопать... — Они выпили, и Вася стал рассказывать. — Значит, так... —

тут он покосился на меня, но Саша кивнул, предлагая ему продолжать, а я вздохнула с облегчением. — Оказывается, у Райкова возникли проблемы с компаньоном. Возникли они довольно давно, примерно за год-полтора до его гибели, взаимное недовольство то затихало, то шло по возрастающей. Короче, парни ненавидели друг друга.

— Отчего бы тогда не разбежаться? — задал вполне резонный вопрос Саша.

— Все не так просто. Там крутились большие деньги, и не только их собственные. Кое-кого из этой публики ты хорошо знаешь. Так вот, эти люди держали ребят в узде с целью сохранить свои доходы, с другой стороны, решить вопрос в пользу одного из двух претендентов тоже не могли, так как одни приняли сторону Райкова, другие — его компаньона Зиновьева. В общем, скорее всего, оба до сих пор держались бы в одной упряжке, трудясь на благо себе и своим партнерам, если бы не это ограбление, которое поставило крест на затяжном конфликте.

— И смерть всей семьи Райкова подозрений не вызвала?

— Конечно, вызвала. Не у ментов. Те-то знали: Зиновьев вряд ли решился бы устранить компаньона в подобной ситуации, уж очень опасно заедаться с такими людьми. Но вот Беспалый... Он у Райкова дочку крестил, не скажу, что они были друзьями, да и Беспалый не тот человек, чтобы бояться запачкать руки, коль речь идет о больших деньгах, но...

— Но то, что кто-то решил его обойти, ему по вкусу не пришлось.

— Еще как не пришлось. Короче, он принял самое деятельное участие в расследовании.

— И что?

— Смог накопать только то, что пропавшая девка, якобы участвовавшая в резне, некоторое время спала с Лысым. Она работала в сауне на Луганской, а он там часто появлялся.

— Вполне достаточно, чтобы выстроилась цепочка.

— Вполне. Но с Зиновьевым Лысого как будто ничего не связывало, а с девкой, как ты сам понимаешь, трахался не только он, но и три десятка других клиентов. Лысый вел себя спокойно, все отрицал. А потом они с Беспалым и вовсе подружились. Теперь Зиновьев рулит бизнесом в одиночку, причем весьма успешно, денежки капают, ну а то, что людей искромсали, так это, сам понимаешь, не повод долго переживать. Хотя знающие люди утверждают, что Беспалый до сих пор не успокоился и жаждет заполучить того, кто провернул такое у него под носом. Он считает это неуважением, а он, как известно, слегка повернут на таких вещах.

— Вряд ли Лысый рискнул бы проявить это самое неуважение, — пожал плечами Саша.

— Цена вопроса, — возразил Вася. — Ты же в курсе, что, по большому счету, у Лысого ничего нет, а он спит и видит себя олигархом. До олигарха ему, конечно, о-о-очень далеко, но не удивлюсь, если кое-что теперь у него появилось. Заводик, а может, не один, о котором никто не знает, но наличие которого, безусловно, скрасит его существование в старости. Помнишь, ты сказал: Лысый не ментов боялся? В самую точку. Боится он своих. В первую очередь Беспалого.

Как тот себя поведет, еще вопрос. А Беспалого слушают. Так что жизнь Лысого теперь напрямую зависит от этого камушка. У кого он в руках, тот и держит его за яйца. Надеюсь, это тебе поможет, — закончил Вася, глядя на Сашу со значением.

— Посмотрим. В любом случае тебе спасибо.

Он проводил его до двери, а я, едва дождавшись, когда Вася уйдет, заговорила:

— Значит, Кирилла убили по приказу Лысого?

Саша пожал плечами, о чем-то размышляя, прошелся по комнате.

— Все же сходится, — не унималась я. — Одного не могу понять, как Лысый мог подарить камень Кристине, зная, что это для него очень опасно.

— Вряд ли он так считал, — ответил Саша, а я уже решила, что общаться придется с его спиной. — Вся семья Райкова погибла. Кто еще мог знать о камне? Допустим, кто-то из друзей, знакомых. Вероятность встречи с ними Кристины не велика. К тому же он запретил ей носить кулон. И надела она его в тот вечер ему назло. Что его и взбесило. Лысый жаден. Иногда до глупости. И камень у себя оставил из жадности. А когда изумруд из кармана исчез, он мог бы плюнуть на это и жить себе спокойно. Если бы твоего Кирилла с камнем взяли и он указал на Лысого, тот всегда мог придумать для ментов объяснение. Но его жадность и здесь ему подгадила. Он потащился к Мирону, зная, что тот скупает краденое. А Мирон камень узнал, раз сам подвеску и делал. Старик был в определенных кругах человеком уважаемым. И то, что он камень узнал, явилось для Лысого новостью неприятной. Неизвестно, о чем они говорили в тот вечер, но Мирон в результате скончался. Его убийство было не очень разумным поступком, Лысый это понимал, следовательно, такой жест можно расценить как отчаянную меру. Он вознамерился отыскать вора и подключил к делу мента, не посвящая его в суть событий. Теперь мент уже понял, в чем дело, и в восторг от этого не пришел, подозревая, что в создавшейся ситуации может не просто лишиться друга, но и на себя накликать всевозможные беды. Делать резкие движения Лысый остерегался. Смерть Кристины не в счет, она мало кому интересна, а от кого она получила изумруд в подарок, поди теперь разберись. Он мог бы чувствовать себя в относительной безопасности... до вчерашнего вечера, пока не увидел нас за одним столом. Впрочем, скорее всего, явился он на разведку, уже зная о нашей внезапной дружбе, и подтверждение этого ему по душе не пришлось.

— Почему?

— Это просто. Ментам нужны доказательства, чтобы припереть его к стенке, а его приятелям хватит изумруда и моего рассказа. За глаза хватит. Но кое-что в эту простую историю не вписывается.

— Что?

— Предположим, Кирилла убил кто-то из людей Лысого. А вот откуда в твоей ванной появился труп его убийцы?

— Не знаю, — отчаянно замотала я головой.

— Допустим, он явился, чтобы поставить точку в этой истории: ты единственная, кто еще может что-то рассказать об изумруде.

— Я его не убивала, — упрямо повторила я. Саша с полминуты меня разглядывал.

— Есть еще девка, которая нанимает придурков, и те увозят тебя у меня из-под носа.

— Это люди Лысого, то есть девушка с ним связана и ему помогает. Чего не понятно?

— Мне очень трудно в это поверить. В помощниках он вряд ли нуждается. Тут что-то другое. В любом случае следующий шаг за Лысым.

— Какой шаг? — заволновалась я. Саша подошел и заглянул мне в глаза.

— Не бойся. Пока я здесь, он тебя не тронет.

— Ага. Ты это уже говорил, а те придурки...

— Поэтому я и делаю вывод, что к Лысому они отношения не имеют. Скажи-ка, а откуда ты свалилась на мою голову?

— Я? — Я назвала соседний областной центр, где в настоящее время жил мой муж, а когда-то и я вместе с ним. Саша усмехнулся.

— Эти типы явились оттуда, и девица, судя по всему, тоже.

— Ты хочешь сказать... — я не договорила. Нилин, конечно, не раз предупреждал, что мне следует быть осторожной, но не мог же Вадим... или мог? — Мой муж мерзавец, но он вряд ли способен на убийство. Он же нормальный человек... Я хочу сказать... он не какой-нибудь бандит... — Тут мне стало совсем нехорошо под насмешливым взглядом Саши, я готова была проглотить свой болтливый язык, но что сказано, то сказано. — Даже если в твоих догадках что-то есть, — промямлила я, — это не объясняет, *что* убийца Кирилла делал в моей ванной.

— Ладно. Я уйду ненадолго, — сказал Саша. — Из номера ни на шаг.

Он ушел, я заперла дверь, плюхнулась в кресло и предалась размышлениям. Неведомая врагиня жаждала моей крови. Предположим, Вадим и впрямь спятил. Но Кирилла, вне всякого сомнения, убил человек Лысого. Так кто застрелил убийцу, а главное, зачем? Если он хотел помочь мне, то весьма неосмотрительно оставлять труп в моей ванной. Нет, тут что-то не так. Я решила позвонить Нилину. Посвящать его в свои проблемы не стала, а у него новостей для меня не оказалось. С адвокатом Вадима они встречались четыре дня назад, беспокоиться мне не о чем, все идет как надо.

— Не о чем беспокоиться, — проворчала я, отбросив трубку. И в этот момент услышала шаги за своей спиной. Повернулась и приоткрыла рот от удивления. Ко мне не спеша приближался молодой человек в темных брюках и черном пуловере. А между тем я точно помнила, что дверь за Сашей заперла. «На ворона похож», — совсем некстати подумала я.

Сходство с вороном увеличивали темные волосы, зачесанные назад, глаза чуть навыкате и довольно длинный нос. В целом парень выглядел вполне прилично, и свое появление в номере не считал нужным мне объяснять.

— Где он? — спросил парень, и я решила, что поторопилась записать его в приличные люди. Ничего подобного. Паршиво он выглядит. Глаза совершенно ненормальные.

— Кто? Саша?

— Саша, Саша, — кивнул незваный гость, устраиваясь в кресле. «Может, это его приятель?» — подумала я.

— Уехал.

— Куда?

— Он не сказал. Я могу ему позвонить...

Я потянулась к мобильному, но гость перехватил мою руку, а мобильный убрал в карман. Потом достал свой телефон и не спеша набрал номер.

— Его нет. Девчонка говорит, что он уехал. Куда, не знает.

Я не слышала, что ему ответили, но парень поднялся и кивнул мне:

— Поедешь со мной.

Ох, как мне это не понравилось, что совсем неудивительно, памятуя вчерашнее приключение.

— Я не могу, — сказала я.

— Не можешь? — вроде бы удивился парень.

— Саша запретил мне выходить из номера.

— Ревнует, что ли?

— Я не даю поводов для ревности, — отрезала я.

— Молодец. Ладно, поехали. Твой Саша знает, где тебя искать.

— Почему бы тогда не позвонить ему? Если он разрешит...

— Значит, так, — терпеливо кивнул парень. — Ты поедешь в любом случае. Первый вариант: ты идешь со мной и спокойно садишься в машину. Второй вариант тебе не понравится. В общем, давай шевелись.

Я начала шевелиться, то есть поднялась, спокойно обошла кресло и со словами:

— Переодеться можно? — заехала ему ногой в живот и бросилась к входной двери. Она распахнулась, и я влетела носом в грудь здоровенному детине, который принял меня в объятия. Левой рукой он стиснул мне рот, а правой обхватил так, что не дернешься.

— Дикая кошка, — появляясь в прихожей, сказал первый гость. — Где он только таких девок находит?

— Они сами к нему липнут, — флегматично ответил здоровяк.

Я зажмурилась, когда «ворон» приблизился, ожидая страшной кары, но репрессий не последовало.

— Все еще первый вариант, — наклоняясь ко мне, сказал он. — Со второй попытки.

— Не шали, — погрозил пальцем здоровяк, выпуская меня из объятий. — Шею сверну, как курице.

С таким напутствием мы и отправились по коридору: бандиты справа и слева, и я, зажатая между ними. Мысли мои метались, и не было среди них ни одной стоящей.

Направлялись мы к пожарной лестнице, и гостиницу покинули через запасной вход, так что не удивительно, что ни одной живой души мы не встретили. Возле двери стоял джип, в него и загрузились.

Парни лениво переговаривались, не обращая на меня внимания, но я опять оказалась между ними, так что на побег рассчитывать не приходилось. Водитель то и дело поглядывал на меня в зеркало и вдруг подмигнул. Я решила, что это хороший признак, но успокоиться все равно не могла.

— Хочешь? — неожиданно спросил здоровяк, протягивая мне коробку с леденцами. Я покачала головой, а «ворон» усмехнулся:

— Самурай ее к другому леденцу приучил. Так, что ли, деточка?

— Тебе-то что? — ответила я.

— Видал, как разговаривает? — хмыкнул «ворон».

— Тебе просто завидно, — залился смехом здоровяк.

Мост остался позади, и теперь мы двигались вдоль реки, по обеим сторонам которой высились коттеджи, утопающие в цветущих кустарниках. Мы свернули в переулок и вскоре затормозили возле двухэтажного дома за глухим забором. Ворота открылись, и мы въехали во двор.

Дом внешне особым богатством не поражал, добротный, с видеокамерами на углах, но вовсе не дворец, перед домом зеленая лужайка, более ничего существенного разглядеть мне не удалось. Мы втроем вошли в дом, водитель остался в машине. В холле маячил парень, по виду родной брат здоровяка. Молча указал на дверь в глубине холла, к ней мы и направились, точнее, я и «ворон», здоровяк остался с «братом», и они о чем-то тихо переговаривались.

Проходя мимо кухни, я заметила еще одного типа, он пил кофе, листая журнал, оружия ни у кого я не видела, но это меня отнюдь не успокоило. Дом непостижимым образом напоминал казарму. Наличие крепких парней это сходство лишь увеличивало. «Ворон» сказал, что Саша знает, где меня искать. С одной стороны, это вселяло определенные надежды, с другой, никуда не годилось. С такой оравой Саше не справиться. «А что, если это ловушка? — подумала я и замерла, так эта мысль меня поразила. — Конечно, ловушка. Он придет, а здесь эти...» Меня легонько подтолкнули в спину, распахнув перед моим носом дверь. Мысль о ловушке крепко засела в голове, и теперь ни о чем другом я думать не могла. Поэтому в первое мгновение даже не обратила внимания на новый персонаж.

— Ух ты, красота-то какая, — услышала я насмешливый голос и вот тогда сообразила, что нахожусь в кабинете, по крайней мере, эта комната более всего напоминала кабинет, а его хозяин сидит за столом и мне улыбается. «Ворон» прошел к столу и аккуратно положил на краешек мою сумку, которую они прихватили вместе со мной, рядом положил мой мобильный.

— Олег Николаевич, Вову отправлять?

— Ага, — кивнул хозяин кабинета.

«Ворон» разговаривал с ним почтительно, из чего я заключила, что он здесь главный.

— В сумке ее паспорт. С ментами я связался, они говорят, все чисто.

Само собой, ничего из этой тарабарщины я не поняла. Олег Николаевич кивнул и вновь обратил свой взор на меня.

— Чего в дверях стоишь? Проходи, садись.

Я прошла и села на стул, что стоял по другую сторону стола, приглядываясь к хозяину. Невысокий (он как раз поднялся и направился к бару) мужчина лет сорока пяти, худой, рано облысевший, ничего особенно примечательного в нем не было. Одет в джинсы и свободную рубашку, которая была ему несколько великовата, на ногах рыжие мокасины. Он мог быть кем угодно, но на киношного злодея точно не походил. Мужчина налил минералки в стакан и повернулся ко мне:

— Хочешь?

Я кивнула. Он подошел и поставил передо мной стакан с водой. Я жадно выпила и вежливо сказала: «Спасибо». Он вновь устроился на прежнем месте, взял мою сумку, вытряхнул содержимое на стол и стал лениво копаться в моих вещах. Я обратила внимание, что на левой руке у него не хватает двух пальцев.

— Самурая давно знаешь? — спросил он.

— Сашу? Нет. Познакомились два дня назад.

— Да? И где познакомились?

— В «Альбатросе», в казино. Он играл, а я на него пялилась. Ему это надоело, и он велел принести мне шампанского. Так и познакомились.

— А чего пялилась-то, понравился, что ли?

— Да, понравился.

— У баб чутье, это точно, — кивнул он. — Не хуже собачьего. Но ты-то еще до его приезда о нем расспрашивала, так? Или я путаю чего?

— Не путаете, — кивнула я, отрицать это было бы бесполезно. Напускное добродушие Олега Николаевича меня тоже не обмануло. А мысль о ловушке не давала покоя, мешая сконцентрироваться на разговоре. Хотя я и чувствовала, что от моих ответов многое зависит.

— Выходит, встретились вы не просто так?

— Мне о нем рассказывал приятель, — вздохнула я. — Мы с ним в этом городе познакомились. Он сказал, что ждет приезда своего друга.

— Друга? Это Самурая, что ли?

— Да. Потом... потом Кирилл уехал, а я познакомилась с девушкой, ее звали Анна, мы жили в одной гостинице. Вот и подружились. Через несколько дней ее убили.

— Вот как? Бывает. И что?

— Мне сказали, что жила она здесь под чужим именем. И кто она, никто не знает. Ее похоронили, а я подумала, что... должна узнать. Понимаете?

— Не очень, — усмехнулся мужчина.

— Мне важно узнать, кто она и почему ее убили.

— И ты решила, что Самурай все тебе объяснит?

— Да. Решила.

— Ну и как?

— Никак, — нахмурилась я. — Он сказал, что убийцу должны менты искать, им за это деньги платят.

— Но обещал разобраться?

— Нет, ничего он мне не обещал.

— Странно. Его хлебом не корми, дай сунуть нос не в свое дело. А что там с его девкой, или он тебе о ней не говорил?

— С какой девкой? — нахмурилась я.

— Подружка у него была, померла как раз после его приезда.

Мужчина между тем добрался до моего паспорта. Полистал его, потом на меня посмотрел с усмешкой, он вообще без конца усмехался, словно не верил ни одному моему слову.

— Селина, — сказал он нараспев. — Имя татарское, что ли?

— Почему татарское? — удивилась я. — Хотя, может, и татарское. Я не знаю. Мама вообще-то русская, но, может, ей нравились татарские имена.

— Мама? А отец что?

— Отца у меня нет. Конечно, он есть, но я о нем ничего не знаю.

— Ну и хорошо. Поди, алкаш какой-нибудь, зачем тебе такой родитель?

— Я тоже так думаю.

— Значит, ты из Усольска, — продолжал он осваивать мой паспорт. — Давно там была?

— Полгода назад.

— И как городишко?

— Нормальный.

— Да ладно, паршивый городишко. Казармы на Красноармейской, поди, до сих пор стоят?

— Нет там никаких казарм. Там пятиэтажки, сколько себя помню. Я рядом, на Мичурина, жила.

— Да?

— Да. Восьмой дом. Тетка там до сих пор живет.

— Как фамилия?

— Теткина?

— Твоя.

— По мужу Козельская.

— Это я и так вижу.

— До замужества была Петровой.

Мужчина опять уткнулся в паспорт, затем спросил:

— Мать где?

— В Ульяновске. У нее другая семья. Меня тетка воспитывала.

— А ты, значит, замуж за богатенького вышла, а потом денежки его прикарманила?

— Он это заслужил, — отрезала я.

— Разумеется. Как же еще, — хмыкнул Олег Николаевич.

Тут за дверью я услышала знакомый голос:

— Что ты меня, как бабу, лапаешь? Нет у меня оружия. — А еще через секунду дверь открылась, и в комнату вошел Саша. Взял стул, сел, закинув ногу на ногу, и стал играть брелком от машины.

— Красавец, — глядя на него, недовольно сказал Олег Николаевич. — Бабы небось так и липнут. Вот еще одна дура в твоей коллекции.

Саша его слов будто и не слышал, по крайней мере реагировать на них не собирался.

— Ну, здорово, что ли, — вздохнул Олег Николаевич.

— Привет, — ответил Саша.

— Давно в городе?

— А то ты не знаешь.

— Знаю. Ждал, может, заглянешь по старой памяти. Какое там... Пришлось вот в гости звать. Что, времени не нашел?

— Со временем у меня проблемы.

— Это точно, — кивнул хозяин кабинета. Саша закурил не спеша, Олег Николаевич недовольно отмахнулся от дыма, не выдержал и сказал ворчливо: — Терпеть не могу, когда курят.

— Тогда зря в гости звал.

Тот покачал головой и подвинул Саше пепельницу, массивную, из бронзы, которая украшала стол и, как видно, редко использовалась по назначению.

— Лысый на тебя жалуется, — с легким вздохом начал он. — Говорит, ты под него копаешь. Правда, что ли?

— На что он мне сдался? — удивился Саша.

— Девку его ты?... — он не договорил, потому что Саша взглянул на него в упор, и тот подавился словами, что меня порадовало. Кто тут кого больше должен опасаться, еще вопрос. — Он решил, что ты, — пошел на попятный Олег Николаевич, — приревновал то есть.

Саша не счел нужным отвечать и на это замечание, а Олег Николаевич предпочел данную тему оставить.

— А к менту зачем ездил?

— У моей девчонки неприятности, — не спеша ответил Саша. — Подружку ее зарезали, хочу понять, что там к чему.

Мужчина хмыкнул и головой покачал:

— Что ты за человек, а? О том ли тебе сейчас думать надо? Тебе, может, жить-то осталось совсем ничего, а ты все... Слушай, Самурай, я знаю, у тебя есть принципы, и я тебя за это уважаю. Можешь не верить, но это так. Но времена изменились, понимаешь? Другие люди, другая жизнь. Люди спешат делать деньги, просто делать деньги. Без всех этих... А ты? Все носишься с пистолетом, восстанавливая справедливость? Ковбой хренов.

— Чего это ты вздумал проповеди читать? — хмыкнул Саша. — Что мне делать, я без тебя разберусь и о своем здоровье сам подумаю.

— А девку с собой в могилу потащишь?

— Девка здесь совершенно ни при чем.

Саша поднялся, затушил сигарету, сгреб все мои вещи в сумку и кивнул мне:

— Идем.

Я вскочила, косясь в сторону Олега Николаевича и пытаясь отгадать, как он на это отреагирует.

— В пятницу все должны быть здесь, — сказал он, когда мы достигли двери.

— Рад буду повидать старых приятелей, — ответил Саша.

Парни в холле молча наблюдали за тем, как мы идем к выходу. Калитку перед нами предупредительно открыли. С той стороны стояла Сашина машина, все такая же грязная. Я забралась в кабину и, только когда мы отъехали на значительное расстояние, смогла перевести дух.

— Чего они хотят от тебя? — решилась я задать вопрос. — Ведь чего-то хотят, да?

Отвечать он не собирался, это было ясно, и я замолчала. А потом заревела от обиды. Саша посмотрел на меня, вздохнул и легонько потрепал по плечу.

— Испугалась?

— Нет, — вытирая слезы, ответила я.

— Так уж и нет?

— Так уж. Я совершенно не поэтому реву, я за тебя боюсь.

— С какой стати?

— Этот тип сказал...

— Нашла кого слушать. И вообще, у нас есть дело, давай на нем и сосредоточимся.

Остаток вечера мы кружили по городу, заехали к Васе, потом еще к каким-то людям. Саша меня с собой не брал, приходилось ждать его в машине. Часам к одиннадцати вернулись в «Альбатрос», поставили «Лендровер» на стоянку. Уже стемнело, зажглись фонари, воздух был теплым, и я подумала: «Какая красивая ночь».

— Хочешь, прогуляемся? — точно читая мои мысли, спросил Саша. Я подхватила его под руку, и мы отправились к реке. Прошли мимо пристани и спустились к самой воде. Саша сел, сорвал травинку и стал ее жевать, глядя на реку, которая делала в этом месте плавный поворот. Я пристроилась рядом, нерешительно обняла его. Он чуть отстранился и сказал: — Не привыкай ко мне.

— Не привыкай? — растерялась я.

— Ну, да... Через пару дней мы все равно разбежимся, будет хуже.

Я не знала, что сказать. Мысли путались, с чувствами тоже было не лучше, в душе нарастали обида, боль, но все перевешивал страх.

— Я тебе совсем не нравлюсь? — выпалила я, зная, что ничего глупее в данной ситуации спросить не могла.

— Дело не в этом, — ответил он неожиданно мягко, и стало ясно: меньше всего в тот момент он хотел меня обидеть.

— А в чем?

— В чем? Ну, хотя бы в том, что этот тип в общем-то прав. И у меня нет никакого желания тащить тебя с собой в могилу.

— Что будет в пятницу, Саша? — резко спросила я. — Скажи, прошу тебя, чтобы я не свихнулась от страха.

— Да ничего не будет, — отмахнулся он. — Соберутся люди и сделают мне предложение, от которого я не смогу отказаться.

— И ты его примешь?

— Нет.

— И что потом?

— Потом... — он пожал плечами, не желая продолжать.

— Они попытаются тебя убить, — помедлив, сказала я.

— Не здесь и не сейчас. Может, через месяц, через год, как повезет. Но если решат, то в конце концов убьют, конечно.

— Но ведь... можно уехать за границу...

— Какой в этом смысл? — удивился он.

— Кирилл говорил: тебя уже не раз пытались убить. — Саша не ответил, да я и не ждала ответа. — Он говорил: однажды тебя заманили в ловушку, ты знал, что это ловушка, но все равно пошел. Их было двенадцать, а ты один...

— Во-первых, не двенадцать, а семеро; во-вторых, мне тогда здорово повезло. А в-третьих и главных... — он опять помолчал, — времена действительно изменились. Другие люди, другая жизнь. И не осталось никого, кто был мне дорог, они давным-давно лежат в могилах, а я всех пережил и не нахожу в этом ничего хорошего. И мне, по большому счету, уже давно на все плевать. Герои умирают молодыми, — усмехнулся он. — О Че Геваре слышала?

— Конечно.

— Ну, вот. Кому он был бы нужен, доживи до глубокой старости и умри в своей постели?

— И по этой причине ты решил не принимать их предложение?

— Я в любом случае его бы никогда не принял. Это дело чести.

— А как же я? — задала я глупый, беспомощный вопрос, но он его понял по-своему.

— Я уже сегодня отправил бы тебя из города, если бы не одно «но»... Кто-то всерьез решил от тебя избавиться, и ко мне это не имеет никакого отношения, к моим делам, я имею в виду. Значит, пока есть время, с твоими недругами надо разобраться. Вот и все.

— Хорошо, — подумав, сказала я. — Пусть несколько месяцев, даже месяц. Я согласна.

Саша смотрел хмуро, видно, не очень понимая, о чем я.

— Этот месяц я буду с тобой и умру с тобой.

— Прекрати, — разозлился он. Герой, похоже, совсем не нуждался в верной подруге, что, впрочем, меня не удивило. — Тебе сколько лет?

— Двадцать три.

— Вот именно.

— При чем здесь мой возраст?

— При том, что дури у тебя в голове много. Уедешь, как только я скажу. Поняла?

— Ты сказал: тебе давно на все плевать, потому что никого не осталось из тех, кто тебе дорог. А что тогда делать мне? Что мне делать без тебя?

— Выходить замуж, рожать детей...

— Хорошая идея. Женись на мне, и я рожу тебе детей. Ты не можешь или не хочешь, что одно и то же, а я не хочу никого другого. Или ты, или никто. И не надейся, что сможешь от меня избавиться.

— Ладно, пошли ужинать, боевая подруга, — засмеялся он, поднимаясь. И мы направились к гостинице.

Я знала, что он мне не поверил, он счел это бабьей болтовней, которую, возможно, приятно слушать, но не стоит воспринимать всерьез. А я понятия не имела, как объяснить ему, что это не блажь, не пустые слова. Я чувствовала — жизнь без него лишена смысла, и никакие доводы разума тут не помогут. Да, мы знакомы всего пару дней, я ничего, не знаю о нем, если не считать рассказов Кирилла, больше похожих на легенды, а то, что знаю, должно было меня насторожить, напугать и заставить поскорей уносить ноги от этого парня, для которого таскать трупы не в диковинку, так же, как стрелять в людей, пусть они это и заслуживали. Я жила без него двадцать три года, значит, еще проживу. Успокоюсь, забуду, выйду замуж... Но все эти доводы рассыпались, как гора сухих листьев при первом дуновении ветра, потому что правда была в другом: я люблю его и хочу быть с ним, и перед этим яростным желанием отступало все, даже страх смерти, и я подумала, что главное — в тот последний момент оказаться рядом с ним.

На следующее утро мы проснулись поздно, позавтракали, и Саша сказал, что ему надо ненадолго отлучиться. Я заявила, что боюсь оставаться одна, раз сидение в номере не спасает от встреч с малоприятными людьми. Саша хмуро кивнул, и в результате я отправилась с ним. Только мы оказались в старом городе, как Саша повел себя загадочно. Вдруг рванул в какую-то подворотню и принялся петлять по узким улочкам, пока, в конце концов, не вернулся к исходной точке, то есть к старому двухэтажному зданию, напротив которого и была та самая подворотня. Мы въехали во двор, на этот раз просто сдали назад и укрылись в тени большой липы. Если до этого момента у меня не было объяснения, почему мы мечемся по улицам, то теперь появилась уверенность, что это было не просто так. И я спросила:

— Зачем мы здесь?

— Пытаюсь выяснить, кого мы на этот раз заинтересовали.

Я продолжала смотреть с недоумением, и Саше пришлось пояснить:

— Темно-синий «Опель» пристроился за нами еще у гостиницы. Возможно, это мои приятели дурака валяют, а возможно, кто-то из твоих.

— Из моих? — растерялась я, со злостью подумав, что знакомства с теми двумя «приятелями» более чем достаточно и других знакомств я не ищу.

— Я бы предпочел твоих, — пожал плечами Саша. — Пора отбить у них охоту тебе пакостить.

В то же мгновение перед нами возник синий «Опель», заметить нас в подворотне его владелец не мог, оттого и проследовал мимо. Саша, выждав время, поехал за ним. Я опять-таки пребывала в недоумении, не решаясь, однако, лезть с вопросами, пока впереди в потоке машин вновь не увидела тот же «Опель». Теперь мы двигались по проспекту, и стало ясно, что мы поменялись с тем типом местами, не он висит у нас на хвосте, а мы у него. Он, должно быть, решил, что в лабиринте улиц старого города нам удалось ускользнуть, и оставил надежду нас отыскать, а теперь следовал в неизвестном направлении, но явно с определенной целью, потому что не носился бестолково по улицам, а двигался уверенно и на приличной скорости.

На наше счастье, он выбрал проспект, где движение было чрезвычайно оживленным, и мы могли какое-то время оставаться незамеченными. Саша держался на почтительном расстоянии, и можно было очень просто потерять «Опель» из вида, но приближаться было бы не разумно.

«Опель» свернул на светофоре, но и эту улицу

пустынной никак нельзя назвать, так что шанс остаться незамеченными у нас все-таки был. И тут машина остановилась, свернув в переулок. Мы едва успели юркнуть в очередную подворотню. Мы выскочили из машины, и я вытянула шею, стараясь не пропустить развития событий, дверь «Опеля» открылась, и появился молодой человек, он сделал несколько шагов, а я растерянно сказала:

— Сережа.

И в самом деле это был Сергей, тот самый, с которым мы некогда познакомились на «богатой даче».

— Знакомый? — спросил Саша.

— Вроде того.

— Что ему могло от тебя понадобиться?

— Понятия не имею, — пожала я плечами, вспомнила об обстоятельствах нашей предпоследней встречи и в замешательстве потерла нос. Между тем Сергей вошел в кафе, что было неподалеку, и скрылся за стеклянной дверью.

— Рассказывай, — бросил Саша, некоторое время понаблюдав за мной.

— Мы познакомились почти два года назад, тогда я еще была не замужем. Летом я подрабатывала, ходила убираться в один дом, там мы и познакомились. Он приезжал в гости к хозяйской дочери. Я вымыла его машину, а он дал мне тысячу.

— И что дальше?

— Ничего. Через полгода мы опять встретились, случайно. Возле супермаркета, это когда я уже жила с мужем. Потом Вадим затеял аферу с деньгами, и однажды среди ночи мы обнаружили в своей спальне типа в маске и с пистолетом в руке.

— Вот как?

— Ага. Вадим тогда здорово перетрусил.

— А ты?

— А я — нет. То есть сначала испугалась, конечно, а потом поняла, что стрелять этот тип не будет. Он пришел не убивать, а немного вправить мозги моему бывшему мужу.

— Почему ты так решила?

— По тому, как он вел себя. Это трудно объяснить, но я была уверена. К тому же узнала голос. Это был он.

— Сережа?

— Да. Потом мы встретились в кафе, и он предложил убить моего мужа, чтобы я могла прибрать все его деньги.

— Занятно. И что ты ответила?

— Что у меня и так денег больше, чем я способна потратить. С тех пор мы не виделись.

— А теперь он появился здесь, за сто двадцать километров от твоего города. Я уверен, не просто так появился. Ты все рассказала или кое-что предпочла оставить на потом?

— Зачем мне тебе врать?

— Ну... может, ваше знакомство не ограничилось четырьмя встречами?

— Ограничилось.

— Значит, он явился к твоему мужу с пистолетом. Предположим, для парня это дело привычное, хотя в среде профессионалов встречаются и любители. Профессионалам, как правило, по барабану, за что получать деньги, сегодня он грозит твоему мужу, а завтра... В любом случае я уверен, что его появление здесь совсем не случайно, иначе какого черта ему болтаться за нами по городу?

Возразить мне было нечего, и я кивнула.

— Ты думаешь, Вадим мог нанять его, чтобы меня убить? — растерянно спросила я.

— А твой муж кровожаден?

— Жаден — да и не очень умен. А еще труслив.

— Как же тебя угораздило выйти за такого?

— Расскажу, если пообещаешь не смеяться.

— А это смешная история?

— Дурацкая.

— Хорошо. История твоего замужества подождет, а вот с парнем надо потолковать.

— Здесь?

— Лучше в малолюдном месте и без свидетелей.

— Вряд ли он на это согласится, — вздохнула я.

— Сейчас важнее узнать, с кем у него назначена тут встреча, — заметил Саша.

— А если нет никакой встречи и он просто заехал пообедать?

— Самый простой способ проверить это: заглянуть в кафе, — пожал Саша плечами. — Если он там один, изобразишь большую радость, все-таки знакомый человек в чужом городе. Заодно посмотришь на его приятеля, если этого Сережу там кто-то ждал.

— А если там мой муж?

— Я почти уверен, что так оно и есть. Хотя Сергей может встретиться и с дамой.

— Той самой? — нахмурилась я. — Как я должна себя вести?

— Спокойно. Встретила знакомого, поболтала и вернулась сюда.

— Хорошо. — Я собралась действовать, и тут дверь кафе распахнулась, и я оторопело замерла.

— Муж? — проследив мой взгляд, спросил Саша.

— Нет, — покачала я головой. — Его адвокат. Бывший. Он предлагал мне обокрасть мужа.

— В помощниках у тебя недостатка не было, — усмехнулся Саша.

— Это точно.

— Чего он хотел взамен?

— Деньги.

— Только деньги? Или его интересовало еще что-то?

— Для надежности и сохранности капитала он хотел на мне жениться.

— А парень не дурак. И ты ему отказала?

— Отказала. Мне не нравятся мерзавцы. Я нашла себе другого адвоката, семье которого мой муж задолжал. Тот не рвался в мужья, но в дураках Вадима оставил.

Между тем Истомин, быстро оглядываясь, направился к машине, которая была припаркована неподалеку.

— По идее, потолковать стоило бы с ним, — наблюдая за его передвижениями, заметил Саша. — Но адвокаты народ мутный, а главное, скользкий, времени на него уйдет много. То ли дело парни с пушкой, являющиеся по ночам в чужие спальни. Для них жизнь других ничего не стоит, оттого они справедливо полагают, что и их жизнь стоит ломаный грош. Ставлю на Сережу, — заключил он. — Иди, поболтай с ним. И если все пройдет на уровне, попроси его отвезти тебя в «Альбатрос».

— А что я...

— Иди. Он может покинуть кафе в любую минуту.

Я весьма поспешно направилась в кафе и едва не столкнулась с Сережей в дверях. Он намеревался прошмыгнуть мимо, но я загородила ему дорогу, выразительно подняла брови и вытаращила глаза, громко выпалив:

— Ты?

— О, привет. — Он тоже попытался изобразить удивление, но особыми актерскими способностями не обладал и сам об этом догадывался.

— Что ты здесь делаешь? — посуровела я.

— В кафе?

— В этом городе.

— Приехал к приятелю.

— А-а... я думала, ты меня выслеживаешь. — Слово «выслеживаешь» ему не понравилось.

— С какой стати? — возмутился он.

— А с какой стати ты предлагал мне пристрелить моего мужа? Может, ты теперь с ним договорился?

— Тише, — укоризненно сказал он, оглядываясь. Взял меня за руку и повел к ближайшему столику. — Хочешь кофе?

— Чаю.

— Хорошо, чай. — Он подозвал официантку. — Ты одна здесь? — спросил, понижая голос. Взгляд его устремился в окно, наверное, он высматривал «Лендровер».

— Как видишь. Может, объяснишь, что ты на самом деле забыл в этом городе?

— Приехал тебе помочь, — огорошил он меня.

— Помочь? Мне?

— Конечно. Хоть ты не очень-то добра ко мне, зато я испытываю к тебе самые теплые чувства.

— С чего вдруг? — хмыкнула я.

— Считай это любовью с первого взгляда.

— Я слышала о таком, но думала, что это враки.

— Я и не ожидал, что ты мне поверишь. Но это правда.

— Допустим, верю, — кивнула я. — Что дальше?

— Деньги у муженька ты все-таки оттяпала. Как считаешь, он пришел от этого в восторг?

— У меня есть повод сомневаться в этом.

— Правильно. Он спит и видит вернуть свои деньги.

— Каким образом?

— Самым примитивным.

— Значит, он решил меня убить? — нахмурилась я. — И что он от этого выиграет? У меня есть наследники.

— Ты опять про эту бодягу с дорогами в родном городе? Кто ж в это поверит? Никакого завещания не существует. Если ты имеешь в виду свою тетку или мамашу в Ульяновске, так с ними твой муженек быстро договорится, бросит им кусок с барского стола, и они заткнутся. Кстати, тебе не приходило в голову, что его обида может быть так велика, что он просто решил разделаться с тобой, независимо от того, вернет деньги или нет?

— А ты хочешь этому помешать? Исключительно из теплых чувств ко мне?

— Может, не исключительно, но... — Он шарил

по моему лицу взглядом, должно быть, гадал, видела я Истомина или нет, а я не собиралась приходить ему на помощь, напустила на чело задумчивость, чтобы Сергей решил: его слова все-таки произвели впечатление. — Он нанял киллера, — перегнувшись ко мне, шепнул Сергей.

— Он сам тебе сказал об этом? — съязвила я.

— Нет. Что ты. Я узнал случайно. Шепнул один человечек.

— Уверена, в среде киллеров у тебя большие связи, — опять съязвила я, но Сергей кивнул серьезно.

— Вот именно. Я приехал сюда, чтобы тебя предупредить.

— Спасибо, — в свою очередь кивнула я. — Мой муж нанял киллера. И что мне делать с этим знанием? Пойти в милицию? Уверена, там мне охотно поверят на слово.

— Доказательств у меня, само собой, нет, если ты об этом. Но тебе следует проявлять осторожность.

— И чтобы сказать мне это, ты проделал путь в сто двадцать километров?

— Тоже мне расстояние.

— Сколько это стоит?

— Ничего.

— Твое бескорыстие меня просто потрясает.

— Я могу избавить тебя от этого типа.

— Как?

— Очень просто. Выслежу и... избавлю. Он будет следить за тобой и где-нибудь непременно засветится. Кстати, тот парень, с которым ты была сегодня, кто он? — Сергей рассчитывал смутить меня этим вопросом, и я смутилась.

— Просто мужчина, с которым я познакомилась в казино. А ты откуда о нем знаешь?

— Я знаю довольно много. Значит, просто мужчина? Ты уверена?

— Конечно. Кто же он, по-твоему?

— А ты подумай. Так ли уж случайно он тут появился?

— Ну, если он тот самый киллер, то вполне уже мог бы меня укокошить.

— Допустим, он не спешит, потому что надеется, что при определенном стечении обстоятельств ты не откажешься подписать кое-какие бумаги. И вот тогда...

Я покусала губу, разглядывая стол.

— Наше знакомство, прямо скажем, наводит на размышления.

— Вот я и хотел предупредить тебя. Где он, кстати?

— Сказал, что у него какие-то дела. Договорились встретиться в этом кафе.

— Тогда нам лучше побеседовать в другом месте. Слушай, что ты сделала с трупом?

Тут челюсть у меня отвисла без всякого моего к тому старания, то есть совершенно непроизвольно.

— Какой еще труп? — опомнилась я.

— Кончай прикидываться.

— Пожалуй, нам действительно лучше поговорить в другом месте, — вздохнула я.

— Вот-вот, как ты думаешь, твоя жизнь стоит сто тысяч долларов?

— Наконец-то, — закатила я глаза. — Слова не мальчика, но мужа. Она стоит гораздо больше.

— Сто тысяч, и считай, что неприятностей у тебя уже нет, — с этими словами Сергей позвал официантку, расплатился, и мы вместе направились к двери.

— Поедем ко мне, — предложила я. — Там и поговорим.

Стекла его «Опеля» были затонированы, так что дальнейшее явилось полной неожиданностью, в том числе и для меня. Сергей сел на водительское место, я рядом, и только когда мы дружно захлопнули двери, я поняла, что в машине уже есть пассажир. Саша сидел на заднем сиденье и хмуро разглядывал в зеркале физиономию Сергея. Тот резко повернулся, а Саша сказал:

— Не дергайся.

— Он знает о трупе, — сказала я.

— Сейчас все расскажет, — кивнул Саша. — Поезжай не спеша, поговорим.

Оружия в его руках не было, но Сергей предпочел подчиниться, что меня удивило.

— Куда ехать? — спросил он на ближайшем светофоре.

— Прямо. На следующем перекрестке свернешь.

Сергей без конца поглядывал на Сашу, иногда косился на меня, вроде бы к чему-то готовился. Но Саша, сидя сзади в расслабленной позе, был спокоен, и это сбивало с толку.

Сергей свернул, и мы оказались в переулке, ближайший дом являл собой печальное зрелище, жуткая развалюха, без крыши, вместо дверей и окон провалы в стенах.

— Въезжай во двор, — скомандовал Саша, Сергей опять подчинился. Как видно, он считал, что ничего скверного почти в центре полумиллионного города произойти не может.

Двор был огорожен высоким забором, надежно скрывающим машину от посторонних глаз. Мусор, разбитый кирпич и ржавое железо вокруг, пейзаж унылый. Саша перегнулся вперед, обыскал Сергея, тот сидел с видом человека, у которого чужие старания вызывают недоумение. Я к этому моменту машину уже покинула, вслед за мной вышли Саша с Сергеем. Кроме бумажника, в карманах последнего ничего не нашлось, Саша без особого интереса заглянул в документы.

— Рассказывай, — предложил он спокойно. Сергей недобро покосился на меня.

— Я хотел ей помочь.

— Вот как. Ты или бывший адвокат ее мужа?

Вопрос не пришелся ему по душе, но не удивил. Он уже понял, что мы за ним следили, вздохнул и пожал плечами.

— У Истомина на нее большой зуб. Но он хочет денег, а вовсе не ее смерти, в отличие от ее благоверного.

— Так это Истомин отправил тебя сюда? — Саша присел на водительском месте, оставив дверь открытой, Сергей огляделся и устроился на бревне, которое лежало по соседству, а я привалилась к капоту машины. Разговор, как ни странно, обещал быть именно разговором, а отнюдь не допросом с пристрастием, как я поначалу ожидала. Поведение Сергея слегка смущало меня, я даже подумала: может, он в самом деле хотел помочь, предупредить меня о намерениях мужа и теперь не видел необходимости чего-то скрывать, а уж тем более бояться.

— Девушка оказалась замешанной в скверную историю, ее подружку зарезали, Истомин хотел знать, в чем дело. А я думал ей помочь. Вот и все.

Он избегал взгляда Саши, то есть не решался поднять голову, разглядывая землю у себя под ногами, хотя говорил по-прежнему спокойно. А я вдруг поняла: присутствие Саши его тяготит, более того, он его боится, хотя изо всех пытается скрыть это. Саша молчал, и Сергей продолжил, так и не дождавшись очередного вопроса:

— Они ее искали, ее бывший муж, я имею в виду. И Истомин, конечно, тоже. Вроде бы она была за границей. — Он говорил исключительно для Саши, меня здесь как будто вовсе не было. — Пока кто-то из ментов не сказал Истомину, что она тут неподалеку. Да еще умудрилась вляпаться в дерьмо, раз менты ею интересуются. Истомин быстро смекнул, что может кое-что с этого поиметь.

— Что? — спросил Саша.

— Ну... должно быть, подумал: она напугана, и в этой ситуации запугать ее еще больше легче легкого.

— Например, обвинив в соучастии в убийстве? — подал голос Саша.

Вот этот вопрос Сергею не понравился. Он хмуро огляделся.

— Не знаю. Мне он о своих планах не рассказывал.

— Не знала, что вы с ним знакомы, — решила вмешаться я, Сергей мое замечание проигнорировал, но тут Саша спросил:

— Так вы давно знакомы?

И тот ответил:

— Давно. У меня были проблемы, Истомин мне помог. В общем, я считаю, что ему должен.

— Значит, в моей спальне ты появился с благословения Истомина, — сообразила я. — А вовсе не бывших компаньонов Вадима? Зачем адвокату это понадобилось, ведь к тому времени Вадим и так сделал то, что хотел от него Истомин?

— Надо было заставить твоего мужа действовать решительнее. И, наконец, добиться, чтобы вы разъехались.

— Чтобы меня было проще контролировать?

— Само собой. К тому же Истомин спал и видел оказаться в твоей постели.

— Это он сказал?

— Да нет, об этом я сам догадался. Он отправил меня сюда, чтобы я в ситуации разобрался.

— И постарался выжать из нее максимум пользы, — кивнул Саша. — Оттого и появился труп?

— Я никакого отношения к этому трупу не имею, — возмутился Сергей.

— Тогда как узнал о нем? — удивился Саша.

— Я был в ее номере. Хотел предупредить, и об Истомине, кстати, тоже. Вошел в номер, но Лины там не оказалось. Я решил подождать. Когда-нибудь все равно появится. Сидел и ждал, пока не заглянул в ванную. А там такой подарок.

— Долго ждал?

— Не очень. Я перепугался и покинул номер. Но несколько раз звонил, чтобы ее предупредить. К телефону никто не подошел. Потом трубку взял мужик, я решил, что это менты.

Теперь я окончательно запуталась, вроде бы Сергей говорит правду. Звонки были, вдруг в самом деле он хотел меня предупредить? Но труп-то откуда взялся?

— Утром я позвонил Истомину, и он приехал. Менты ни о каком трупе понятия не имели, получалось, либо он мне привиделся, либо девчонка каким-то образом смогла от него избавиться. И то и другое казалось одинаково фантастичным. Истомин велел мне приглядывать за ней. Когда вы появились вместе, стало кое-что понятно. Я вас сфотографировал, и Истомин проявил интерес к твоей особе, — со вздохом сказал Сергей. Не знаю, что Истомин разнюхал о Саше, но, вне всякого сомнения, впечатление это произвело, оттого Сергей и вел себя столь необычно.

— Значит, ее муж ни много ни мало хочет ее смерти, — словно думая вслух, произнес Саша.

— Меня это не удивляет, учитывая, сколько денег она у него оттяпала. А тебя?

— Нет, не удивляет, — кивнул Саша. — Меня удивляет другое: как ты или тот же Истомин смогли узнать о его намерениях? Ее муж что, болтался по городу с вопросом: кто не прочь пристрелить мою бывшую?

— Может, и не болтался, но слухами земля полнится, и кое-какие сведения могли просочиться. Истомин не сомневался, что Вадим нанял киллера.

— Не тебя, случайно? — легко спросил Саша.

— Я, между прочим, хотел ей помочь, — ответил тот с обидой. — По крайней мере, предупредить пытался.

— Не скажу, что ты очень напрягал себя. Ну да ладно. В окружении ее мужа не появлялась некая девица, у которой есть свое видение ситуации?

— Не знаю. При чем здесь какая-то девица? — нахмурился Сергей, поразмышлял немного и продолжил: — Истомин говорил что-то о его новом адвокате, баба вроде не робкого десятка, и с Вадимом у них самые теплые отношения. Нашли друг друга. Истомин считает, что она в дуэте первая скрипка. Вадим трусоват и осторожен, если что и затеет, то только будучи уверен, что сможет выйти сухим из воды. Возможно, идея с киллером действительно принадлежит ей.

— Что ж, — кивнул Саша. — Спасибо за содержательную беседу. А теперь послушай меня. Девчонки не оказалось в ту ночь в номере вот по какой причине: мы ждали появления гостя, но то, что пришли сразу двое, признаться, нас удивило. — Саша блефовал, но делал это мастерски. Не знай я, как было на самом деле, ни на мгновение не усомнилась бы в его словах. Сергей ему тоже поверил. Сразу. И едва заметно поморщился. — Ты парня пас или действительно столкнулся с ним случайно? Лично я в случайности не верю, но всякое бывает.

— Случайно, — поспешно буркнул Сергей, как видно, сообразив, что непредумышленное убийство предпочтительнее умышленного, хотя Саше, судя по всему, было все равно. — Я вошел и столкнулся с ним в номере нос к носу. Он был вооружен, и что прикажешь делать?

— «Караул» кричать. Непохоже, что ты робкого десятка. А труп вам был нужен, чтобы шантажировать девчонку. И звонил ты по этой причине, а вовсе не для того, чтобы Селину предупредить. В ее ванной труп, а тут два добровольных помощника, один из которых адвокат. Уговорил бы ее не заявлять в милицию и избавиться от трупа, и она, считай, у вас на крючке. Качай денежки всю оставшуюся жизнь... Ты позвонил в номер, но она не ответила, из чего ты заключил, что девчонка к себе еще не вернулась. Под утро ты стал нервничать, потому что, приди она слишком поздно, ваш план полетел бы к чертям. Труп могла обнаружить горничная, а девчонка бы в это время отдыхала себе спокойно со стопроцентным алиби в кармане, знать не зная о ваших подвигах. Выходило, что пристрелил ты парня зря. Так откуда ты узнал о нем?

— Не я, Истомин, — весьма неохотно ответил Сергей. — Напасть здесь на его след оказалось нетрудно, он следил за Селиной, выжидая удобного момента. Менты за ней тоже приглядывали, так что ждал киллер довольно долго, а когда она поселилась в «Альбатросе», решил, что место самое подходящее.

Саша кивнул, вроде бы соглашаясь, и продолжил:

— Под утро, позвонив в очередной раз, ты наткнулся на меня и понял, что ваш план провалился, но Истомин тебя успокоил и велел продолжать наблюдение. Ясно, что от трупа мы избавились, но, по сути, это мало что меняло. Он был уверен, что сможет запугать девчонку и получить деньги.

— Сегодня от его уверенности почти ничего не осталось, — буркнул Сергей. — Хоть он и силится казаться крутым всезнайкой, у которого все шаги наперед расписаны. Ни ты сам, ни твоя заинтересованность в этом деле ему не понравились.

— Трупа нет, а значит, нет повода торговаться, — сказал Саша. Сергей заметно напрягся, а Самурай добавил: — Хочешь совет? Сматывайся из города, пока есть возможность. Потому что, если мы встретимся еще раз, я тебя убью. Трупом больше, трупом меньше — для меня уже значения не имеет.

— А Истомин? — спросил Сергей как-то неуверенно.

— Истомин, поразмышляв, тоже поспешит унести отсюда ноги. Так что ты помни, это на нем ничего нет, а на тебе убийство... — Саша развел руками, предлагая Сергею самому закончить его мысль. Потом пересел на заднее сиденье и сказал Сергею: — Отвези нас к кафе. Там моя тачка.

До места мы ехали молча, Сергей смотрел на дорогу, сосредоточенно хмурясь. Остановил машину возле кафе и, дождавшись, когда мы выйдем, рванул с места.

— Ну, вот, — сказал Саша, направляясь к моей машине. — Никаких тайн уже не осталось.

— Если киллера нанял мой бывший муж, зачем тому понадобилось убивать Кирилла? — спросила я.

Саша посмотрел на меня и, немного помолчав, ответил:

— Ты помнишь, как это было?

— Конечно. Мы столкнулись с тем типом на переходе, Кирилл схватил меня за локоть...

— И закрыл тебя собой, — перебил меня Саша и добавил тихо: — Мужской поступок.

А я заплакала, потому что поняла: так оно и было.

Там, на переходе, умереть должна была я... если бы не Кирилл... Я вспомнила его лицо, когда он лежал на асфальте, и его последние слова и зарыдала, уткнувшись в Сашино плечо. Он гладил меня по спине, терпеливо ожидая, когда я успокоюсь. И я была благодарна ему за эти слова о Кирилле, а еще за уважение, с которым он произнес их. Вряд ли еще когда-нибудь он назовет его «сумасшедшей бабой».

Я думала о Кирилле, оставшись одна в машине, пока Саша отлучался по своим малопонятным делам, о его нелепой судьбе и любви ко мне, любви, которая не могла принести ему ничего, кроме страдания, и которой он остался верен до конца. И теперь свою собственную судьбу я видела другими глазами. Ты любишь, потому что любишь, ничего не ожидая взамен. Ничего.

Мы вернулись в «Альбатрос». В гостиной номера Саша прошелся от окна до двери, остановился передо мной и сказал:

— Твой муж зашел слишком далеко, чтобы остановиться.

— Наймет еще одного киллера? — без интереса спросила я.

— Как только убийца Кирилла внезапно исчез, ему следовало задуматься. Но он вместо этого предпринял вторую попытку и нанял двух идиотов.

— Женщина. Их наняла женщина, — напомнила я.

— Сомневаюсь, что он не знал об этом.

— Об их судьбе он или она, должно быть, догадываются. Надеюсь, их это образумит.

— Хорошо, если так, — сказал Саша с сомнением. — Я бы предпочел знать, что этот вопрос закрыт и тебе больше ничего не грозит.

Я посмотрела на него и спросила бестолково:

— Как можно закрыть этот вопрос?

— Самое простое — отправить твоего мужа вслед за киллером.

— Убить? — подпрыгнула я.

— Он хотел убить тебя, а я убью его. По-моему, все честно, — пожал Саша плечами.

— Возможно, — пробормотала я, боясь его обидеть. — Но мне эта идея не нравится. Он мерзавец, об этом я и раньше знала, но... не хочу пачкать руки.

— А тебе и не придется.

— И тебе ни к чему, — отрезала я.

— Хорошо, — помедлив, сказал он, как видно, не разделяя моего мнения. — Попробую с ним договориться.

— С моим мужем?

— С кем же еще?

— Не представляю, как это будет в реальности. Он станет все отрицать, а нам нечего ему предъявить, кроме своих догадок.

— Потому я и предложил самый надежный способ.

— Забудь об этом. И вообще, мои дела меня больше не занимают. — «Я бы предпочла, чтобы ты сосредоточился на своих», — хотелось добавить мне, но я разумно промолчала. Теперь, когда мучивших меня тайн почти не осталось, ни о чем другом, кроме приближающейся пятницы, я думать не могла. В этом свете козни бывшего мужа казались сущей ерундой, хоть я и убедилась, что это далеко не так. Было, конечно, и другое. Я не хотела, чтобы Саша убил его, не хотела, чтобы он стал убийцей, как бы глупо это ни звучало, памятуя недавние трупы. Но одно дело парни в той хибаре, и совсем другое — мой бывший муж, то есть дело-то, конечно, не в нем, а в том, что это убийство поставило бы нас на одну доску с Вадимом. Может, это и было бы честно, но точно неправильно. Герои не убивают расчетливо, а их подруги, свистнув чужие деньги, не подталкивают их к подобным поступкам. Я бы ни за что не решилась сказать об этом Саше, хоть и боялась, что он, чего доброго, вообразит, будто какие-то нежные чувства к Вадиму у меня остались. По сути, их и не было никогда. Но откуда об этом знать Саше?

И тут в дверь постучали. Весьма настойчиво. Взглянув на Сашу, я пошла открывать и, распахнув дверь, оторопела. На пороге стоял мой бывший, а рядом с ним длинноногая девица, которой он едва доставал до плеча. При более пристальном изучении выяснилось, что девице ближе к сорока, хоть она и предпочитала об этом не думать. Черные волосы падали ей на грудь, ярко-голубые глаза казались на загорелом лице чем-то инородным, у нее был нос с горбинкой и пухлые губы. В целом она здорово смахивала на ведьму, которой, надо полагать, и была. Белый костюм в обтяжку подчеркивал достоинства фигуры, под костюмом красный бюстгальтер, из него нахально торчали груди с родинкой в ложбинке.

Увлекшись созерцанием всего этого великолепия,

я на время забыла о муже, но он напомнил о себе, сказав деловито:

— Я пришел не скандалить.

— Прекрасно, — ответила я, пропуская вперед эту парочку.

— Мой адвокат, — кивнул Вадим в сторону брюнетки, — Людмила Петровна. А это моя бывшая... супруга, — поморщился он, должно быть, воспоминания о собственной глупости удовольствия ему не доставили.

Брюнетка кивнула, с презрительной усмешкой взглянув на меня, а я подумала, что Сергей, пожалуй, был прав, в этом дуэте роль первой скрипки явно играет она. Адвокатша выглядела много решительнее Вадима, а за презрительным равнодушием угадывался железный характер. Такая вряд ли перед чем-то остановится. Не удивлюсь, если вскоре мой бывший окажется без второй половины своего состояния.

— Надо поговорить, — заявил он, стремительно направляясь в гостиную, и тут увидел Сашу. Тот сидел в кресле и с праздным видом потягивал коньяк, сегодня предпочтя его текиле. Вадим сбавил обороты и недовольно посмотрел на меня.

— Кто это? — спросил он с сомнением, потом, видно, решив, что сие не его ума дело, сказал с легким намеком на подхалимство: — Мы не могли бы поговорить без свидетелей?

— Теперь ее делами занимаюсь я, — заявил Саша и широко улыбнулся.

Лучше бы он этого не делал, его улыбка не могла ввести в заблуждение никого, а уж тем более такого прохвоста, как Вадим, он даже отступил на шаг. Я взглянула на Людмилу Петровну и нахмурилась. От недавнего презрения на ее лице и следа не осталось, она стояла, вцепившись обеими руками в свою сумочку, и таращилась на Сашу, точно выпав на мгновение из реальности. Лицо ее обмякло, как будто расползлось, и теперь было видно, как она немолода, а еще несчастна. «Неужели она тоже это почувствовала? — поразилась я. — И она тоже?» От размышлений на эту тему меня отвлек бывший муж.

— Что ж, если так... — развел он руками. — Предлагаю приступить. — Он взглянул на Людмилу Петровну, будто ища у нее поддержки, она тряхнула головой и презрительно вздернула губу, приходя в себя, но взгляд ее то и дело возвращался к Саше. — Не возражаешь, если мы присядем? — спросил у меня Вадим и плюхнулся в кресло, давая понять, что спросил просто из вежливости.

Людмила Петровна устроилась на диване, я на подлокотнике Сашиного кресла, привалившись к его плечу. Глаза женщины потемнели от ненависти. Но я знала, что эта ненависть не имеет ничего общего с деньгами, которые я украла у ее любовника, эта была ненависть совсем другого рода, и я догадывалась о ее причине, потому и прижалась к Саше, давая понять, что место рядом с ним уже занято.

Она презрительно усмехнулась, закинула ногу на ногу, воинственно выпятив грудь, как будто хотела сказать: «Это мы еще посмотрим», а я, как ни стыдно признаться, забеспокоилась. Вдруг эта ведьма Саше нравится? Она, а вовсе не я, и моя близость ничего, кроме досады, у него не вызывает?

Не дождавшись поддержки от Людмилы Петровны, которая была увлечена самоутверждением, Вадим, кашлянув, приступил к разговору:

— Я хочу тебе кое-что предложить. В настоящее время моя фирма «ВАКО» по бумагам принадлежит тебе. Ты ничего не смыслишь в делах, и тебе она не нужна. Уверен, ты даже не знаешь...

— Не увлекайся, — попросила я. — Я и вправду не знаю. Так что фирма?

— Я бы предпочел в силу разных причин вернуть ее себе. Повторяю, тебе она совершенно ни к чему, а твой дурак-адвокат, который...

— Ты опять увлекся.

— Короче, — выдохнул Вадим. — Я готов купить ее у тебя. Скажем, за полмиллиона долларов, — и покосился на Сашу, желая знать, какое это произвело на него впечатление.

— Тебе нужна эта фирма, милая? — дурашливо спросил тот.

— Я даже не знаю, о чем он.

— Отлично. Моя девочка не знает, — повернулся он к Вадиму. — Но наверняка ее дурак-адвокат в курсе. Мы с ним встретимся и потолкуем. А он встретится с тобой.

— Но позвольте, — возмутился Вадим. — Почему я должен говорить с каким-то адвокатом? Что нам мешает решить все сейчас? Полмиллиона — очень хорошие деньги, уверяю вас. А адвокат... он пойдет на что угодно, лишь бы подложить мне свинью, совершенно не заботясь о ваших интересах.

Саша поднялся, сделал шаг и ударил Вадима кулаком в лицо. Голова бывшего дернулась, а в следующее мгновение он взвыл, закрыв лицо руками.

— Господи, — простонал он, Саша наклонился к нему и сказал:

— В следующий раз прежде чем решишь нанять киллера — хорошенько подумай.

— Вы что, спятили? — пробормотал Вадим, давясь слезами.

— Сломанным носом ты тогда не отделаешься, — продолжал Саша. — Только посмей тронуть девчонку, я тебе, урод, сначала сломаю руки, потом ноги, а уж потом намотаю твои собственные кишки на шею да еще заставлю в зеркало смотреть на все это, пока не сдохнешь.

— Да вы сумасшедший! — взвизгнул Вадим. — Какой еще киллер? Что все это значит? За кого вы меня принимаете? Да у меня и в мыслях не было...

— Вот это хорошо, — кивнул Саша, Вадим вновь дернулся, заподозрив, что его хотят ударить еще раз.

Саша отошел, а бывший запричитал:

— Вызовите врача, я же кровью истекаю. Вы вообще соображаете, что делаете?

— Вполне, — кивнул Саша. — Ты ж бизнесмен, а не бандит какой-нибудь, следовательно, вести дела с бывшей женой должен вполне цивилизованно, через ее адвоката. Держись от нее подальше, и все будет хорошо.

Людмила Петровна резко поднялась и направилась к Вадиму.

— Идем отсюда, — в голосе ее сквозило презрение, Вадим и впрямь выглядел жалко.

— Мне нужен врач, — взвился он.

— Идем, — повторила она нетерпеливо, ее взгляд, устремленный на Сашу, пылал негодованием, хотя, пожалуй, в нем было и еще что-то. Должно быть, ей нравились решительные мужчины. Саша притормозил возле нее, и несколько секунд они смотрели в глаза друг другу.

— Играешь в мужские игры, красотка? — усмехнулся Саша.

— У нас эмансипация, — презрительно ответила она.

— Да? Ну, так получай. — Он выбросил вперед кулак, и женщина со сломанным носом оказалась на полу. Я невольно поежилась, а она слабо простонала, должно быть, в шоке от боли, бессмысленно таращась по сторонам. — Вы оба живы до тех пор, пока у девчонки нет неприятностей, — подытожил Саша разговор, левой рукой сгреб за шиворот Людмилу, правой подхватил Вадима и выволок их в прихожую. Открыл дверь, по одному выбросил в коридор и захлопнул дверь.

— Это ты называешь «договариваться»? — спросила я.

Он отмахнулся:

— На них это подействует.

— Мне кажется, Вадим действительно не знал о киллере.

— Тем лучше для него.

— Они могут заявить в милицию.

— Да ради бога.

— Пусть бы он забрал эту фирму, мне она ни к чему.

— Похоже, она для него очень важна. Эта баба хотела, чтобы там, в хибаре на свалке, ты подписала бумаги, думаю, как раз этой фирмы они и касались. Пусть твой адвокат как следует разнюхает, в чем там дело. Хочешь продать ее — пожалуйста, но твой муж заплатит за нее в пять раз больше, я уверен.

— Меня не интересуют деньги, — вздохнула я.

— Очень мило. А что тебя интересует?

Я не успела ответить, зазвонил телефон. «Ну, вот, — подумала я. — Нам придется объяснять, почему из нашего номера выбрасывают людей с разбитыми носами». Саша на звонок не реагировал, и трубку сняла я.

— Селина? — В первое мгновение голос я не узнала, хоть он и показался мне знакомым.

— Да.

— Это Истомин.

Я нашла глазами Сашу, он подошел и встал рядом, прислушиваясь к голосу в трубке.

— Мы можем встретиться?

— Зачем?

— Я бы предпочел не говорить об этом по телефону.

— Не представляю, о чем мы вообще можем говорить.

Он помолчал, то ли подыскивая ответ, то ли просто не собирался отвечать.

— Я в баре возле боулинга, здесь, в «Альбатросе», — наконец произнес он. — Буду очень благодарен, если ты придешь одна. — И повесил трубку. Я посмотрела на Сашу.

— Как ты думаешь, что это значит?

— Сергей наверняка ему позвонил, — пожал он

плечами. — Прижать тебя Истомину нечем, да он теперь и не рискнет. Скорее всего, решил тебя спасать.

— От кого? — не поняла я.

— От меня, разумеется.

— Мне следует с ним встретиться?

— Если хочешь.

— Тогда лучше не надо.

— Отчего же, выслушай адвоката. Вдруг скажет что-нибудь путное. Я тебя провожу.

Мы вышли из номера и спустились на первый этаж, где был боулинг. В небольшом баре за стойкой находился только один посетитель. Истомин повернулся и, увидев нас, вроде бы вздохнул.

Подойдя к стойке, Саша заказал кофе, одну чашку подал мне, другую взял с собой и устроился за столиком у противоположной стены, совершенно не обращая внимания на Истомина. Тот проводил его кривой ухмылкой и повернулся ко мне.

— Он ведет себя так, точно ты его собственность, — заметил Валера.

— Я его собственность, — кивнула я. — Ну и что?

— И тебе это нравится?

— Мне нравится он. То есть очень-очень нравится. Так нравится, что все остальное не имеет значения. Ты об этом хотел поговорить?

— Тебя не удивило, что я здесь?

— Мы уже виделись сегодня. Возле кафе, где ты встречался с Сергеем. Уверена, он тебе об этом рассказал.

— Рассказал, — кивнул Истомин.

— Он уехал?

— Да, уехал. Я тоже уезжаю через час.

— Тогда не будем отвлекаться на пустяки, у тебя мало времени. Так о чем ты хотел поговорить?

— Собственно, я хотел проститься перед отъездом, только и всего, — грустно усмехнулся он.

— Я бы пережила, зря беспокоился.

— Не сомневаюсь. Хотелось тебя увидеть, невинное такое желание. А ты изменилась, — приглядываясь ко мне, заметил он.

— Зато ты — нет.

— Ага. И по-прежнему тебя люблю.

Я, признаться, растерялась, а через полминуты, справившись с удивлением, ответила:

— В это трудно поверить.

— Но это так. И все, что я хотел, — уехать отсюда с тобой. Ты можешь сомневаться в моих словах, но это правда. Сначала я хотел тебя и денег, потом только тебя.

— Но не получишь ничего, — отрезала я.

— Да, — не стал он спорить, помолчал немного, отодвинул в сторону свою чашку и спросил, заглядывая мне в глаза: — Ответь мне: почему этот тип? Почему он, а не я?

— Ты уже как-то задавал этот вопрос, хоть и по другому поводу.

— Хорошо, я мерзавец, по твоему мнению. А этот парень, он кто? Благородный рыцарь? Ты хоть представляешь...

— Замолчи, — оборвала я его.

— Не хочешь знать? Значит, догадываешься, что правда может быть весьма для тебя неприятной. И несмотря на это... — Истомин поднялся. — Дурочка, вот ты кто. И я дурак, что затеял этот разговор. Прощай. Вряд ли еще увидимся. С этим парнем ты прямиком отправишься в ад.

— Возможно, — не стала я спорить. — Лучше с ним в аду, чем в раю с тобой.

— Красивые слова и не более того. Ты горько пожалеешь о своем решении. Но будет поздно.

Истомин направился к двери, а я проводила его взглядом. Потом перевела взгляд в ту сторону, где сидел Саша, но его за столом не оказалось. Минуту назад я видела, как он разговаривает с кем-то по телефону, и удивилась, что не заметила, когда он покинул бар. Я решила дождаться его здесь, заказала еще кофе, размышляя над словами Истомина. Мне не хотелось самой себе признаться, но наш разговор оставил неприятный осадок.

Прошло полчаса, а Саша так и не вернулся. Я набрала номер его мобильного, он не ответил. Я поднялась к себе, но номер был пуст. Я опять позвонила, с тем же результатом, и почувствовала, как нарастает беспокойство. Позвонила в его номер, трубку не сняли. Схватив сумку, я бросилась на стоянку, его «Лендровер» был там. Выходит, Саша все-таки в «Альбатросе».

Уже стемнело, я шла узкой тропинкой в свете фонарей и пыталась отгадать, где он может быть. Заглянула в казино, вдруг он решил туда наведаться? Потом в ресторан, потом просто бестолково металась от одного бара к другому. Вернулась в номер, надеясь, что он уже там. И заревела, поняв, что его нет. Почему он мне не позвонил, не предупредил? И куда он так внезапно исчез?

Я знала, что надо успокоиться и терпеливо ждать его. Но выдержала не больше десяти минут. И опять заревела, побежала в ванную, умылась, испугавшись, что если Саша вернется и застанет меня в слезах, то решит, что я спятила. Я и вправду спятила. Слушала удары своего сердца, чувствуя, как холодеют руки от ужаса.

Я выскочила из номера, забыв закрыть дверь, поднялась на пятый этаж и бегом припустилась к его номеру. Громко постучала в дверь, один раз, другой, а потом вздохнула с облегчением, потому что услышала шаги. Дверь приоткрылась, Саша стоял на пороге и смотрел на меня с большим неудовольствием.

— Ты... — заговорила я, пытаясь сделать шаг, но он не сдвинулся с места, и я испуганно замерла.

— Чего тебе? — спросил сердито.

— Я...

— Убирайся отсюда, быстро. Поняла? — Он захлопнул дверь перед моим носом, но за мгновение до этого я успела увидеть в глубине гостиной какого-то типа, он сидел в кресле, а еще один появился из-за спины Саши.

Я попятилась от двери, споткнулась о ковровую дорожку и едва не упала. Потом сползла по стене, сжав рот ладонью, чтобы не завыть от ужаса. Он сказал: «Убирайся отсюда», а потом добавил «быстро». Значит, все случилось раньше, чем он ожидал. Случилось... Я вскочила, шагнула к двери и опять попятилась. Что я могу? Вызвать милицию, поднять шум...

— Я должна быть рядом с ним, — пробормотала я

и бросилась к лифту, вдруг вспомнив: пистолет, в его машине под сиденьем был пистолет. Может, он и сейчас там.

«Лендровер» стоял возле самого ограждения, охрана на стоянке отсутствовала, документы проверяли на выезде из клуба возле ворот. Машина, конечно, оказалась заперта. Я бестолково забегала в поисках какого-нибудь камня. Только откуда ему здесь взяться? Зато увидела кое-что получше: металлическую треногу с табличкой «Не занимать». Она оказалась тяжелой, ухватившись за нее, я ударила по стеклу, один раз, второй, третий, ожидая рева сигнализации и появления охраны, чего угодно ожидая. Стекло треснуло и разлетелось после третьего удара. Я выбила осколки, удивляясь, почему до сих пор никто не появился, неужели не слышат? Сигнализация так и не сработала, видно, Саша счел излишним включать ее.

Я полезла в машину, боясь лишь одного, что пистолета под сиденьем не окажется, и глубоко вздохнула, ощутив прохладу металла в своей руке. Сунула оружие за пояс джинсов, прикрыв его кофтой. Странно, но с этой минуты я почувствовала себя спокойнее, по крайней мере, начала соображать. Возвращаясь к гостинице, посмотрела на окна. Кажется, вон там окно Сашиного номера, там горел свет. И дверь на балкон была приоткрыта. Только бы это было его окно, только бы мне повезло.

Балконы сплошной линией шли вдоль фасада, разделенные низкими перегородками. Теперь надо решить, как попасть в соседний номер. Я поднялась на пятый этаж, едва дождалась, когда двери лифта откроются, и бросилась к пятьсот семнадцатому номеру.

— Господи, пусть мне повезет, — бормотала я. И постучала в дверь. — Пусть повезет...

Дверь распахнулась. Мужчина лет шестидесяти стоял в трусах и спьяну пытался сообразить, чего от него хотят.

— Ты кто? — спросил он, прищурившись, его слегка мотнуло, но он удержался на ногах.

— Соседка, — ответила я. — Ключи забыла. — И нырнула под его руку.

— Эй, ты куда? — возмутился он, но я уже открыла дверь балкона. Перелезла через ограждение.

Теперь сквозь тюлевую штору, которая слегка колыхалась от ветра, я хорошо видела гостиную Сашиного номера. Саша сидел спиной ко мне, скрытый высокой спинкой кресла, я видела только его руку, в которой он держал стакан с текилой. Двое мужчин сидели напротив, третий прошелся по номеру. Он говорил, остальные слушали. Говорил довольно громко, я слышала слова, но их смысл до меня не доходил. Потому что меня точно парализовало. Я вдруг поняла, что не смогу сделать шаг. Сосед выглянул на балкон, но меня не увидел и, махнув рукой, вернулся в свой номер. Кровь стучала в висках, я достала пистолет и зажмурилась. «Впусти в себя страх, — вспомнила я. — Дай ему полностью завладеть тобой. Но лишь на минуту. А потом просто сбрось его и сделай то, что должна сделать».

Я пнула дверь ногой, трижды нажала на курок. От грохота заложило уши, в комнате повис дым, а все трое гостей очутились на полу. Я была уверена, что убила их, пока они не начали материться. Реакция у всех оказалась отменная, и все трое успели залечь еще до того, как я выстрелила во второй раз. Мужчины пребывали в легком шоке, но больше всех был поражен Саша. Так и замер со стаканом в руке, глядя на меня.

— Вообще-то люди пришли поговорить, — все-таки смог произнести он, поставил стакан и поднялся. — Да, — со вздохом покачал он головой. — Наверное, я стал сдавать... — Он шагнул ко мне, взял пистолет из моих занемевших пальцев.

Мужчины тоже поднялись, один разглядывал рукав своего пиджака.

— Это что ж такое? — в полном обалдении сказал он.

— Ерунда. Купишь себе новый костюм, — отмахнулся Саша.

— Новый костюм? Да эта сучка чуть меня не подстрелила.

В этот момент в дверь громко постучали. Саша шагнул в прихожую, трое мужчин продолжали смотреть на меня так, точно я выходец с того света. Саша открыл дверь, я услышала его голос:

— У нас все в порядке. Какие выстрелы? Понятия не имею. — И, захлопнув дверь, вернулся в гостиную.

— Ментов вызовут? — спросил один из мужчин, Саша покачал головой, что должно было означать «нет». — Уходим, — помедлив, сказал тот же тип, и все трое направились к двери. Последний чуть задержался.

— Ты... — произнес он, обращаясь к Саше. —

Ты... а девка твоя... — Он так и не смог произнести ничего вразумительного и скрылся в коридоре.

Саша запер за ними дверь. Я все еще стояла посреди комнаты, и все плыло у меня перед глазами. Вернулся Саша и с преувеличенным спокойствием спросил:

— Что это на тебя нашло?

Я съежилась, решив, что он меня сейчас ударит. А потом испугалась еще больше, потому что поняла: я сделала только хуже, я не помогла, я...

— Я боялась, — ответила первое, что пришло в голову.

— Боялась, и что?

— Я разбила стекло в твоей машине, — заливаясь слезами, сказала я. Саша посмотрел на пистолет в своих руках и бросил его на стол. — Прости меня, пожалуйста, — заголосила я. — Я так испугалась. Думала, они пришли за тобой...

— Думала она... твое дело не думать, а делать, что тебе говорят. Сказал: убирайся, значит, ноги в руки и марш из города. Дура. — Он толкнул меня в грудь, и я оказалась в кресле. Саша навис надо мной и сурово продолжил: — Запомни раз и навсегда: никогда, ни при каких обстоятельствах не лезь в мои дела. Нырять в дерьмо по самые уши — занятие для мужиков. Твое дело сидеть и ждать, когда я вынырну и принесу тебе на блюде бабки, тряпки и счастливую жизнь, все от дерьма уже отмытое. Поняла?

Я закивала часто-часто, боясь, что разревусь еще больше, и окончательно выведу его из терпения.

— Я все испортила, да? — заикаясь, произнесла я.

— Ничего ты не испортила, — отмахнулся он. — Хуже все равно не будет.

— Кто эти люди?

— Что? — рявкнул он, а я подпрыгнула от неожиданности. — Я тебе что говорил две минуты назад?

— Я не буду, я больше никогда не буду... но если ты, но если тебя... я все равно с тобой...

— Это ты что сейчас сказала? — спросил он, усмехнулся, покачал головой и сел напротив.

— Я тебя люблю, — прошептала я.

— Ты уже говорила.

— Я тебя очень люблю.

— И что мне с этим делать?

— Не знаю.

— Боевая подруга на мою голову... Ладно, иди сюда.

Он протянул руку, а я перебралась к нему на колени, уткнулась носом в грудь и затихла. Он обнял меня, тихонько раскачиваясь, а потом вытер мою физиономию ладонью. И улыбнулся.

Уже позже, когда он был в ванной, а я ждала его, свернувшись калачиком на кровати, я вспомнила его слова о роли мужчины и женщины в современном мире и подумала: если убрать все лишнее, то сказал он буквально следующее: бабы должны сидеть дома, никуда не лезть, больше помалкивать и ждать возвращения любимого. То есть те самые кухня, дети, церковь, к чему пытался приохотить меня мой бывший муж. Но если в случае с Вадимом это вызывало во мне тихую ненависть, то теперь я с готовностью со всем соглашалась и даже видела в этом нечто разумное.

— Чудеса, — прошептала я, дивясь переменам в себе. Хотя, конечно, лукавила. Мужа я не любила, вот и все. А Саша... Тут он появился из ванной, и все мои мысли перестали иметь значение.

Наутро жизнь казалась мне прекрасной, а я сама — счастливейшей женщиной на свете. Саша вроде бы забыл о вчерашних событиях, по крайней мере вел себя так, точно ничего не случилось. Никто нас не беспокоил. Позавтракав, мы отогнали машину Васе который заменил стекло и наконец-то ее вымыл. В это время мы болтались по городу без всякой цели, болтая о пустяках, вот тогда-то я и решила, что совершенно счастлива.

Счастье длилось до двух часов. В два позвонил Лысый и предложил Саше встретиться. Того его предложение не удивило, он сказал, что подъедет часам к пяти, а я начала волноваться. Саша вернулся к ничего не значащему разговору, а я отвечала невпопад, потому что волнение все нарастало и постепенно переходило в панику.

— Можно, я поеду с тобой? — выпалила я.

Саша посмотрел сердито.

— Куда? — Конечно, он и так все прекрасно понял, а вот ответил совсем неожиданно: — Можно.

— Правда? — растерялась я.

— Правда, правда. А то опять ворвешься с пистолетом и начнешь палить по живым мишеням. Второй раз мои нервы такого не выдержат.

Пистолет, кстати, я ночью спрятала в свою сумку, он до той минуты так и лежал на столе. Утром Саша про него даже не вспомнил, и я теперь гадала, хорошо это или плохо.

— Зачем он тебя зовет? — осмелела я.

— Торговаться.

— А ты...

— Ты русский язык понимаешь? — разозлился он. — Я сколько раз должен повторять одно и то же?

— Вон птичка, — пискнула я, уходя от опасной темы.

— Две, — кивнул Саша.

— Что?

— Две птички. Пошли к Васе, надо машину забрать.

К пяти часам мы подъехали к кафе «Таис». Возле дверей нас встретил молодой человек и проводил в комнату, что была за кухней. В комнате в кресле сидел Лысый, положив ноги на журнальный стол и разглядывая потолок. Кроме двух кресел и стола, здесь был еще диван. Саша кивнул мне на него, и я устроилась на краешке, Саша сел напротив Лысого. Тот ноги убрал и выжал из себя улыбку. Саша на это никак не отреагировал.

— Слышал о вчерашнем, — сказал Лысый, Саша едва заметно поморщился. Оставшись доволен произведенным эффектом, Лысый заметил: — Я бы предпочел поговорить наедине.

— Перебьешься, — ответил Саша, теперь поморщился Лысый.

— Как знаешь. Камень у тебя? — помедлив, спросил он.

— Конечно.

— И что ты думаешь делать?

— Пока не знаю.

— Давай договоримся, — передвигаясь ближе к Саше, вздохнул Лысый. — Ты забудешь эту историю, а я в свою очередь тебе помогу.

— Ты ничего не решаешь.

— Возможно. Но Беспалый ко мне прислушивается.

— Он тоже ничего не решает, — покачал головой Саша.

— Но слово Беспалого немаловажно. Ну так что?

— А скажи-ка, Дима, — откидываясь на спинку кресла, медленно произнес Саша. — Зачем понадобилось убивать всю семью Райкова? Ну, его шлепнули, понятно. А жену с детьми зачем? Припугнули бы бабу, она б на все и так согласилась.

— Чего ты дурака валяешь? — обиделся Лысый. — Шлепнули бы его одного, и дурак бы понял, в чем дело.

— А на куски их резали для своего удовольствия или в этом тоже был какой-то смысл?

— Я не резал. Ты что, не знаешь этих чокнутых наркоманов? Они мать родную зарежут, глазом не моргнув. — Он хмуро уставился на Сашу и добавил нетерпеливо: — Давай кончать с этой бодягой. Так да или нет?

Саша усмехнулся:

— Я тебя всегда считал мразью, а с мразью, Дима, я не договариваюсь.

— Вот как. А ты кто? Ты... что ты из себя корчишь? Перед девкой своей бахвалишься? Давай... порезвись маленько. Недолго тебе осталось. А я еще поживу. И знаешь что я сделаю, как только ты сдохнешь? Я твою сучку из-под земли достану, а потом в эту землю зарою, еще живой. Если бы не она...

— Зря ты это сказал. — Саша поднялся, достал из кармана пистолет и не спеша стал прикручивать к нему глушитель. Я вцепилась в ручку дивана, а Дима усмехнулся:

— Что ты меня пугаешь, тварь? Ты этого не сделаешь. И ты и я знаем... — договорить он не успел, раздался хлопок, и тело Лысого обмякло в кресле, на его голову я старалась не смотреть.

— Идем, — позвал Саша, я поднялась, покачнулась, но он успел подхватить меня под локоть. Мы быстро покинули кафе, парень на входе проводил нас настороженным взглядом и бросился куда-то по коридору.

Мы возвращались в «Альбатрос», что не укладывалось у меня в голове. Труп сейчас обнаружат, и в «Альбатросе» нас, скорее всего, будет ждать милиция. Я посмотрела на Сашу, но не рискнула задать вопрос. Он выглядел совершенно спокойным, точно двадцать минут назад не застрелил человека, и мысли о милиции его, судя по всему, не беспокоили.

Не успели мы войти в его номер, как в дверь громко постучали. Я похолодела от ужаса, перевела взгляд на Сашу, не зная, что делать, дверь между тем распахнулась, и в номер стремительно вошел Олег Николаевич. За ним с постными лицами ввалились двое парней, «ворон» и здоровяк, с которым мне уже приходилось встречаться. Они замерли у двери гостиной, Саша в этот момент стоял к ним спиной, доставал коньяк из бара.

— А, привет, — через плечо бросил он Беспалому, а тот зашелся в крике:

— Ты что, ополоумел совсем, сукин сын? Ты что творишь, а? Совсем крышу снесло? Ты хоть соображаешь...

— Скажи ребятам, чтобы вышли, разговор есть, — вздохнул Саша, устраиваясь в кресле.

Его спокойствие Олега Николаевича окончательно доконало, но он все-таки кивнул своим подручным, и те поспешно покинули номер. Он едва дождался этого мгновения и опять заорал.

— Ты всех достал, идиот, своими выходками! Какого хрена ты его пристрелил? Ты соображаешь, что делаешь? Ты сдохнешь, придурок, сдохнешь! — кричал он, жилы на его шее вздулись и, казалось, вот-вот лопнут.

А меня вдруг переклинило.

— Прекрати на него орать! — рявкнула я. — Разорался тут... он без тебя знает, что ему делать.

Олег Николаевич, выпучив глаза, открыл рот и тут же закрыл. Саша, прикрыв лицо рукой, зашелся беззвучным смехом.

— Это что ж такое? — смог-таки произнести Олег Николаевич.

Саша убрал руку от лица и серьезно сказал:

— Не принимай близко к сердцу. Она у меня с придурью. А ты марш в спальню, — повернулся он ко мне. — И чтоб я тебя не слышал и не видел. И дверь поплотнее закрой.

Я бросилась в спальню, но слова, касающиеся двери, решила проигнорировать. Прикрыла ее неплотно и, держась за ручку, приникла к щели.

— И правда кошка дикая, — проворчал Олег Николаевич, опускаясь в кресло. — Распустил девку.

— Есть немного, — охотно согласился Саша. — Надо бы ее приструнить, да жалко дурочку.

Саша выложил на стол изумруд и придвинул к Олегу Николаевичу.

— Что это? — спросил тот.

— Ты его раньше не видел?

— Допустим, видел.

— Камешек Лысый Кристинке подарил. Как он к нему попал, объяснять тебе не надо. Мирона он убил, потому что тот узнал камень. И Кристину тоже он пришил, дурочка сообщила ему после моего звонка, что я в городе. Вот он и поспешил от нее избавиться. Впрочем, Кристина тебя меньше всего волнует. — Саша усмехнулся и продолжил: — Была договоренность, что никто в это дело не вмешивается? Лысый влез. Теперь лежит с пулей в башке. Кто скажет, что я не прав?

Олег Николаевич недовольно крякнул.

— Ты ж не за это его убил, — заметил он укоризненно.

— Не за это, — не стал спорить Саша. — Он девчонке моей грозил. Обещал ее живой в землю зарыть. Вполне мог. И как я ее с того света уберегу?

— А теперь уберег? Дурак ты... — Олег Николаевич в досаде покачал головой. — Из-за девки... дурак.

— Может быть, — согласился Саша, потер пальцами лоб, вздохнул и сказал с усмешкой: — Видишь ли, странная штука со мной приключилась. Не думал, не гадал, а вдруг взял да и влюбился.

— Ты?

— Ага. Самому смешно. Смотрю на нее, и знаешь, жить хочется.

— С этим проблемы, Самурай, — серьезно ответил Олег Николаевич. — Большие проблемы.

— Знаю.

— Знаешь, и что? Девку свою за собой в могилу тянешь. Ты б хоть подумал, что с ней будет...

— Я думаю, думаю. Собственно, об этом я и хотел поговорить. Ты Циркача помнишь?

— Ну...

— А знаешь, кто он такой на самом деле? — Саша помедлил и, не дождавшись ответа, сказал: — Девка. Ага. Вполне симпатичная, кстати. Тебе, возможно, даже бы понравилась. А главное, руки у нее золотые были. Хоть в карман залезет, хоть сейф вскроет. Из твоего, случайно, ничего не пропало?

Олег Николаевич замер, глядя на Сашу.

— Диск у меня, — сказал Самурай. — Пока у меня.

— Думаешь, что держишь меня за яйца? — выдержав паузу, хмыкнул Олег Николаевич.

— А ты как считаешь? Так что позаботься о том, чтобы моя девчонка спокойно покинула город. И вообще, присмотри за ней. Муж у нее дурной, киллеров нанял. Она деньги у него отсудила, вот он и бесится.

Олег Николаевич молча поднялся и направился к двери.

Саша вошел в спальню, я успела отскочить к окну и теперь делала вид, что очень интересуюсь пейзажем.

— Подслушивала? — сурово спросил он, а я испуганно покачала головой. Но когда он приблизился, не выдержала и прошептала:

— Что теперь будет?

— Да ничего... Встречу перенесут, скорее всего, а Беспалый... будет думать.

Он смотрел на меня и улыбался. А потом поцеловал. В тишине номера я слышала, как тикают часы, отсчитывая время. И душа успокоилась, замерла. И под Сашиным взглядом я вдруг поняла, что жизнь прожита до конца и ничего не жалко.

А потом была длинная-длинная ночь, опрокинутый стакан с текилой на полу, и тихий шепот, и его руки. И каждое мгновение этой ночи осталось в памяти, не стерлось, не потускнело. Каждый его жест, каждое слово, каждое движение и каждый вздох. За окном шел дождь, и мы лежали в темноте, обнявшись. И в душе, и в мире царила безмятежность. Все было так спокойно... так спокойно...

Внезапный толчок в грудь, и я открыла глаза. Саши рядом не было, и стало ясно: его нет здесь, в этом номере, он ушел. И сразу ударила мысль: пятница, сегодня пятница. Господи, как я могла ему поверить, что встречу перенесут, что ничего не случится? Я должна была понять: этой ночью он со мной прощается. Я резко села в постели, взгляд упал на часы, что были на моей руке. Секундная стрелка дернулась и замерла. И кто-то шепнул, прикасаясь холодным к моему затылку:

— Его время уходит.

И часы остановились. В груди разлилась боль, руки свело судорогой, и я завыла в отчаянии. И услышала шаги. Рванула к двери, она открылась, и я увидела Васю. Он выглядел каким-то помятым, а еще обеспокоенным. Посмотрел на меня и кашлянул смущенно. Я стояла перед ним голая, но мне было плевать на это.

— Где он? — спросила я, мне пришлось повторить это дважды, из груди рвались бессвязные звуки.

— Проснулась? — бодро начал Вася. — Вот и хорошо. Собирайся. Поехали.

— Где он? — В горле булькнуло, и я ухватилась за стену, чтобы не упасть.

— Ты давай оденься, умойся, позавтракаем и поедем. А по дороге я тебе все расскажу.

Он вернулся в гостиную, оставив дверь открытой. Я бросилась за ним.

— Где он? — заорала я, хватая его за плечи.

— Не знаю, — отрезал он. — Не знаю. Сама подумай, откуда мне знать? Он позвонил и попросил увезти тебя отсюда. Вот и все.

Я отступила на шаг:

— Я никуда не поеду.

— И что? — усмехнулся он, помедлил, покачал головой. — Давай без истерик. Я ему обещал, что увезу тебя из города. Это все, что я могу для него сделать.

Я попятилась, стиснув зубы. Я готова была к чему угодно, только не к тому, что произошло в реальности. Я не могу быть рядом с ним, в его последнюю минуту я не могу быть рядом... Наверное, он хотел как лучше. Наверное. Только он был не прав.

Я вернулась в спальню, быстро оделась. Схватила

свою сумку и вздохнула с облегчением, убедившись, что пистолет все еще лежит там. Прошлась по комнате. Спокойно, никаких истерик, слышишь? Зачем-то подошла к окну, «Лендровер» Саши был на стоянке. Я шагнула в гостиную. Вася нервно курил, сидя в кресле. Хмуро посмотрел на меня.

— Собралась?

— Узнай, где он, — сказала я.

— Как? Ты в своем уме?

— Нет. Я не в своем уме. Узнай, где он, мне плевать, как ты это сделаешь, но сделай. Иначе я тебя убью. — Я села напротив, положив руку с пистолетом на колени.

— Нет, ты... — покачал он головой. — Кто мне скажет? Я что, по-твоему...

— Не валяй дурака. Саша оставил машину. Кто его отвозил? Ты?

— Послушай, успокойся и послушай, — выставив руки вперед, попросил он. — Ему это не надо, понимаешь? Это никому не надо.

— Это надо мне.

— Чего ты хочешь? Ты туда даже не войдешь, тебя никто не пустит. И если ты думаешь, что с этой железкой... — кивнул он на пистолет.

— Скажи мне, где он, — повторила я спокойно.

— Что тебе это даст? Ты думаешь, он мне сказал бы «спасибо»? Я ведь ему обещал...

— Я способна ждать еще минуту. Еще минута, и я тебя убью.

— Послушай. — Он вскочил и подошел ко мне, тронул за плечо. — Все бесполезно. Он оттуда не вернется. Не думай, что я не понимаю, каково тебе сейчас, но ты ничего уже не изменишь. Ничего. Ни-че-го, — повторил он по слогам. — В лучшем случае, увидишь дом за забором.

— Хорошо, пусть так, дом за забором.

— Ладно, — помедлив, кивнул Вася. — Мы просто проедем мимо. В калитку звонить бесполезно, никто не откроет. Ты не войдешь, даже не думай об этом. Проедем мимо, — повторил он, как будто самого себя уговаривал.

Мы вышли из номера, я сунула пистолет в сумку. Я была спокойна, как это ни странно. И Вася решил, что истерика моя закончилась. Мы проедем мимо, я увижу дом за забором, а потом... Я туда войду, не знаю как, но войду. Чтобы быть рядом с Сашей, живым или мертвым. Важно только это, быть рядом с ним.

Мы сели в «Лендровер» ехали вдоль реки, все дальше и дальше, а Вася монотонно что-то бубнил, иногда до меня доходил смысл его слов.

— Тебе жить надо, жить... хотя бы ради него, потому что он так хотел, понимаешь? Не нужна ему твоя смерть. Ты справишься, поплачешь, помучаешься, но справишься. Вот увидишь. Пройдет несколько дней, и боль утихнет, так всегда бывает. Думаешь, я никогда не терял близких?

Мы свернули в старый город, спустились к стадиону. И тут в узком переулке Вася вдруг ударил по тормозам, точно напоролся на невидимую преграду. А потом сказал ошалело:

— Ни хрена себе...

А я смотрела прямо перед собой и видела Сашу:

сунув правую руку в карман брюк, он быстро шел по переулку навстречу нам.

— Не может быть... — покачал головой Вася, а я уже выскочила из машины и бежала к Саше. Вася тоже вышел, оставив дверь распахнутой, стоял и смотрел на нас. Я хотела броситься Саше на шею, но он, схватив меня за руку, произнес:

— Сольемся в объятиях чуть позже, если ты не возражаешь, а пока лучше убраться подальше отсюда.

— Как ты... Ну ты даешь, — пробормотал опешивший Вася, когда мы с ним поравнялись, он смотрел во все глаза на Сашу, и в глазах его был детский восторг, он хихикнул, покачал головой, всплеснул руками и весело засмеялся. А я поняла, что присутствую при рождении новой легенды. Легенды о Самурае, в который раз победившем смерть.

— Прощай, — сказал Саша Васе, заняв водительское место, а я, обежав машину, села рядом с ним. Саша сдал назад, мы развернулись и помчались по улице. Я придвинулась ближе, положила руку на его ладонь, понемногу приходя в себя.

— Глупо было ожидать от тебя разумных поступков, — сказал он.

— Я тебя люблю, Саша.

— Хорошая новость.

Я посмотрела на свои часы. Секундная стрелка сдвинулась с места и заспешила по кругу. А я со вздохом закрыла глаза, прислушиваясь к биению своего сердца.

— Тачку придется бросить и найти новую, — минут через двадцать заметил он, оглядываясь.

Мы были на выезде из города, возле автозаправки. У пятой колонки стояла ярко-красная машина, и я с удивлением поняла, что это машина Вадима, ее только что закончили заправлять. Сам Вадим прогуливался рядом с пластырем на носу и унылым видом.

— Вадим, — пробормотала я, ткнув пальцем в ту сторону.

— Очень кстати, — сказал Саша, подъезжая впритык к его машине. — Быстро, — скомандовал он и вышел первым.

— Селина, — завопил бывший муж, увидев меня. — Что ты здесь делаешь? То есть я хотел сказать... черт возьми, может, мы поговорим по-человечески?

Он еще не закончил фразы, как Саша распахнул дверь Вадимовой машины и выволок из нее обалдевшую Людмилу Петровну, тоже с пластырем на носу. Мгновение, и она очнулась на асфальте, сидела, откинувшись на руки, и смотрела, как мы садимся в их машину.

— Да что ж это такое! — завопил Вадим, отлетев на приличное расстояние от толчка Саши. — Люда, звони в милицию. Да это черт знает что...

— Звони сам, идиот, мобильный в машине! — проорала в ответ Люда. А через мгновение мне стало не до них.

Со стороны города появился джип, черный «БМВ», и влетел на заправку, пытаясь загородить нам проезд, но опоздал на пару секунд. Мы проскочили в миллиметре, снеся зеркало у «БМВ», и помчались по прямой, как стрела, дороге.

— Пристегнись, — сказал Саша.

Я пристегнулась, удивляясь, что не испытываю страха. Волнение — да, но не страх. Чего мне бояться, если он рядом.

— А это что такое? — проворчал он, глядя в зеркало. Я пригляделась: за черным «БМВ» вдали маячил Сашин «Лендровер».

— Вот шальная баба, — покачал он головой.

— Ты думаешь, это Вадим со своей подругой? — усомнилась я.

— А кто еще? Интересно, о чем они думают, припустившись за нами.

Мне было не до размышлений на эту тему, потому что «БМВ» стремительно приближался. Мы летели с сумасшедшей скоростью, но джип упорно висел на хвосте. Инспектор ГАИ едва успел отскочить в сторону, заполошно размахивая руками. За окном мелькали деревья, теперь дорога шла в гору, а потом начался крутой спуск. Саша резко затормозил, и машина замерла на обочине. Он вышел, на ходу достав пистолет, и я бросилась за ним, боясь услышать гневный окрик, но не услышала. Солнце отражалось в лужах на асфальте, а «БМВ» стремительно приближался, и, вытянув руку, Саша выстрелил несколько раз. Ветровое стекло джипа покрыла рябь, а потом машину занесло, она вылетела на встречную полосу прямо под огромный грузовик. Грузовик попытался уйти от столкновения, «БМВ» развернуло, приподняло над землей, и джип рухнул в кювет, над которым мгновенно взметнулись языки пламени. А я поняла, что стою на дороге, вцепившись в левую руку Саши.

— Вот теперь совсем быстро, — сказал он мне. — Пока менты не очухались.

Машину мы бросили километров через тридцать, в лесу. Вышли к железнодорожной станции и сели на электричку. События этого утра мелькали передо мной, точно в калейдоскопе. Я пыталась осознать, что произошло, а еще старалась представить, что с нами будет дальше, пока голову не начало разламывать от боли. И я решила: самое лучшее — гнать все эти мысли прочь. Мы вместе, и это главное. И тут же пришел покой. Я дремала, привалившись к плечу Саши, щурясь на солнышке, точно кошка. Вот тогда у него и зазвонил мобильный. Саша взглянул на дисплей и ответил.

— Хочешь совет? — услышала я знакомый голос.

— Да я все твои советы знаю, — вздохнул Саша. — Видишь ли, Беспалый, я совершенно не собираюсь умирать ни сегодня, ни в ближайшем будущем. Моя девчонка против. Не могу я отказать ей в такой малости. Так что извини.

— Она с тобой?

— Со мной, со мной.

— Тогда мой совет: выброси мобильный. И вообще... не высовывайся, хотя бы некоторое время. Твоя тачка вместе с тобой и твоей девкой взлетела на воздух. Так что считай, вы покойники.

Беспалый отключился, а Саша с сомнением посмотрел на телефон.

— С чего вдруг такая доброта? — пожал он плечами и продолжил размышления вслух. — На встречу он не явился, хотя его ждали. А теперь еще и это... — Саша поднялся, открыл окно и выбросил телефон, потом посмотрел на меня. Я достала мобильный из сумки и протянула ему. Мой тоже полетел в окно.

— Я думаю, он мой отец, — сказала я. — Или он так думает.

— Кто? — не понял Саша.

— Олег Николаевич.

— Ты это серьезно? — после некоторой паузы, которая понадобилась, чтобы переварить сию новость, нахмурился он.

— Серьезно. Он мой паспорт разглядывал, вопросы задавал... Скорее всего, он не исключает возможности, что я могу быть его дочерью.

— Вот как...

— Ага. Что, скверный у меня родитель? — улыбнулась я.

— Да как тебе сказать, бывает и хуже. Зато какая у него дочь, — засмеялся Саша.

А я, посерьезнев, спросила:

— Как думаешь, кто был в машине? Мой муж?

— Если и так, рыдать по этому поводу я не намерен.

Три года спустя. Санкт-Петербург. Ресторан «Палкинъ», Невский проспект.

— ...Самурая застрелили еще в девяносто шестом, мне показывали его могилу в Ростове.

— Не знаю, что тебе там показывали, но года четыре назад я сам столкнулся с ним в Лондоне, в дверях банка. Само собой, он сделал вид, что меня не узнал, но я-то его признал сразу, уж можешь мне поверить.

— Самурай погиб три года назад, это точно. Ввязался в какую-то мутную историю из-за бабы. Их обоих и взорвали в его машине.

— Да чушь все это. Мой брат был на Кипре этим летом и собственными глазами видел, как он проехал в открытой тачке, а рядом с ним офигенная блондинка...

— Занятный разговор ведут люди, — усмехнулась я.

— Да?

— Четверо мужчин за соседним столиком. Спорят, жив Самурай или нет.

— Самурай? — удивился Саша. — Никогда о таком не слышал.

Литературно-художественное издание

Татьяна Полякова

ПОСЛЕДНЯЯ ЛЮБОВЬ САМУРАЯ

Ответственный редактор *О. Рубис*
Редактор *Т. Семенова*
Художественный редактор *Н. Никонова*
Технический редактор *О. Куликова*
Компьютерная верстка *А. Пучкова*
Корректор *Е. Родишевская*

ООО «Издательство «Эксмо»
127299, Москва, ул. Клары Цеткин, д. 18/5. Тел. 411-68-86, 956-39-21.
Home page: **www.eksmo.ru** E-mail: **info@eksmo.ru**

Подписано в печать 02.10.2007.
Формат 84x1081/32. Гарнитура «Ньютон». Печать офсетная.
Бумага тип. Усл. печ. л. 18,48.
Тираж 90 100 экз. Заказ 1787

Отпечатано в ОАО «Можайский полиграфический комбинат».
143200, г. Можайск, ул. Мира, 93.